NEXUS Edu

최단 시간 중고등 어휘를 정복하는 신개념 영단어 교재 시리즈

FOCUS

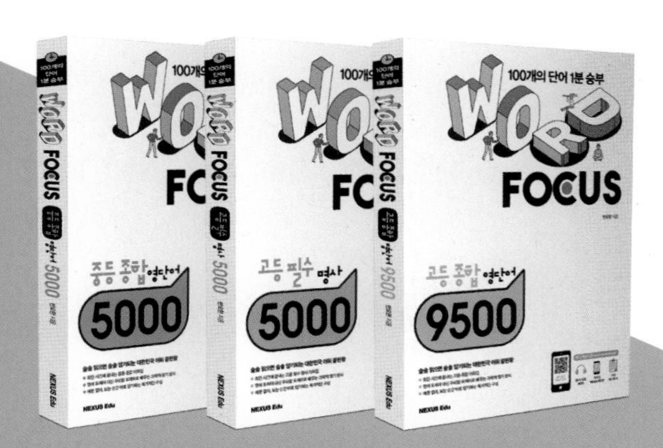

- 중/고등학교 필수 영단어 수록
- 우리말 표제어로 더욱 쉽고 빠르게 암기
- 예문 없이 오직 어휘에 집중하여 읽는 순간 바로 암기
- 어휘 복습을 위한 추가 테스트지 제공
- 모바일로 쉽고 빠르게 이용하는 모바일 보카 테스트 제공(QR코드)
- MP3 무료 다운로드 제공(QR코드 & www.nexusEDU.kr)

추가 제공 자료 www.nexusEDU.kr

원어민 발음 **MP3** | 모바일 **VOCA TEST** | 어휘 테스트지

워드 포커스 시리즈

- **중등 종합 영단어 5000** | 반요한 지음 | 272페이지 | 13,000원
- **고등 필수 명사 5000** | 반요한 지음 | 312페이지 | 14,000원
- **고등 종합 영단어 9500** | 반요한 지음 | 464페이지 | 15,000원

NEXUS Edu

LEVEL CHART

분야	교재	초1	초2	초3	초4	초5	초6	중1	중2	중3	고1	고2	고3
VOCA	초등필수 영단어 1-2·3-4·5-6학년용	■	■	■	■	■	■						
	The VOCA + (플러스) 1~7					■	■	■	■	■	■	■	
	THIS IS VOCABULARY 입문 · 초급 · 중급			■	■	■	■	■	■	■			
	WORD FOCUS 중등 종합 · 고등 명사 · 고등 종합							■	■	■	■	■	■
	THIS IS VOCABULARY 고급 · 어원 · 수능 완성 · 뉴텝스								■	■	■	■	■
Grammar	초등필수 영문법 + 쓰기 1~2			■	■	■	■						
	OK Grammar 1~4			■	■	■	■						
	This Is Grammar Starter 1~3			■	■	■	■						
	This Is Grammar 초급~고급 (각 2권: 총 6권)					■	■	■	■	■	■	■	■
	Grammar 공감 1~3						■	■	■	■			
	Grammar 101 1~3						■	■	■	■			
	Grammar Bridge 1~3 (개정판)						■	■	■	■			
	중학영문법 뽀개기 1~3						■	■	■	■			
	The Grammar Starter, 1~3						■	■	■	■	■		
	구사일생 (구문독해 Basic) 1~2									■	■	■	■
	구문독해 204 1~2									■	■	■	■
	그래머 캡처 1~2								■	■	■	■	
	[특급 단기 특강] 어법어휘 모의고사									■	■	■	■

분야	교재	초1	초2	초3	초4	초5	초6	중1	중2	중3	고1	고2	고3
Writing	도전만점 중등내신 서술형 1~4						■	■	■	■			
	영어일기 영작패턴 1–A, B · 2–A, B				■	■	■	■	■				
	Smart Writing 1~2				■	■	■	■	■	■			
Reading	Reading 101 1~3					■	■	■	■	■			
	Reading 공감 1~3					■	■	■	■	■			
	This Is Reading Starter 1~3					■	■	■	■	■			
	This Is Reading 전면 개정판 1~4						■	■	■	■	■		
	This Is Reading 1–1 ~ 3–2 (각 2권; 총 6권)					■	■	■	■	■	■		
	원서 술술 읽는 Smart Reading Basic 1~2						■	■	■	■			
	원서 술술 읽는 Smart Reading 1~2									■	■	■	
	[특급 단기 특강] 구문독해 · 독해유형									■	■	■	■
Listening	Listening 공감 1~3						■	■	■	■			
	The Listening 1~4					■	■	■	■	■			
	After School Listening 1~3						■	■	■	■			
	도전! 만점 중학 영어듣기 모의고사 1~3						■	■	■	■			
	만점 적중 수능 듣기 모의고사 20회 · 35회									■	■	■	■
TEPS	NEW TEPS 입문편 실전 250+ 청해 · 문법 · 독해					■	■	■	■	■			
	NEW TEPS 기본편 실전 300+ 청해 · 문법 · 독해						■	■	■	■	■		
	NEW TEPS 실력편 실전 400+ 청해 · 문법 · 독해							■	■	■	■	■	
	NEW TEPS 마스터편 실전 500+ 청해 · 문법 · 독해								■	■	■	■	■

WORD
FOCUS
고등 필수 명사
5000

WORD FOCUS 고등 필수 명사 5000

지은이 반요한
펴낸이 임상진
펴낸곳 (주)넥서스

출판신고 1992년 4월 3일 제311-2002-2호 ①
10880 경기도 파주시 지목로 5
Tel (02)330-5500 Fax (02)330-5555

ISBN 979-11-6165-731-8 54740
979-11-6165-729-5 (SET)

가격은 뒤표지에 있습니다.
잘못 만들어진 책은 구입처에서 바꾸어 드립니다.

www.nexusbook.com
www.nexusEDU.kr

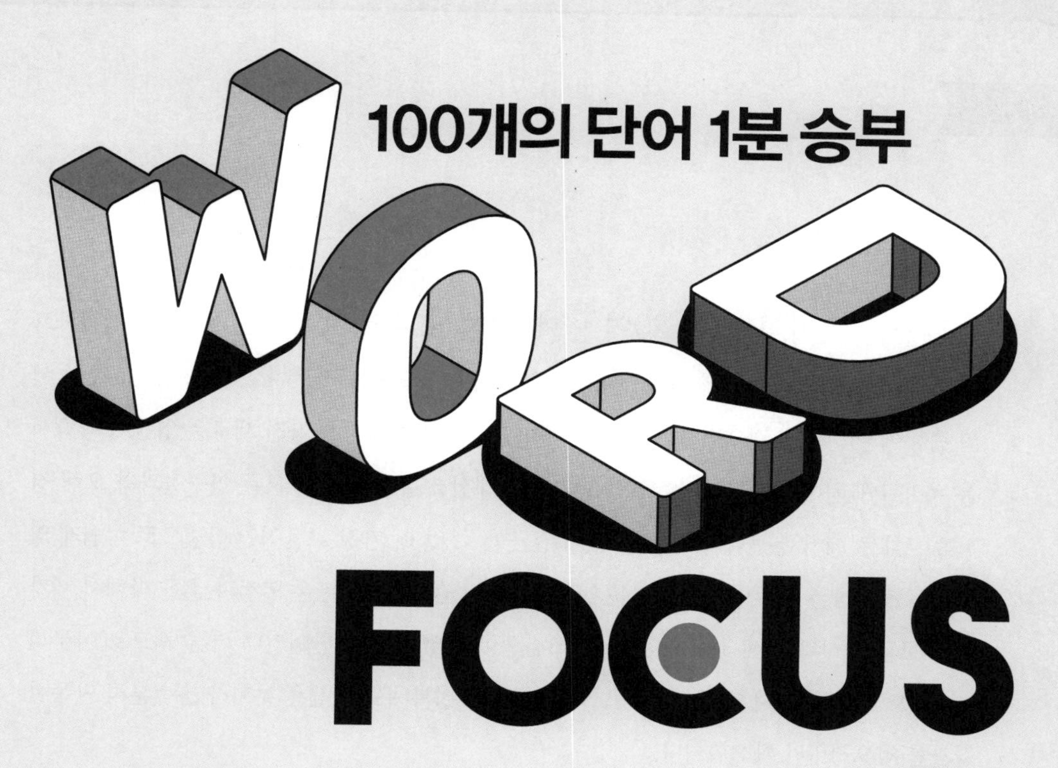

반요한 지음

NEXUS Edu

머리말

본서는 저자가 지난 20여 년에 걸쳐서 수많은 영어 관련 저서들을 집필하고 중 · 고 · 대학생들과 성인에 이르기까지 다양한 영어학도들을 가르쳐오면서 이들이 항상 어휘 습득에 어려움을 겪으면서 무언가 획기적이고 참신한 개념을 가진 새로운 영단어 학습서를 목마르게 원하는 것을 볼 수 있었습니다. 그래서 그동안 연구한 모든 연구결과와 오랜 경험을 토대로 해서 누구나 쉽고 부담 없이 접근할 수 있고, 가장 효율적인 방법으로 손쉽게 영단어를 정복하는 필수명사 어휘집을 집필하게 되었습니다. 저는 온 열정과 혼을 다해서 제가 가진 모든 지식과 지혜를 아낌없이 이 책에 쏟아 넣었습니다. 단언컨대 다른 책으로 아무리 노력해도 잘 외워지지 않는 명사 영단어를 기필코 정복해보고 싶은 분이라면 충분히 만족한 결과를 얻으시리라 확신합니다.

본서에서 다루는 어휘들은 우리가 실제로 생활 속에서 만날 수 있고 상상할 수 있는 거의 모든 분야의 명사들 중 필자의 오랜 경험상 영어학습자들이 영어를 제대로 하려면 꼭 필요하다고 생각되는 거의 모든 명사 단어들을 수록하였습니다. 따라서 본서의 단어들을 암기해 두면 시험이든, 회화나 영작문이든 명사에 관한 한 기본적인 영어의 사용에 전혀 어려움을 느끼지 않는 영어 사용자가 될 것입니다.

이 책을 보시면서 "그런데 왜 명사만 따로 모아서 단어집을 만들었을까?"라는 의문이 생길 것입니다. 그 이유는 우리가 영어 공부를 하면서 만나는 단어들의 품사 비율을 따져보았을 때 그중에서 대부분이 이 명사입니다. 그 이유는 일단 명사라는 것이 이 세상에 있는 모든 사람, 사물, 동물, 식물, 장소, 아이디어 등의 이름을 나타내는 말이며, 영어 문장은 그 내용이 100% 이 명사들에 대해서 어떻다고 설명하는 것이기 때문입니다. 따라서 영어 학습자라면 누구나 꼭 알아야만 하지만, 다른 단어집들을 통해서는 접할 기회가 거의 없는 중요한 명사들을 외우기 쉽도록 각 분야별로 조직적이고 체계적으로 정리해서 만든 어휘집입니다.

본서의 특징은 다양한 특징을 가진 명사 단어들을 각각 종류별로 분류해서 먼저 같은 종류의 단어들만을 함께 모아서 그 각 그룹의 단어들을 정복하는 데 가장 최적화된 방법으로 개별학습을 할 수 있습니다. 이렇게 1차적인 학습이 끝난 상태에서 다시 테마별, 품사별로 구분하고 그것들을 쭉 이어서 단숨에 수백 · 수천 단어를 빠른 속도로 "영⇨한, 한⇨영", 즉 영어로 보거나 듣고 한국어로 뜻을 생각해 내고, 한국어로 보거나 듣고 영어로 뜻을 생각해 내는 방법으로 단숨에 암기하는 것을 여러 번 반복할 수 있습니다. 표제어의 순서가 "한⇨영"으로 되어 있는 것은 이미 우리의 머릿속에 우리말로는 잘 체계화되어 있는 그 단어들의 순서나 내용 등을 먼저 보여줌으로써 무엇을 암기할 것인지를 두뇌에 미리 인식시켜주고 나서 그것을 영어로 떠올리기만 하면 되도록 함으로써 암기의 효율을 높여주고, 그것을 떠올리는 수고도 덜어주어서 그 암기 효과를 극대화하기 위한 것입니다.

"시작이 반이다." 라는 말이 있듯이 일단 크게 마음먹고 "시작을 하는 것"이 중요합니다. 본서를 공부하는 가장 좋은 방법은 "반복, 또 반복해서 MP3를 들으며 발음기호대로 명확하게 소리 내어 읽어보는 것"입니다. 여러분의 분투를 응원하며, 본서에 기록된 5000 영단어 필수 명사편 암기의 성공을 기원합니다!

저자 **반요한**

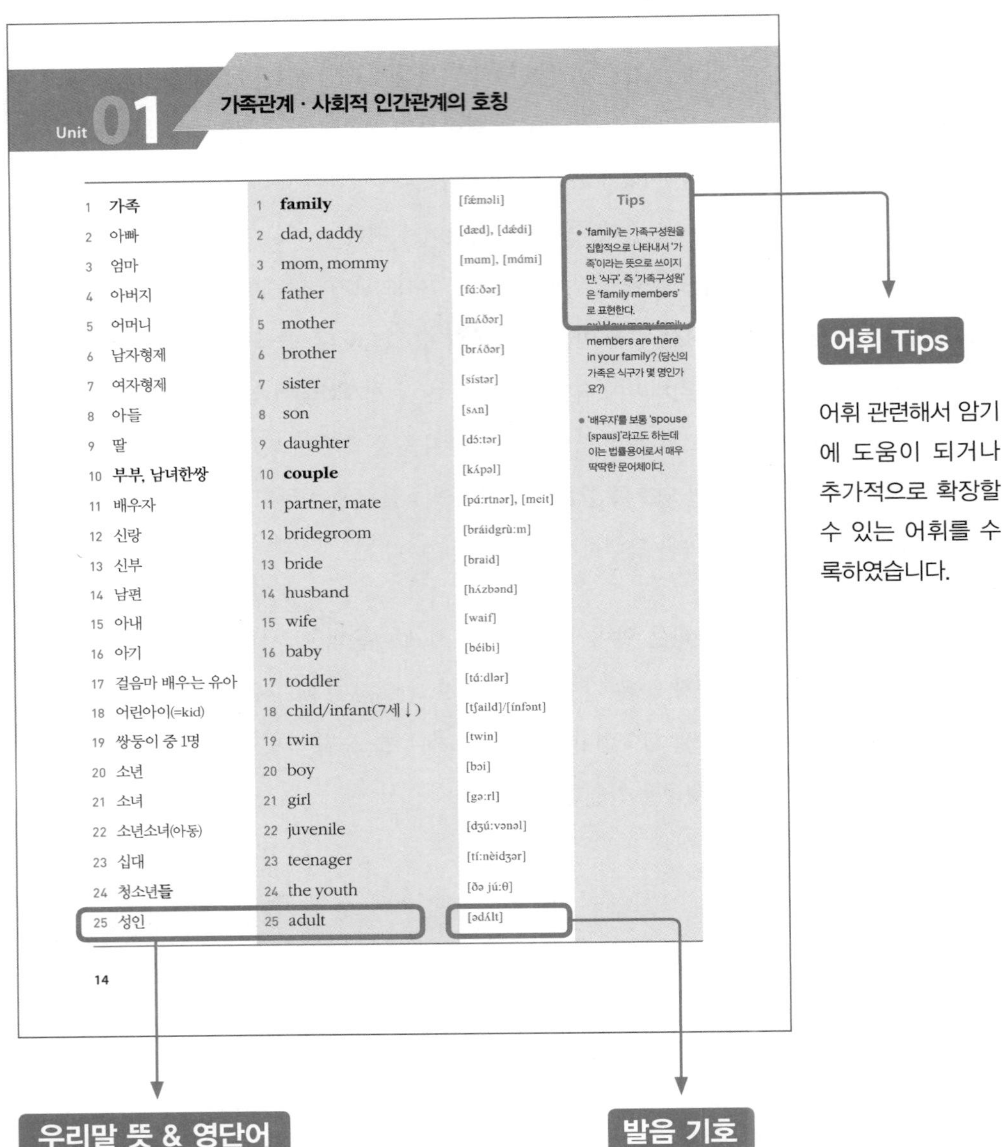

Unit 01 가족관계 · 사회적 인간관계의 호칭

1 **가족**	1 **family**	[fǽməli]	
2 아빠	2 dad, daddy	[dæd], [dǽdi]	
3 엄마	3 mom, mommy	[mɑm], [mɑ́mi]	
4 아버지	4 father	[fɑ́:ðər]	
5 어머니	5 mother	[mʌ́ðər]	
6 남자형제	6 brother	[brʌ́ðər]	
7 여자형제	7 sister	[sístər]	
8 아들	8 son	[sʌn]	
9 딸	9 daughter	[dɔ́:tər]	
10 **부부, 남녀한쌍**	10 **couple**	[kʌ́pəl]	
11 배우자	11 partner, mate	[pɑ́:rtnər], [meit]	
12 신랑	12 bridegroom	[bráidgrù:m]	
13 신부	13 bride	[braid]	
14 남편	14 husband	[hʌ́zbənd]	
15 아내	15 wife	[waif]	
16 아기	16 baby	[béibi]	
17 걸음마 배우는 유아	17 toddler	[tɑ́:dlər]	
18 어린아이(=kid)	18 child/infant(7세↓)	[tʃaild]/[ínfənt]	
19 쌍둥이 중 1명	19 twin	[twin]	
20 소년	20 boy	[bɔi]	
21 소녀	21 girl	[gə:rl]	
22 소년소녀(아동)	22 juvenile	[dʒú:vənəl]	
23 십대	23 teenager	[tí:nèidʒər]	
24 청소년들	24 the youth	[ðə jú:θ]	
25 성인	25 adult	[ədʌ́lt]	

Tips

- 'family'는 가족구성원을 집합적으로 나타내서 '가족'이라는 뜻으로 쓰이지만, '식구', 즉 '가족구성원'은 'family members'로 표현한다.
  ex) How many family members are there in your family? (당신의 가족은 식구가 몇 명인가요?)
- '배우자'를 보통 'spouse [spaus]'라고도 하는데 이는 법률용어로서 매우 딱딱한 문어체이다.

14

어휘 Tips

어휘 관련해서 암기에 도움이 되거나 추가적으로 확장할 수 있는 어휘를 수록하였습니다.

우리말 뜻 & 영단어

영단어 대신 우리말 뜻을 먼저 배치하여 우리말로 먼저 영단어를 떠올리는 연습을 통해 더욱 빨리, 오랫동안 어휘가 기억에 남을 수 있도록 구성하였습니다.

발음 기호

모든 영단어의 발음 기호를 수록하였으며 이는 MP3를 통해서도 들을 수 있습니다.

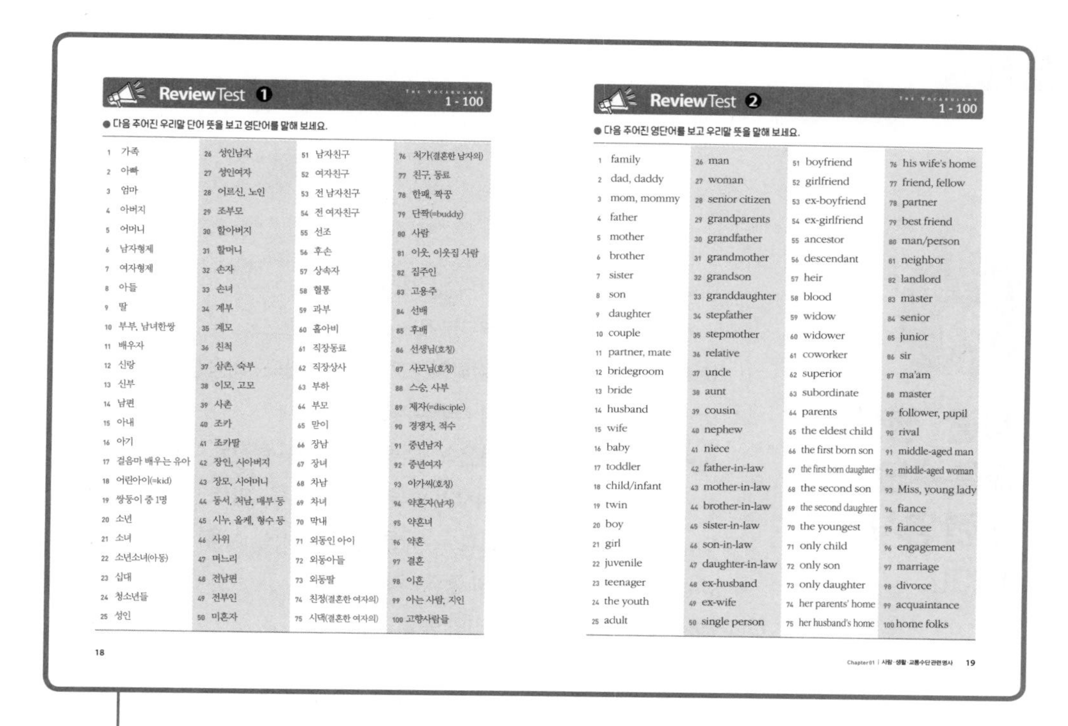

Review Test ❶

1 - 100

● 다음 주어진 우리말 단어 뜻을 보고 영단어를 말해 보세요.

1 가족	26 성인남자	51 남자친구	76 처가(결혼한 남자의)
2 아빠	27 성인여자	52 여자친구	77 친구, 동료
3 엄마	28 어르신, 노인	53 전 남자친구	78 한패, 짝꿍
4 아버지	29 조부모	54 전 여자친구	79 단짝(=buddy)
5 어머니	30 할아버지	55 선조	80 사람
6 남자형제	31 할머니	56 후손	81 이웃, 이웃집 사람
7 여자형제	32 손자	57 상속자	82 집주인
8 아들	33 손녀	58 혈통	83 고용주
9 딸	34 계부	59 과부	84 선배
10 부부, 남녀한쌍	35 계모	60 홀아비	85 후배
11 배우자	36 친척	61 직장동료	86 선생님(호칭)
12 신랑	37 삼촌, 숙부	62 직장상사	87 사모님(호칭)
13 신부	38 이모, 고모	63 부하	88 스승, 사부
14 남편	39 사촌	64 부모	89 제자(=disciple)
15 아내	40 조카	65 맏이	90 경쟁자, 적수
16 아기	41 조카딸	66 장남	91 중년남자
17 걸음마 배우는 유아	42 장인, 시아버지	67 장녀	92 중년여자
18 어린아이(=kid)	43 장모, 시어머니	68 차남	93 아가씨(호칭)
19 쌍둥이 중 1명	44 동서, 처남, 매부 등	69 차녀	94 약혼자(남자)
20 소년	45 시누, 올케, 형수 등	70 막내	95 약혼녀
21 소녀	46 사위	71 외동인 아이	96 약혼
22 소년소녀(아동)	47 며느리	72 외동아들	97 결혼
23 십대	48 전남편	73 외동딸	98 이혼
24 청소년들	49 전부인	74 친정(결혼한 여자의)	99 아는 사람, 지인
25 성인	50 미혼자	75 시댁(결혼한 여자의)	100 고향사람들

18

Review Test ❷

1 - 100

● 다음 주어진 영단어를 보고 우리말 뜻을 말해 보세요.

1 family	26 man	51 boyfriend	76 his wife's home
2 dad, daddy	27 woman	52 girlfriend	77 friend, fellow
3 mom, mommy	28 senior citizen	53 ex-boyfriend	78 partner
4 father	29 grandparents	54 ex-girlfriend	79 best friend
5 mother	30 grandfather	55 ancestor	80 man/person
6 brother	31 grandmother	56 descendant	81 neighbor
7 sister	32 grandson	57 heir	82 landlord
8 son	33 granddaughter	58 blood	83 master
9 daughter	34 stepfather	59 widow	84 senior
10 couple	35 stepmother	60 widower	85 junior
11 partner, mate	36 relative	61 coworker	86 sir
12 bridegroom	37 uncle	62 superior	87 ma'am
13 bride	38 aunt	63 subordinate	88 master
14 husband	39 cousin	64 parents	89 follower, pupil
15 wife	40 nephew	65 the eldest child	90 rival
16 baby	41 niece	66 the first born son	91 middle-aged man
17 toddler	42 father-in-law	67 the first born daughter	92 middle-aged woman
18 child/infant	43 mother-in-law	68 the second son	93 Miss, young lady
19 twin	44 brother-in-law	69 the second daughter	94 fiance
20 boy	45 sister-in-law	70 the youngest	95 fiancee
21 girl	46 son-in-law	71 only child	96 engagement
22 juvenile	47 daughter-in-law	72 only son	97 marriage
23 teenager	48 ex-husband	73 only daughter	98 divorce
24 the youth	49 ex-wife	74 her parents' home	99 acquaintance
25 adult	50 single person	75 her husband's home	100 home folks

Chapter 01 | 사람·생활·교통수단 관련 명사 19

리뷰 테스트

왼쪽에는 한글 뜻을 오른쪽에는 영단어를 배치하였습니다. 먼저 오른쪽 페이지를 가리고 우리말 뜻만 보고 테스트를 실시한 후, 왼쪽 페이지를 가리고 영단어만 보고도 테스트를 실시할 수 있습니다.

MP3 듣기

모바일 보카 테스트

어휘 테스트지

QR코드를 스캔하면 영단어와 뜻을 수록한 MP3, 게임처럼 복습을 할 수 있는 모바일 보카 테스트를 바로 이용할 수 있습니다.MP3와 어휘를 테스트할 수 있는 시험지는 넥서스에듀 홈페이지(www.nexusEDU.kr)에서 다운로드할 수 있습니다.

Chapter 01

사람·생활·교통수단 관련 명사 1700

Chapter 02

편의시설·기관·환경 관련 명사 1900

Chapter 03

예술 · 스포츠 · 취미 · 동물 관련 명사 1000

Chapter 04

사람을 나타내는 명사 400

본서를 통해서 영단어를 암기하기 위해 접근하게 되는 기본적인 방법은 일단 가장 기초가 되며, 암기에 특별한 스킬이 필요 없는 짧고 단순한 기초 단어들을 각 품사별로 분류해서 주요 품사인 명사 · 형용사 · 동사 · 부사 등 각각의 품사에 해당하는 단어의 집합으로 나누고, 그 각 집합에 속하는 단어들을 또다시 주제별로 서로 연관된 내용의 단어들끼리 연상하기 쉽게 묶어서 일렬로 나열하여 최대한 빠른 속도로 읽어 내려가며 암기하는 과정입니다. 이 과정을 통해서 아주 짧은 기간 동안 영단어의 기초가 부실한 학생들은 새롭고 탄탄하게 기초 단어들을 생성해나갈 수 있게 될 것이며, 어지간히 단어를 알고는 있지만 확실하지 않았던 학생들은 자기가 알고 있던 단어의 수에 더하여 더욱 많은 단어들을 매우 쉽게 암기하고, 그 의미나 쓰임새를 확고히 알 수 있게 될 것입니다. 본서를 통해서 가장 효율적으로 공부하는 방법은 다음과 같습니다.

1 본서는 오직 영단어의 효율적인 암기에만 초점이 맞춰진 책으로서 각 단원은 6페이지로 구성되어 있고, 매 단원마다 주제별로 꼼꼼히 정리된 100개씩의 단어가 수록되어 있습니다. 먼저 각 단원의 1~4 페이지의 "한⇨영"으로 되어 있는 부분에서 앞쪽의 우리말 단어들을 전체적으로 쭉 읽어봄으로써 그 단원에서 암기할 단어들의 내용을 파악하고, 가운데의 각 영단어들을 하나씩 훑어 내려가면서 암기하되, 먼저 음원을 듣거나 각 페이지 오른쪽의 발음기호를 보고 정확히 소리 내어 읽으면서 발음을 해보고, 일단 발음이 완벽하고 부드럽게 입 밖으로 자유롭게 나온다고 생각되면, 가운데 있는 영어 단어만 보면서 10회 이상 정확히 발음을 해본 후, 다시 왼쪽의 우리말 단어만을 보면서 10회 이상 정확히 발음해 봅니다. 이렇게 훈련하면 영어 단어와 한글 단어 모든 쪽에 그 정확한 영어 소릿값을 1:1로 대입시켜 암기가 되기 때문에 필요시에 바로 불러내서 쓸 수 있는 효과가 나타나게 됩니다. 이때의 학습 목표는 앞에서 말한 대로 1초에 한 단어를 바로 정확히 떠올려 입으로 뱉어내는 것입니다.

이 속도로 "한⇨영"의 순서로 100개의 단어들을 거침없이 읽어 내려갈 수 있으면 1차적으로는 성공한 것으로 봅니다. 따라서 먼저 이 상태가 될 때까지 훈련합니다. 이 과정이 없으면 결국 암기도 오래가지 않으며 결국 실전에서는 결코 사용할 수도 없게 됩니다. 따라서 이 책의 훈련 과정 중 이처럼 입으로 직접 소리 내서 여러 번 반복적으로 발음을 해보는 것이 가장 중요한 부분입니다! 이는 말의 본질이 결국은 소리이기 때문입니다. 이때 스펠링의 암기에 관해서는 너무 목을 매지 말고 일단 정확한 소릿값을 입에 붙여놓는 것부터 끝내 놓고 스펠링은 맨 마지막에 꼼꼼히 외우도록 합니다.

2 만약 잘 안 외워지는 단어가 있을 경우에는 아는 단어들은 그냥 두고, 모르는 단어들만 집중적으로 다시 정확히 소리 내서 읽으며 암기해서 1초 안에 매끄럽게 머리에서 떠오르고 입에서 술술 읽힐 때까지 연습한 후 100단어 모두가 "1초에 한 단어를 떠올려 암송"이 가능할 때까지 계속 훈련합니다.

3 이렇게 해서 각 영단어의 소릿값이 확실히 정리되었으면, 〈리뷰 테스트〉로 가서 다시 "한⇨영"과 "영⇨한"으로 빠르게 쭉 내려가며 각 단어를 1초 만에 내뱉을 수 있을 때까지 훈련합니다. 이미 "한⇨영"으로 모든 단어들을 훈련을 한 터라서 "영⇨한"은 그리 어렵지 않을 것입니다. 이때 각 단어의 뜻은 이 책에 쓰인 것과 비슷한 다른 말로 임의로 바꾸지 말고, 반드시 이 책에 적힌 그대로만 암기하십시오. 이는 저자가 그 주제 안에서 각 단어의 모든 입장을 고려해서 찾아낸 가장 합리적이고 최적화된 의미를 1:1로 기록한 말이기 때문입니다.

4 이제 이 단계가 되면 이미 기본적으로 그 단원의 100단어들은 이미 암송이 되어 있을 것입니다. 이 교재로 공부를 효과적으로 잘 하기 위해서는 무조건 정확히 소리를 내서 읽는 것이 가장 중요합니다. 모든 언어는 근본적인 본질이 소리인 까닭에 소리를 내지 않으면 결국 내 것이 될 수 없으며, 이 소리 부분에 대한 훈련이 되어있지 않으면 실전 현장에서는 자신이 없거나 기억이 정확하지 않아서 결국 사용할 수 없기 때문입니다.

5 이렇게 함으로써 언뜻 보기에 무척 많아 보이던 모든 단어들이 일사천리로 모두 술술 암기되어지는 놀라운 기적을 누구나 맛보게 될 것입니다. 일단 성공한 후에는 가끔씩 각 장의 맨 뒤에 있는 두 페이지 전체를 빠르게 쭉 훑어보며 잊지 않도록 계속 복습을 해주면 틀림없이 기억이 유지될 것입니다. 여러분의 5000 필수 명사 완벽 암기 성공을 기원합니다!

Chapter 01

사람·생활·교통수단 관련 명사 1700

Unit 01 가족관계 · 사회적 인간관계의 호칭

1	**가족**	1	**family**	[fǽməli]
2	아빠	2	dad, daddy	[dæd], [dǽdi]
3	엄마	3	mom, mommy	[mɑm], [mɑ́mi]
4	아버지	4	father	[fɑ́:ðər]
5	어머니	5	mother	[mʌ́ðər]
6	남자형제	6	brother	[brʌ́ðər]
7	여자형제	7	sister	[sístər]
8	아들	8	son	[sʌn]
9	딸	9	daughter	[dɔ́:tər]
10	**부부, 남녀한쌍**	10	**couple**	[kʌ́pəl]
11	배우자	11	partner, mate	[pɑ́:rtnər], [meit]
12	신랑	12	bridegroom	[bráidgrù:m]
13	신부	13	bride	[braid]
14	남편	14	husband	[hʌ́zbənd]
15	아내	15	wife	[waif]
16	아기	16	baby	[béibi]
17	걸음마 배우는 유아	17	toddler	[tɑ́:dlər]
18	어린아이(=kid)	18	child/infant(7세↓)	[tʃaild]/[ínfənt]
19	쌍둥이 중 1명	19	twin	[twin]
20	소년	20	boy	[bɔi]
21	소녀	21	girl	[gə:rl]
22	소년소녀(아동)	22	juvenile	[dʒú:vənəl]
23	십대	23	teenager	[tí:nèidʒər]
24	청소년들	24	the youth	[ðə jú:θ]
25	성인	25	adult	[ədʌ́lt]

Tips

- 'family'는 가족구성원을 집합적으로 나타내서 '가족'이라는 뜻으로 쓰이지만, '식구', 즉 '가족구성원'은 'family members'로 표현한다.
  ex) How many family members are there in your family? (당신의 가족은 식구가 몇 명인가요?)
- '배우자'를 보통 'spouse [spaus]'라고도 하는데 이는 법률용어로서 매우 딱딱한 문어체이다.

26 성인남자	26 man	[mæn]	
27 성인여자	27 woman	[wúmən]	
28 어르신, 노인	28 senior citizen	[sí:njər sítəzən]	
29 조부모	29 grandparents	[grǽndpὲərənts]	
30 할아버지	30 grandfather	[grǽndfὰ:ðər]	
31 할머니	31 grandmother	[grǽndmʌ̀ðər]	
32 손자	32 grandson	[grǽndsʌ̀n]	
33 손녀	33 granddaughter	[grǽnddɔ̀:tər]	
34 계부	34 stepfather	[stépfά:ðər]	
35 계모	35 stepmother	[stépmʌ̀ðər]	
36 **친척**	36 **relative**	[rélətiv]	
37 삼촌, 숙부	37 uncle	[ʌ́ŋkəl]	
38 이모, 고모	38 aunt	[ænt]	
39 사촌	39 cousin	[kʌ́zn]	
40 조카	40 nephew	[néfju:]	
41 조카딸	41 niece	[ni:s]	
42 장인, 시아버지	42 father-in-law	[fά:ðər in lɔ̀:]	
43 장모, 시어머니	43 mother-in-law	[mʌ́ðər in lɔ̀:]	
44 동서, 처남, 매부 등	44 brother-in-law	[brʌ́ðər in lɔ̀:]	
45 시누, 올케, 형수 등	45 sister-in-law	[sístər in lɔ̀:]	
46 사위	46 son-in-law	[sʌ́n in lɔ̀:]	
47 며느리	47 daughter-in-law	[dɔ́:tər in lɔ̀:]	
48 전남편	48 ex-husband	[èx hʌ́zbənd]	
49 전부인	49 ex-wife	[èx wáif]	
50 미혼자	50 single person	[síŋgəl pə̀:rsən]	

Tips

- 'grand'는 1촌의 차이가 있는'이라는 뜻의 결합사이다. 따라서 나를 기준으로 grandfather는 father보다 1촌을 건너뛰는 사람이라서 할아버지가 되고, 할아버지나 할머니를 기준으로 grandson은 아들인 son보다 1촌을 건너뛰는 사람이므로 손자가 되는 것이다.
- 노인은 구어체로는 old man 또는 old person 이라고도 한다.
- 'step~'은 '의붓…, 계(繼)…, 아버지나 어머니가 다른'의 뜻이다.
- 호칭에 '~in-law'가 붙으면 혈통과 상관없이 법적인 관계임을 나타내며, 이런 경우 다만 법적으로만 맺어진 관계라서 상호 평등한 관계로 보기 때문에 우리말같이 처남, 매부나 시누, 올케, 또는 장모, 시어머니처럼 상호간의 관계를 따라서 따져서 부르지 않고, 서로 또는 모두를 동일하게 부른다.
- 'ex-'는 '전(前)-'이라는 뜻의 접두사이다.

Unit 01 가족관계 · 사회적 인간관계의 호칭

번호	한국어	번호	English	발음
51	남자친구	51	boyfriend	[bɔ́ifrènd]
52	여자친구	52	girlfriend	[gə́:rlfrènd]
53	전 남자친구	53	ex-boyfriend	[èx bɔ́ifrènd]
54	전 여자친구	54	ex-girlfriend	[èx gə́:rlfrènd]
55	선조	55	ancestor	[ǽnsestər]
56	후손	56	descendant	[diséndənt]
57	상속자	57	heir	[ɛər]
58	혈통	58	blood	[blʌd]
59	과부	59	widow	[wídou]
60	홀아비	60	widower	[wídouər]
61	직장동료	61	coworker	[kóuwə̀:rkər]
62	직장상사	62	superior officer	[səpíəriər ɔ̀:fisər]
63	부하	63	subordinate	[səbɔ́:rdənit]
64	부모	64	parents	[pέərənts]
65	맏이	65	the eldest child	[ði éldist tʃaild]
66	장남	66	the first born son	[ðə fə́:rst bɔ̀:rn sʌ́n]
67	장녀	67	the first born daughter	[ðə fə́:rst bɔ̀:rn dɔ́:tər]
68	차남	68	the second son	[ðə sékənd sʌ̀n]
69	차녀	69	the second daughter	[ðə sékənd dɔ̀:tər]
70	막내	70	the youngest	[ðə jʌ́ŋgist]
71	외동인 아이	71	only child	[óunli tʃàild]
72	외동아들	72	only son	[óunli sʌ̀n]
73	외동딸	73	only daughter	[óunli dɔ̀:tər]
74	친정(결혼한 여자의)	74	her parents' home	[hə:r péərənts hòum]
75	시댁(결혼한 여자의)	75	her husband's home	[hə:r hʌ́zbənz hòum]

Tips

- 'co~'는 '공동, 공통, 상호, 동등'의 뜻을 가진 접두사이다.
- (65~70): 최상급의 형용사 앞에는 보통 '정관사 the'가 붙는다.
- 친부모
  biological parents
  [bàiəládʒikəl pὲərənts]
  ⇨ '생물학적인 부모'의 뜻
  –real(blood) parents
  [rí:əl(blʌ́d) pὲərənts]
- 친어머니
  real(blood) mother
  [rí:əl(blʌ́d) mʌ̀ðər]
- 친아버지
  real(blood) father
  [rí:əl(blʌ́d) fɑ̀:ðər]
- 고아
  orphan[ɔ́:rfən]
- 고아원
  orphanage
  [ɔ́:rfənidʒ]
- 입양
  adoption [ədá:pʃən]
- 입양아 / 양자 / 양녀
  adopted child
  [ədáptid tʃàild]
- 양부모
  adoptive parents
  [ədáptiv pὲərənts]

			Tips
76 처가(결혼한 남자의)	76 his wife's home	[hiz wáifs hòum]	
77 친구, 동료	77 friend, fellow	[frend], [félou]	
78 한패, 짝꿍	78 partner	[pá:rtnər]	
79 단짝(=buddy)	79 best friend	[bést frènd]	
80 사람	80 man / person	[mæn] / [pə́:rsən]	
81 이웃, 이웃집 사람	81 neighbor	[néibər]	
82 집주인	82 landlord	[lǽndlɔ̀:rd]	
83 고용주	83 master	[mǽstər]	
84 선배	84 senior	[sí:njər]	
85 후배	85 junior	[dʒú:njər]	
86 선생님(호칭)	86 sir	[sə:r, 약 sər]	
87 사모님(호칭)	87 ma'am	[mæ̀m]	
88 스승, 사부	88 master	[mǽstər]	
89 제자(=disciple)	89 follower, pupil	[fálouər], [pjú:pəl]	
90 경쟁자, 적수	90 rival	[ráivəl]	
91 중년남자	91 middle - aged man	[mídl èidʒd mǽn]	
92 중년여자	92 middle - aged woman	[mídl èidʒd wúmən]	
93 아가씨(호칭)	93 Miss, young lady	[mis], [jʌ́ŋ lèidi]	
94 약혼자(남자)	94 fiance	[fi:ɑ:nséi]	
95 약혼녀	95 fiancee	[fi:ɑ́:nsi]	
96 약혼	96 engagement	[engéidʒmənt]	
97 결혼	97 marriage	[mǽridʒ]	
98 이혼	98 divorce	[divɔ́:rs]	
99 아는 사람, 지인	99 acquaintance	[əkwéintəns]	
100 고향사람들	100 home folks	[hóum fòuks]	

Review Test 1

THE VOCABULARY 1 - 100

● 다음 주어진 우리말 단어 뜻을 보고 영단어를 말해 보세요.

1 가족
2 아빠
3 엄마
4 아버지
5 어머니
6 남자형제
7 여자형제
8 아들
9 딸
10 부부, 남녀한쌍
11 배우자
12 신랑
13 신부
14 남편
15 아내
16 아기
17 걸음마 배우는 유아
18 어린아이(=kid)
19 쌍둥이 중 1명
20 소년
21 소녀
22 소년소녀(아동)
23 십대
24 청소년들
25 성인
26 성인남자
27 성인여자
28 어르신, 노인
29 조부모
30 할아버지
31 할머니
32 손자
33 손녀
34 계부
35 계모
36 친척
37 삼촌, 숙부
38 이모, 고모
39 사촌
40 조카
41 조카딸
42 장인, 시아버지
43 장모, 시어머니
44 동서, 처남, 매부 등
45 시누, 올케, 형수 등
46 사위
47 며느리
48 전남편
49 전부인
50 미혼자
51 남자친구
52 여자친구
53 전 남자친구
54 전 여자친구
55 선조
56 후손
57 상속자
58 혈통
59 과부
60 홀아비
61 직장동료
62 직장상사
63 부하
64 부모
65 맏이
66 장남
67 장녀
68 차남
69 차녀
70 막내
71 외동인 아이
72 외동아들
73 외동딸
74 친정(결혼한 여자의)
75 시댁(결혼한 여자의)
76 처가(결혼한 남자의)
77 친구, 동료
78 한패, 짝꿍
79 단짝(=buddy)
80 사람
81 이웃, 이웃집 사람
82 집주인
83 고용주
84 선배
85 후배
86 선생님(호칭)
87 사모님(호칭)
88 스승, 사부
89 제자(=disciple)
90 경쟁자, 적수
91 중년남자
92 중년여자
93 아가씨(호칭)
94 약혼자(남자)
95 약혼녀
96 약혼
97 결혼
98 이혼
99 아는 사람, 지인
100 고향사람들

Review Test 2

THE VOCABULARY
1 - 100

● 다음 주어진 영단어를 보고 우리말 뜻을 말해 보세요.

1 family
2 dad, daddy
3 mom, mommy
4 father
5 mother
6 brother
7 sister
8 son
9 daughter
10 couple
11 partner, mate
12 bridegroom
13 bride
14 husband
15 wife
16 baby
17 toddler
18 child/infant
19 twin
20 boy
21 girl
22 juvenile
23 teenager
24 the youth
25 adult
26 man
27 woman
28 senior citizen
29 grandparents
30 grandfather
31 grandmother
32 grandson
33 granddaughter
34 stepfather
35 stepmother
36 relative
37 uncle
38 aunt
39 cousin
40 nephew
41 niece
42 father-in-law
43 mother-in-law
44 brother-in-law
45 sister-in-law
46 son-in-law
47 daughter-in-law
48 ex-husband
49 ex-wife
50 single person
51 boyfriend
52 girlfriend
53 ex-boyfriend
54 ex-girlfriend
55 ancestor
56 descendant
57 heir
58 blood
59 widow
60 widower
61 coworker
62 superior
63 subordinate
64 parents
65 the eldest child
66 the first born son
67 the first born daughter
68 the second son
69 the second daughter
70 the youngest
71 only child
72 only son
73 only daughter
74 her parents' home
75 her husband's home
76 his wife's home
77 friend, fellow
78 partner
79 best friend
80 man/person
81 neighbor
82 landlord
83 master
84 senior
85 junior
86 sir
87 ma'am
88 master
89 follower, pupil
90 rival
91 middle-aged man
92 middle-aged woman
93 Miss, young lady
94 fiance
95 fiancee
96 engagement
97 marriage
98 divorce
99 acquaintance
100 home folks

Unit 02

신체외부의 각 부분 및 신체내부기관

1 몸, 신체	1 **body**	[bɑ́di]
2 **머리**	2 **head**	[hed]
3 머리카락	3 hair	[hɛər]
4 가마	4 hair whorl	[hɛ́ər wə̀:rl]
5 얼굴	5 face	[feis]
6 이마	6 forehead	[fɔ́rid]
7 관자놀이	7 temple	[témpəl]
8 눈썹	8 eyebrow[s]	[áibràu-z]
9 속눈썹	9 eyelash[es]	[áilæʃ-z]
10 눈	10 eye[s]	[ai-z]
11 쌍꺼풀	11 double eyelid	[dʌ́bəl àilid]
12 홑꺼풀	12 single eyelid	[síŋgəl àilid]
13 동공, 눈동자	13 pupil	[pjú:pəl]
14 눈물	14 tear	[tiər]
15 뺨	15 cheek[s]	[tʃi:k-s]
16 보조개	16 dimple	[dímpəl]
17 코	17 nose	[nouz]
18 콧구멍	18 nostril[s]	[nɑ́stril-z]
19 입	19 mouth	[mauθ]
20 입술	20 lip[s]	[lip-s]
21 혀	21 tongue	[tʌŋ]
22 이, 치아	22 tooth / teeth	[tu:θ] / [ti:θ]
23 앞니	23 front tooth	[frʌ́nt tù:θ]
24 어금니	24 molar, backtooth	[móulər], [bǽk tù:θ]
25 덧니	25 side tooth	[sáid tù:θ]

Tips

- 이마
  brow[brau]라고도 한다.
- 코의 종류
  –납작코
  flat nose[flǽt nòuz]
  –매부리코
  Roman nose
  [róumən nòuz]
  –들창코
  turned–up nose
  [tə́:rndʌ̀p nòuz]
  –높은 코
  high nose
  [hái nòuz]
- 입천장
  –palate[pǽlit]
- 틀니, 의치
  –artificial tooth
  [ɑ̀:rtəfíʃəl tù:θ]
  –false tooth
  [fɔ́:ls tù:θ]
  –아래 위 전체의치
  denture[déntʃər]

26 송곳니	26 cuspid	[kʌ́spid]
27 뻐드렁니	27 bucktooth	[bʌ́ktù:θ]
28 사랑니	28 wisdom tooth	[wízdəm tù:θ]
29 잇몸	29 gums	[gʌmz]
30 턱/턱 끝	30 jaw/chin	[dʒɔ:]/[tʃin]
31 귀	31 ear[s]	[iər-z]
32 귓불	32 earlobe	[íərlòub]
33 목	33 neck	[nek]
34 목덜미	34 nape of the neck	[néip əv ðə nèk]
35 목구멍	35 throat	[θrout]
36 목소리	36 voice	[vɔis]
37 어깨	37 shoulder[s]	[ʃóuldər-z]
38 겨드랑이	38 armpit[s]	[á:rmpìt-s]
39 등	39 back	[bæk]
40 견갑골	40 shoulder blade[s]	[ʃóuldər blèid-z]
41 젖가슴/가슴	41 breast/chest	[brest]/[tʃest]
42 젖꼭지	42 nipple	[nípəl]
43 명치	43 pit of the stomach	[pít əv ðəstʌ́mək]
44 허리	44 waist	[weist]
45 배, 복부	45 belly, abdomen	[béli], [ǽbdəmən]
46 배꼽	46 navel, belly button	[néivəl], [béli bʌ̀tn]
47 윗 엉덩이	47 hip[s]	[hip-s]
48 엉덩이(앉는 부분)	48 buttock[s], butts	[bʌ́tək-s], [bʌ́ts]
49 항문	49 anus	[éinəs]
50 사지(팔다리)	50 limbs	[limz]

Tips

- 귀의 부분들
  –귓바퀴
  auricle, pinna
  [ɔ́:rikl], [pínə]
  귀청, 고막
  eardrum[íərdrʌ̀m]

- 옆구리
  side[said]

- 배, 복부의 다른 표현
  '배가 아프다' '속이 좋지 않다' 등으로 말할 때 : 'stomach[stʌ́mək]'이라고도 한다. 이 단어의 원래의 뜻은 '위장'이라는 뜻이다.

- 남·녀 성기 부분별 명칭
  음경
  penis[pí:nis]
  귀두
  glans[glænz]
  요도
  urethra[juərí:θrə]
  질
  vagina[vədʒáinə]
  음핵
  clitoris[klítəris]
  자궁
  womb[wu:m]
  엉덩이(앉는 부분)
  구어체로
  bottoms[bátəmz]라고도 함

Unit 02 신체외부의 각 부분 및 신체내부기관

51 팔	51 arm[s]	[ɑːrm-z]	
52 팔꿈치	52 elbow	[élbou]	
53 손목	53 wrist	[rist]	
54 손	54 hand[s]	[hænd-z]	
55 손바닥	55 palm	[pɑːm]	
56 손가락 관절마디	56 knuckle	[nʌ́kəl]	
57 주먹	57 fist	[fist]	
58 손가락	58 finger[s]	[fíŋgər-z]	
59 손톱	59 fingernail	[fíŋgərnèil]	
60 엄지	60 thumb	[θʌm]	
61 검지(=fóre finger)	61 index finger	[índeks fìŋgər]	
62 중지	62 middle finger	[mídl fìŋgər]	
63 약지(=third finger)	63 ring finger	[ríŋ fìŋgər]	
64 소지(새끼손가락)	64 little finger	[lítl fìŋgər]	
65 지문	65 fingerprint	[fíŋgər prìnt]	
66 다리	66 leg[s]	[leg-z]	
67 넓적다리	67 thigh	[θai]	
68 앞쪽 넓적다리	68 lap	[læp]	
69 종아리	69 calf	[kæf]	
70 무릎	70 knee	[niː]	
71 정강이	71 shank, shin	[ʃæŋk], [ʃin]	
72 발목	72 ankle	[ǽŋkl]	
73 발	73 foot/feet	[fut]/[fiːt]	
74 발뒤꿈치	74 heel	[hiːl]	
75 발바닥	75 sole	[soul]	

Tips

- 팔뚝
  forearm[fɔ́ːrɑ̀ːrm]
- 손등
  the back of the hand
- 손가락을 세는 순서
  엄지는 그냥 thumb일 뿐 손가락으로 치지 않고 검지부터 first finger로 센다. 따라서 중지는 second finger, 약지는 third finger, 소지는 fourth finger가 된다.
- '가슴'의 뜻이 '품'일 때에는 'bosom[búzəm]'을 쓴다.

76 발가락/발톱	76 toe[s] / toenail	[tou-z]/[tóunèil]
77 엄지발가락	77 big(great) toe	[bíg(gréit) tòu]
78 새끼발가락	78 little toe	[lítl tòu]
79 **신체기관**	79 **body organ[s]**	[bádi ɔ:rgən-z]
80 피, 혈액	80 blood	[blʌd]
81 혈관	81 blood vessel	[blʌ́d vèsəl]
82 정맥	82 vein	[vein]
83 동맥	83 artery	[ɑ́:rtəri]
84 모세혈관	84 capillary [vessel]	[kǽpəlèri vèsəl]
85 맥박(=pulse)	85 pulsation	[pʌlséiʃən]
86 뼈	86 bone	[boun]
87 척추(=spine)	87 backbone	[bǽkbòun]
88 관절	88 joint	[dʒɔint]
89 갈비뼈	89 rib[s]	[rib-z]
90 근육	90 muscle	[mʌ́səl]
91 신경	91 nerve	[nə:rv]
92 중추신경	92 central nerves	[séntrəl nə̀:rvz]
93 말초신경	93 peripheral nerves	[pərífərəl nə̀:rvz]
94 세포	94 cell	[sel]
95 뇌	95 brain	[brein]
96 두개골	96 skull	[skʌl]
97 내장(=intéstines)	97 internal organs	[intə́:rnl ɔ̀:rgənz]
98 위	98 stomach	[stʌ́mək]
99 간	99 liver	[lívər]
100 폐	100 lung[s]	[lʌŋ-z]

Tips

- 혈구
  –blood cell[blʌ́d sèl]
  –blood corpuscle
  [blʌ́d kɔ̀:rpəsəl]
- 백혈구
  –white blood cell
  [wáit blʌ̀d sèl]
- 혈장
  –plasma[plǽzmə]
- 혈청
  –serum[síərəm]
- 신경섬유, 신경세포
  –neuron[njúərɑn]
  –nerve cell[nə́:rv sèl]
- 척추의 다른 표현
  –spine[spain]
  –spinal column
  [spáinl kɑ̀ləm]
- 힘줄
  sinew[sínju:]
  '근육'이라는 뜻도 있음.
- 살(뼈나 가죽에 대해서)
  –flesh[fleʃ]
- 몸, 육체(영혼에 대해서)
  –body[bɑ́di]
- 해골, 골격
  –skeleton[skélətn]
- 관절
  joint[dʒɔint]

THE VOCABULARY 101 - 200

● 다음 주어진 우리말 단어 뜻을 보고 영단어를 말해 보세요.

1 몸, 신체
2 머리
3 머리카락
4 가마
5 얼굴
6 이마
7 관자놀이
8 눈썹
9 속눈썹
10 눈
11 쌍꺼풀
12 홑꺼풀
13 동공, 눈동자
14 눈물
15 뺨
16 보조개
17 코
18 콧구멍
19 입
20 입술
21 혀
22 이, 치아
23 앞니
24 어금니
25 덧니
26 송곳니
27 뻐드렁니
28 사랑니
29 잇몸
30 턱/턱 끝
31 귀
32 귓불
33 목
34 목덜미
35 목구멍
36 목소리
37 어깨
38 겨드랑이
39 등
40 견갑골
41 젖가슴/가슴
42 젖꼭지
43 명치
44 허리
45 배, 복부
46 배꼽
47 윗 엉덩이
48 엉덩이(앉는 부분)
49 항문
50 사지(팔다리)
51 팔
52 팔꿈치
53 손목
54 손
55 손바닥
56 손가락 관절마디
57 주먹
58 손가락
59 손톱
60 엄지
61 검지(=fórefinger)
62 중지
63 약지(=third finger)
64 소지(새끼손가락)
65 지문
66 다리
67 넓적다리
68 앞쪽 넓적다리
69 종아리
70 무릎
71 정강이
72 발목
73 발
74 발뒤꿈치
75 발바닥
76 발가락/발톱
77 엄지발가락
78 새끼발가락
79 신체기관
80 피, 혈액
81 혈관
82 정맥
83 동맥
84 모세혈관
85 맥박(=pulse)
86 뼈
87 척추(=spine)
88 관절
89 갈비뼈
90 근육
91 신경
92 중추신경
93 말초신경
94 세포
95 뇌
96 두개골
97 내장(=intéstines)
98 위
99 간
100 폐

THE VOCABULARY
101 - 200

● 다음 주어진 영단어를 보고 우리말 뜻을 말해 보세요.

1 body
2 head
3 hair
4 hair whorl
5 face
6 forehead
7 temple
8 eyebrow
9 eyelash[es]
10 eye[s]
11 double eyelid
12 single eyelid
13 pupil
14 tear
15 cheek[s]
16 dimple
17 nose
18 nostrils
19 mouth
20 lip[s]
21 tongue
22 tooth/teeth
23 front tooth
24 molar,backtooth
25 side tooth
26 cuspid
27 bucktooth
28 wisdom tooth
29 gums
30 jaw/chin
31 ear[s]
32 earlobe
33 neck
34 nape of the neck
35 throat
36 voice
37 shoulder[s]
38 armpit[s]
39 back
40 shoulder blade[s]
41 breast/chest
42 nipple
43 pit of the stomach
44 waist
45 belly, abdomen
46 navel, belly button
47 hip[s]
48 buttock[s], butts
49 anus
50 limbs
51 arm[s]
52 elbow
53 wrist
54 hand[s]
55 palm
56 knuckle
57 fist
58 finger[s]
59 fingernail
60 thumb
61 index finger
62 middle finger
63 ring finger
64 little finger
65 fingerprint
66 leg[s]
67 thigh
68 lap
69 calf
70 knee
71 shank, shin
72 ankle
73 foot/feet
74 heel
75 sole
76 toe[s] / toenail
77 big(great) toe
78 little toe
79 body organs
80 blood
81 blood vessel
82 vein
83 artery
84 capillary [vessel]
85 pulsation
86 bone
87 backbone
88 joint
89 rib[s]
90 muscle
91 nerve
92 central nerves
93 peripheral nerves
94 cell
95 brain
96 skull
97 internal organs
98 stomach
99 liver
100 lungs

Unit 03

신체의 기관 · 감각과 지각 · 감정 · 태도 · 미용실

					Tips
1	심장	1	heart	[hɑ:rt]	
2	신장(콩팥)	2	kidney[s]	[kídni-z]	● '키, 신장'의 다른 표현 stature[stǽtʃər]
3	맹장(=cécum)	3	appendix	[əpéndiks]	
4	췌장	4	pancreas	[pǽŋkriəs]	
5	십이지장	5	duodenum	[djù:ədí:nəm]	
6	대장	6	large intestine	[lɑ́:rdʒ intèstin]	
7	소장	7	small intestine	[smɔ́:l intèstin]	
8	쓸개	8	gall bladder	[gɔ́:l blǽdər]	
9	방광	9	bladder	[blǽdər]	
10	정자 / 정액	10	sperm/semen	[spə:rm]/[sí:mən]	
11	난자(=egg)	11	ovum	[óuvəm]	
12	호르몬	12	hormone	[hɔ́:rmoun]	
13	골반	13	pelvis, hip-bone	[pélvis],[hípbòun]	
14	키, 신장	14	hight	[hait]	
15	몸무게, 체중	15	weight	[weit]	
16	**감각**	16	**sense**	[sens]	
17	시력, 시각	17	sight, vision	[sait], [víʒən]	
18	청력, 청각	18	hearing [ability]	[híəriŋ əbíləti]	
19	미각	19	the taste	[ðə téist]	
20	촉각	20	tactual sense	[tǽktʃuəl sèns]	
21	후각	21	the sense of smell	[ðəséns əv smèl]	
22	광경, 장면, 전망	22	sight, scene, view	[sait], [si:n], [vju:]	
23	소리	23	sound	[saund]	
24	소음, 잡음	24	noise	[nɔiz]	
25	냄새	25	smell, odor, scent	[smel], [óudər], [sent]	

26 악취(=bad smell)	26 stench, stink	[stentʃ], [stiŋk]	Tips
27 향기(=sweet smell)	27 fragrance, aroma	[fréigrəns], [əróumə]	
28 **감정**	28 **feelings**	[fí:liŋz]	
29 **감정**, 감동, 감격	29 emotion	[imóuʃən]	
30 행복, 유쾌함	30 happiness	[hǽpinis]	
31 기쁨, 환희	31 joy	[dʒɔi]	
32 기쁨, 즐거움	32 pleasure	[pléʒər]	
33 만족(감)	33 satisfaction	[sæ̀tisfǽkʃən]	
34 사랑	34 love	[lʌv]	
35 애정, 호의	35 affection	[əfékʃən]	
36 미움	36 hate	[heit]	
37 부러움, 질투, 샘	37 envy	[énvi]	
38 노여움, 화, 성	38 anger	[ǽŋgər]	
39 진노, 격노	39 wrath, fury	[ræθ], [fjúəri]	
40 두려움, 공포	40 fear	[fiər]	
41 동정심	41 compassion	[kəmpǽʃən]	
42 연민, 불쌍히 여김	42 pity	[píti]	
43 자비	43 mercy	[mə́:rsi]	
44 **태도, 마음가짐**	44 **attitude**	[ǽtitjù:d]	
45 방법, 태도	45 manner	[mǽnər]	
46 감탄	46 admiration	[æ̀dməréiʃən]	
47 환영	47 welcome	[wélkəm]	
48 부탁, 호의, 찬성	48 favor	[féivər]	
49 신뢰, 신용	49 trust	[trʌst]	
50 대우, 대접, 취급	50 treatment	[trí:tmənt]	

	한국어		English	Pronunciation	Tips
51	**미용실**	51	**beauty salon**	[bjú:ti səlàn]	
52	미용사	52	hairdresser	[hέərdrèsər]	
53	샴푸(세발제)	53	shampoo	[ʃæmpú:]	
54	린스(헹구기)	54	rinse	[rins]	
55	커트 보	55	cape	[keip]	
56	드라이기	56	hair dryer	[hέər dràiər]	
57	거울	57	mirror	[mírər]	
58	파마	58	perm	[pə:rm]	
59	롤러, 컬	59	roller, curler	[róulər], [kə́:rlər]	
60	빗	60	comb[koum]	[koum]	
61	헤어브러시	61	hairbrush	[hέərbrʌʃ]	
62	스타일링 브러시	62	styling brush	[stáiliŋ brʌʃ]	
63	가위	63	scissors	[sízərz]	
64	손거울	64	hand mirror	[hǽnd mìrər]	
65	수건	65	towel	[táuəl]	
66	분무기	66	hair spray	[hέər sprèi]	
67	미용사 의자	67	hairdresser's chair	[hέərdrèsərz tʃέər]	
68	발걸이, 발판	68	footrest	[fútrèst]	
69	머리 염색약	69	hairdye	[hέərdài]	
70	모발치료제	70	hair treatment	[hέər trì:tmənt]	
71	헤어로션	71	hair lotion	[hέər lòuʃən]	
72	헤어 젤	72	hair gel	[hέər dʒèl]	
73	바리캉(이발기)	73	hair clippers	[hέər klìpərz]	
74	고데기	74	hair straightener	[hέər strèitnər]	
75	면도기	75	razor	[réizər]	

76 손톱깎이	76 nail clippers	[néil klìpərz]	
77 두피	77 scalp	[skælp]	
78 비듬(=scurf)	78 dandruff	[dændrəf]	
79 금발	79 blond(light) hair	[blánd(láit) hὲər]	
80 붉은 머리	80 red hair	[réd hὲər]	
81 갈색 머리	81 brown(dark) hair	[bráun hὲər]	
82 반백의 흰머리	82 gray hair	[gréi hὲər]	
83 전체 흰머리	83 white hair	[wáit hὲər]	
84 어깨길이 머리	84 shoulder-length hair	[ʃóuldər lèŋkθ hέər]	
85 짧은 머리	85 short hair	[ʃɔ́:rt hὲər]	
86 가르마	86 part	[pá:rt]	
87 단발머리의 앞머리	87 bangs	[bæŋz]	
88 땋은 머리	88 braid	[breid]	
89 뒤 위쪽에서 묶은 머리	89 pony tail	[póuni tèil]	
90 곱슬머리	90 curly hair	[kə́:rli hὲər]	
91 곧은 머리	91 straight hair	[stréit hὲər]	
92 물결머리	92 wavy hair	[wéivi hὲər]	
93 부분염색	93 highlights	[háilàits]	
94 대머리, 민머리	94 skid-top	[skíd tàp]	
95 가발	95 wig	[wig]	
96 까칠하게 자란 수염	96 stubble	[stʌ́bəl]	
97 콧수염	97 mustache	[mʌ́stæʃ]	
98 턱수염	98 beard	[biərd]	
99 짧은 구레나룻	89 sideburns	[sáidbə̀:rnz]	
100 [사람의] 염소수염	100 goatee	[goutí:]	

Tips

- 비듬의 다른 표현 scurf[skə:rf]
- 긴 구레나룻 whiskers[wískərz]

● 다음 주어진 우리말 단어 뜻을 보고 영단어를 말해 보세요.

1 심장
2 신장(콩팥)
3 맹장(=cécum)
4 췌장
5 십이지장
6 대장
7 소장
8 쓸개
9 방광
10 정자 / 정액
11 난자(=egg)
12 호르몬
13 골반
14 키(신장)
15 몸무게, 체중
16 감각
17 시력, 시각
18 청력, 청각
19 미각
20 촉각
21 후각
22 광경, 장면, 전망
23 소리
24 소음, 잡음
25 냄새
26 악취(=bad smell)
27 향기(=sweet smell)
28 감정
29 감정, 감동, 감격
30 행복, 유쾌함
31 기쁨, 환희
32 기쁨, 즐거움
33 만족(감)
34 사랑
35 애정, 호의
36 미움
37 부러움, 질투, 샘
38 노여움, 화, 성
39 진노, 격노
40 두려움, 공포
41 동정심
42 연민, 불쌍히 여김
43 자비
44 태도, 마음가짐
45 방법, 태도
46 감탄
47 환영
48 부탁, 호의, 찬성
49 신뢰, 신용
50 대우, 대접, 취급
51 미용실
52 미용사
53 샴푸(세발제)
54 린스(헹구기)
55 커트 보
56 드라이기
57 거울
58 파마
59 롤러, 컬
60 빗
61 헤어브러시
62 스타일링 브러시
63 가위
64 손거울
65 수건
66 분무기
67 미용사 의자
68 발걸이, 발판
69 머리 염색약
70 모발치료제
71 헤어로션
72 헤어 젤
73 바리캉(이발기)
74 고데기
75 면도기
76 손톱깎이
77 두피
78 비듬 (scurf=)
79 금발
80 붉은 머리
81 갈색 머리
82 반백의 흰머리
83 전체 흰머리
84 어깨길이 머리
85 짧은 머리
86 가르마
87 단발머리의 앞머리
88 땋은 머리
89 뒤 위쪽에서 묶은 머리
90 곱슬머리
91 곧은 머리
92 물결머리
93 부분염색
94 대머리, 민머리
95 가발
96 까칠하게 자란 수염
97 콧수염
98 턱수염
99 짧은 구레나룻
100 [사람의] 염소수염

Review Test 2

THE VOCABULARY
201 - 300

● 다음 주어진 영단어를 보고 우리말 뜻을 말해 보세요.

1 heart
2 kidney[s]
3 appendix
4 pancreas
5 duodenum
6 large intestine
7 small intestine
8 gall bladder
9 bladder
10 sperm/semen
11 ovum
12 hormone
13 pelvis, hip-bone
14 hight
15 weight
16 sense
17 sight, vision
18 hearing [ability]
19 the taste
20 tactual sense
21 the sense of smell
22 sight, scene, view
23 sound
24 noise
25 smell, odor, scent

26 stench, stink
27 fragrance, aroma
28 feelings
29 emotion
30 happiness
31 joy
32 pleasure
33 satisfaction
34 love
35 affection
36 hate
37 envy
38 anger
39 wrath, fury
40 fear
41 compassion
42 pity
43 mercy
44 attitude
45 manner
46 admiration
47 welcome
48 favor
49 trust
50 treatment

51 beauty salon
52 hairdresser
53 shampoo
54 rinse
55 cape
56 hair dryer
57 mirror
58 perm
59 roller, curler
60 comb[koum]
61 hair brush
62 styling brush
63 scissors
64 hand mirror
65 towel
66 hair spray
67 hairdresser's chair
68 footrest
69 hairdye
70 hair treatment
71 hair lotion
72 hair gel
73 hair clippers
74 hair straightener
75 razor

76 nail clippers
77 scalp
78 dandruff
79 blond(light) hair
80 red hair
81 brown(dark) hair
82 gray hair
83 white hair
84 shoulder-length hair
85 short hair
86 part
87 bangs
88 braid
89 pony tail
90 curly hair
91 straight hair
92 wavy hair
93 highlights
94 skid-top
95 wig
96 stubble
97 mustache
98 beard
89 sideburns
100 goatee

Unit 04

외모 · 남녀의상 · 의류부속 · 옷감소재

1	**외모**	**feature[s]**	[fí:tʃər-z]	
2	미인	beauty, belle	[bjú:ti], [bel]	
3	체격(=physique)	build, frame	[bild], [freim]	
4	몸매	figure, shape	[fígjər], [ʃeip]	
5	신비적 아름다움	glamour	[glǽmər]	
6	유행, 패션	fashion	[fǽʃən]	
7	스타일, 방식	style	[stail]	
8	모델	model	[mádl]	
9	**옷, ~복(=clothing)**	**clothes, wear**	[klouðz], [wεər]	
10	맞춤복	custom made suit	[kʌ́stəm mèid sú:t]	
11	기성복	ready-made clothes	[rédi mèid klóuðz]	
12	신사복 정장	suit	[su:t]	
13	부인복	women's dresses	[wíminz drèsiz]	
14	평상복	casual clothes	[kǽʒuəl klòuðz]	
15	예복	formal dress	[fɔ´:rməl drès]	
16	나들이옷	best clothes	[bést klòuðz]	
17	교복	school uniform	[skú:l jú:nəfɔ̀:rm]	
18	임신복	maternity apparel	[mətə́:rnəti əpǽrəl]	
19	원피스	dress	[dres]	
20	야회복	evening gown	[í:vniŋ gàun]	
21	스포츠 웨어	sports wear	[spɔ´:rts wèər]	
22	유니폼, 제복	uniform	[jú:nəfɔ̀:rm]	
23	수영복	swimsuit	[swímsù:t]	
24	비키니	bikini	[bikí:ni]	
25	잠옷(=pajamas)	nightgown, nightie	[náitgàun],[náiti]	

Tips

- 체격 physique[fizí:k]
- 잠옷 pajamas[pədʒá:məz]

26	점퍼, 양복상의	26	jacket	[dʒǽkit]
27	셔츠	27	shirt	[ʃə:rt]
28	바지(=slacks)	28	pants, trousers	[pænts], [tráuzərz]
29	외투, 오버코트	29	overcoat	[óuvərkòut]
30	버버리코트	30	trench coat	[tréntʃ kòut]
31	가죽점퍼	31	leather jacket	[léðər dʒǽkit]
32	스웨터	32	sweater	[swétər]
33	티셔츠	33	T-shirt	[tí:ʃə:rt]
34	와이셔츠	34	dress shirt	[drés ʃə:rt]
35	청바지	35	[blue] jeans	[blú: dʒì:nz]
36	반바지(=shorts)	36	short pants	[ʃɔ́:rt pæ̀nts]
37	레깅스	37	leggings	[légiŋz]
38	치마	38	skirt	[skə:rt]
39	미니스커트	39	miniskirt	[mínìskə̀:rt]
40	롱스커트	40	long skirt	[lɔ́:ŋ skə̀:rt]
41	**남성속옷**	41	**men's underwear**	[ménz ʌ̀ndərwɛ̀ər]
42	남성사각팬티	42	boxer shorts	[báksər ʃɔ̀:rts]
43	러닝셔츠	43	undershirt	[ʌ́ndərʃə̀:rt]
44	삼각팬티(=underpants)	44	briefs(남녀동일)	[bri:fs]
45	**여성속옷**	45	**women's underwear**	[wíminz ʌ̀ndərwɛ̀ər]
46	여성팬티	46	panties	[pǽntiz]
47	브래지어	47	brassiere, bra	[brəzíər], [brɑ:]
48	팬티스타킹	48	pantyhose, tights	[pǽntihòuz], [taits]
49	양말	49	socks	[sɑks]
50	긴 양말	50	stockings	[stɑ́kiŋz]

Tips

- 바지
  slacks[slæks]
  상의와 짝으로 입는 정장용이 아니라 콤비로 입는 남·녀의 바지를 격식체로 부르는 말.
  trousers[tráuzərz]
  남자의 바지
  pants[pænts]
  구어체로 'trousers' 대신 쓰는 말.
- 반코트
  topper[tɑ́pər]
- denims(면바지)
  두꺼운 면직인 denim으로 만든 작업복, 또는 jean바지를 의미한다.

Unit 04

외모 · 남녀의상 · 의류부속 · 옷감소재

51	목욕용 가운	bathrobe	[bǽθròub]
52	조끼	vest	[vest]
53	솔기, 재봉선	seam	[si:m]
54	[양복상의] 옷깃	lapel	[ləpél]
55	단추	button	[bʌ́tn]
56	단춧구멍	buttonhole	[bʌ́tnhòul]
57	지퍼	zipper	[zípər]
58	칼라, 옷깃	collar	[kálər]
59	차이나칼라	turtleneck	[tə́:rtlnèk]
60	소매	sleeve	[sli:v]
61	소맷부리	cuff	[kʌf]
62	주머니	pocket	[pákit]
63	뒷주머니	hip-pocket	[híp pàkit]
64	안주머니(inside~)	inner pocket	[ínər pàkit]
65	안감	lining	[láiniŋ]
66	레이스, 끈 장식	lace	[leis]
67	**옷감, 직물**	**texture**	[tékstʃər]
68	**소재, 재료**	**material**	[mətíəriəl]
69	면, 무명	cotton	[kátn]
70	순모	all-wool	[ɔ́:l wùl]
71	캐시미어(고급모직)	cashmere	[kǽʃmiər]
72	가죽	leather	[léðər]
73	고무	rubber	[rʌ́bər]
74	비닐	vinyl, plastic	[váinəl], [plǽstik]
75	**디자인**	**design**	[dizáin]

Tips

- shorts[ʃɔ:rts] 짧은 바지, 운동팬츠
- petticoat[pétikòut] 스커트 속에 입는 속치마

76	줄무늬	76	stripes	[straips]
77	바둑판무늬	77	checked pattern	[tʃékt pǽtərn]
78	물방울무늬	78	polka - dots	[póulkədàts]
79	꽃무늬	79	floral pattern	[flɔ́:rəl pǽtərn]
80	별무늬	80	stared pattern	[stá:rd pǽtərn]
81	**사이즈, 크기**	81	**size**	[saiz]
82	특대(XL)	82	extra large	[ékstrə là:rdʒ]
83	대(L)	83	large	[la:rdʒ]
84	중(M)	84	medium	[mí:diəm]
85	소(S)	85	small	[smɔ:l]
86	가죽구두	86	leather shoes	[léðər ʃù:z]
87	운동화	87	sneakers	[sní:kərz]
88	하이힐	88	high heeled shoes	[hái hìld ʃú:z]
89	로힐	89	low heeled shoes	[lóu hìld ʃú:z]
90	샌들	90	sandals	[sǽndlz]
91	슬리퍼	91	mules, scuffs	[mju:lz], [skʌfs]
92	실내화	92	slippers	[slípərz]
93	부츠	93	boots	[bu:ts]
94	롱부츠	94	long boots	[lɔ́:ŋ bù:ts]
95	구두끈(=shoelace)	95	shoestring	[ʃú:strìŋ]
96	구두굽	96	heel	[hi:l]
97	구두밑창	97	sole	[soul]
98	구둣주걱	98	shoehorn	[ʃú:hɔ̀:rn]
99	구둣솔	99	shoebrush	[ʃú:brʌ̀ʃ]
100	구두약	100	shoe polish	[ʃú: pàliʃ]

Tips

- texture
'옷감, 직물'이라는 뜻 외에 어떤 사물의 '질감, 결, 감촉' 등을 나타내기도 한다.

- material
⇨ 'materials'
종종 '복수형'의 형태로 쓰이며, 재료, 자재, 옷감 등의 뜻으로 쓰이는 말이다.

- 털옷, 모피, 모피제품}
fur[fə:r]
'밍크코트'나 '여우목도리'와 같은 털옷은 보통 'fur'라고 부른다.

● 다음 주어진 우리말 단어 뜻을 보고 영단어를 말해 보세요.

1 외모
2 미인
3 체격(=physique)
4 몸매
5 신비적 아름다움
6 유행, 패션
7 스타일, 방식
8 모델
9 옷, ~복(=clothing)
10 맞춤복
11 기성복
12 신사복 정장
13 부인복
14 평상복
15 예복
16 나들이옷
17 교복
18 임신복
19 원피스
20 야회복
21 스포츠 웨어
22 유니폼, 제복
23 수영복
24 비키니
25 잠옷(=pajamas)
26 점퍼, 양복상의
27 셔츠
28 바지(=slacks)
29 외투, 오버코트
30 버버리코트
31 가죽점퍼
32 스웨터
33 티셔츠
34 와이셔츠
35 청바지
36 반바지(=shorts)
37 레깅스
38 치마
39 미니스커트
40 롱스커트
41 남성속옷
42 남성사각팬티
43 러닝셔츠
44 삼각팬티(=underpants)
45 여성속옷
46 여성팬티
47 브래지어
48 팬티스타킹
49 양말
50 긴 양말
51 목욕용 가운
52 조끼
53 솔기, 재봉선
54 [양복상의]옷깃
55 단추
56 단춧구멍
57 지퍼
58 칼라, 옷깃
59 차이나칼라
60 소매
61 소맷부리
62 주머니
63 뒷주머니
64 안주머니(inside~)
65 안감
66 레이스, 끈 장식
67 옷감, 직물
68 소재, 재료
69 면, 무명
70 순모
71 캐시미어(고급모직)
72 가죽
73 고무
74 비닐
75 디자인
76 줄무늬
77 바둑판무늬
78 물방울무늬
79 꽃무늬
80 별무늬
81 사이즈, 크기
82 특대(XL)
83 대(L)
84 중(M)
85 소(S)
86 가죽구두
87 운동화
88 하이힐
89 로힐
90 샌들
91 슬리퍼
92 실내화
93 부츠
94 롱부츠
95 구두끈(=shoelace)
96 구두굽
97 구두밑창
98 구둣주걱
99 구둣솔
100 구두약

Review Test 2

THE VOCABULARY 301 - 400

● 다음 주어진 영단어를 보고 우리말 뜻을 말해 보세요.

1 feature[s]
2 beauty, belle
3 build, frame
4 figure, shape
5 glamour
6 fashion
7 style
8 model
9 clothes, wear
10 custom made suit
11 ready-made clothes
12 suit
13 women's dresses
14 casual clothes
15 formal dress
16 best clothes
17 school uniform
18 maternity apparel
19 dress
20 evening gown
21 sports wear
22 uniform
23 swimsuit
24 bikini
25 nightgown, nightie
26 jacket
27 shirt
28 pants, trousers
29 overcoat
30 trench coat
31 leather jacket
32 sweater
33 T-shirt
34 dress shirt
35 [blue] jeans
36 short pants
37 leggings
38 skirt
39 miniskirt
40 long skirt
41 men's underwear
42 boxer shorts
43 undershirt
44 briefs(남녀동일)
45 women's underwear
46 panties
47 brassiere, bra
48 pantyhose, tights
49 socks
50 stockings
51 bathrobe
52 vest
53 seam
54 lapel
55 button
56 buttonhole
57 zipper
58 collar
59 turtleneck
60 sleeve
61 cuff
62 pocket
63 hip-pocket
64 inner pocket
65 lining
66 lace
67 texture
68 material
69 cotton
70 all-wool
71 cashmere
72 leather
73 rubber
74 vinyl, plastic
75 design
76 stripes
77 checked pattern
78 polka-dots
79 floral pattern
80 stared pattern
81 size
82 extra large
83 large
84 medium
85 small
86 leather shoes
87 sneakers
88 high heeled shoes
89 low heeled shoes
90 sandals
91 mules, scuffs
92 slippers
93 boots
94 long boots
95 shoestring
96 heel
97 sole
98 shoehorn
99 shoebrush
100 shoe polish

Unit 05

액세서리 및 귀금속 · 의류 수선용품 · 화장품 · 교제

1	**액세서리류**	1	**accessories**	[æksésəriz]
2	장갑	2	gloves	[glʌvz]
3	손수건	3	handkerchief	[hǽŋkərtʃif]
4	돈지갑	4	wallet	[wálit]
5	동전지갑	5	change purse	[tʃéindʒ pə̀:rs]
6	스카프	6	scarf	[skɑ:rf]
7	여성용 대형손가방	7	tote bag	[tóut bæ̀g]
8	손잡이 없는 여성 백	8	clutch [bag]	[klʌ́tʃ bæ̀g]
9	핸드백(미=purse)	9	handbag	[hǽndbæ̀g]
10	007가방, 서류가방	10	briefcase	[brí:fkèis]
11	허리띠	11	belt	[belt]
12	버클	12	buckle	[bʌ́kəl]
13	손목시계	13	watch	[wɑtʃ]
14	여자 목걸이	14	necklace	[néklis]
15	펜던트(목걸이 장식)	15	pendant	[péndənt]
16	귀걸이	16	earring[s]	[íərìŋ-z]
17	팔찌	17	bracelet	[bréislit]
18	반지	18	ring	[riŋ]
19	타이	19	tie	[tai]
20	브로치	20	brooch	[broutʃ]
21	야구모자	21	[baseball] cap	[béisbɔ̀:l kǽp]
22	[테가 달린] 모자	22	hat	[hæt]
23	**귀금속**	23	**noble metals**	[nóubəl mètlz]
24	금	24	gold	[gould]
25	백금(=platinum)	25	white gold	[wáit gòuld]

Tips

- 슬리퍼
  우리가 알고 있는 슬리퍼는 'mule, scuff'라 부르고 영어의 'slippers'는 침실용의 실내화를 가리킨다. 단, 샌들은 그대로 'sandals'라고 부른다.
- '구두끈'의 다른 표현
  shoelace[ʃú:lèis]
- 동전지갑
  'change purse'라고 부르는데 여기서 'change'의 원래의 뜻은 '거스름돈'이며, 따라서 '동전'을 의미한다.
- tie clip / tie pin
  우리가 보통 '넥타이핀'이라고 부르는 물건은 실제로는 'tie clip'이고, 실제의 'tie pin'은 압핀처럼 넥타이에 꽂아서 끼우는 형태의 것이다.
- '백금'을 나타내는 말들
  –white gold
  –platinum[plǽtənəm]

26 은	26 silver	[sílvər]	
27 **안경**	27 **glasses**	[glǽsiz]	
28 선글라스	28 sunglasses	[sʌ́nglæ̀siz]	
29 콘택트렌즈	29 contact lenses	[kάntækt lènziz]	
30 **보석류**	30 **gems**	[dʒemz]	
31 다이아몬드	31 diamond	[dáiəmənd]	
32 에메랄드	32 emerald	[émərəld]	
33 루비	33 ruby	[rú:bi]	
34 진주	34 pearl	[pə:rl]	
35 **반짇고리**	35 **sewing basket**	[sóuiŋ bæ̀skit]	
36 바늘	36 needle	[ní:dl]	
37 실	37 thread	[θred]	
38 골무	38 thimble	[θímbəl]	
39 바늘꽂이, 바늘방석	39 pincushion	[pínkù∫ən]	
40 가위	40 scissors	[sízərz]	
41 줄자	41 tape measure	[téip mèʒər]	
42 찍찍이, 벨크로	42 Velcro	[vélkrou]	
43 뜨개바늘	43 knitting needle	[nítiŋ nì:dl]	
44 **화장품[류]**	44 **cosmetic[s]**	[kαzmétik-s]	
45 스킨	45 skin toner	[skín tòunər]	
46 로션	46 skin lotion	[skín lòu∫ən]	
47 남성용 스킨	47 aftershave lotion	[ǽftər∫èiv lóu∫ən]	
48 크림	48 cream	[kri:m]	
49 보습크림	49 moisture cream	[mɔ́ist∫ər krì:m]	
50 영양크림	50 nourishing cream	[nə́:ri∫iŋ krì:m]	

Tips

- '안경'의 다른 표현 spectacles [spéktəkəlz]
- '안경집'의 다른 표현 eyeglasses case

Unit 05

액세서리 및 귀금속 · 의류 수선용품 · 화장품 · 교제

			Tips
51 선크림	51 sun block	[sʌ́n blɑ̀k]	
52 마사지크림	52 massage cream	[məsɑ́:ʒ krì:m]	
53 콜드크림	53 cold cream	[kóuld krì:m]	
54 클렌징 폼	54 cleansing foam	[klénziŋ fòum]	
55 메이크업 베이스	55 make-up base	[méikʌ̀p béis]	
56 파운데이션	56 foundation	[faundéiʃən]	
57 아이섀도	57 eye shadow	[ái ʃǽdou]	
58 아이라이너	58 eye liner	[ái làinər]	
59 마스카라	59 mascara	[mæskǽrə]	
60 눈썹연필	60 eyebrow pencil	[áibrau pènsəl]	
61 립스틱(=lipstick)	61 rouge	[ru:ʒ]	
62 파우더(분)	62 powder	[páudər]	
63 퍼프(분첩)	63 puff	[pʌf]	
64 마스크 팩	64 mask pack	[mǽsk pæ̀k]	
65 바디로션	65 body lotion	[bɑ́di lòuʃən]	
66 향수	66 perfume, scent	[pə́:rfju:m], [sent]	
67 매니큐어	67 manicure	[mǽnəkjùər]	
68 손거울	68 hand mirror	[hǽnd mìrər]	
69 화장솜	69 cotton pad	[kɑ́tn pæ̀d]	
70 티슈	70 tissue	[tíʃu:]	
71 물티슈	71 wet tissue	[wét tìʃu:]	
72 **피부상태**	72 **skin condition**	[skín kəndíʃən]	
73 피부관리	73 skin care	[skín kὲər]	
74 피부타입	74 skin type	[skín tàip]	
75 건성피부	75 dry skin	[drái skìn]	

				Tips
76	지성피부	76 oily skin	[ɔ́ili skìn]	
77	민감성피부	77 sensitive skin	[sénsətiv skín]	
78	여드름	78 pimple, acne	[pímpl], [ǽkni]	
79	주근깨	79 freckles	[fréklz]	
80	수분	80 moisture	[mɔ́istʃər]	
81	노폐물	81 waste	[weist]	
82	독소	82 toxin	[táksin]	
83	주름	83 wrinkle	[ríŋkəl]	
84	노화	84 ageing	[éidʒiŋ]	
85	**교제**	85 **relationship**	[riléiʃənʃip]	
86	첫사랑[의 연인]	86 one's first love	[wʌ̀nz fə́:rst lʌ̀v]	
87	짝사랑	87 crush	[krʌʃ]	
88	이상형	88 ideal type	[aidí:əl tàip]	
89	삼각관계(=eternal~)	89 love triangle	[lʌ́v tràiæŋgəl]	
90	연락	90 contact	[kántækt]	
91	만남	91 meeting	[mí:tiŋ]	
92	데이트	92 date	[deit]	
93	바람둥이 남자	93 womanizer	[wúmənàizər]	
94	바람둥이 여자	94 light-skirts	[láit skə̀:rts]	
95	바람둥이(남·여)	95 flirt	[flə:rt]	
96	결혼	96 marriage	[mǽridʒ]	
97	결혼식	97 weddingceremony	[wédiŋsèrəmouni]	
98	신혼여행	98 honeymoon	[hʌ́nimù:n]	
99	첫날밤	99 the wedding night	[ðə wédiŋ nàit]	
100	임신	100 pregnancy	[prégnənsi]	

THE VOCABULARY 401 - 500

● 다음 주어진 우리말 단어 뜻을 보고 영단어를 말해 보세요.

1 액세서리류
2 장갑
3 손수건
4 돈지갑
5 동전지갑
6 스카프
7 여성용 대형손가방
8 손잡이 없는 여성 백
9 핸드백(미=purse)
10 007가방, 서류가방
11 허리띠
12 버클
13 손목시계
14 여자 목걸이
15 펜던트(목걸이 장식)
16 귀걸이
17 팔찌
18 반지
19 타이
20 브로치
21 야구모자
22 [테가 달린] 모자
23 귀금속
24 금
25 백금(=platinum)
26 은
27 안경
28 선글라스
29 콘택트렌즈
30 보석류
31 다이아몬드
32 에메랄드
33 루비
34 진주
35 반짇고리
36 바늘
37 실
38 골무
39 바늘꽂이, 바늘방석
40 가위
41 줄자
42 찍찍이, 벨크로
43 뜨개바늘
44 화장품[류]
45 스킨
46 로션
47 남성용 스킨
48 크림
49 보습크림
50 영양크림
51 선크림
52 마사지크림
53 콜드크림
54 클렌징 폼
55 메이크업 베이스
56 파운데이션
57 아이섀도
58 아이라이너
59 마스카라
60 눈썹연필
61 립스틱(=lipstick)
62 파우더(분)
63 퍼프(분첩)
64 마스크 팩
65 바디로션
66 향수
67 매니큐어
68 손거울
69 화장솜
70 티슈
71 물티슈
72 피부상태
73 피부관리
74 피부타입
75 건성피부
76 지성피부
77 민감성피부
78 여드름
79 주근깨
80 수분
81 노폐물
82 독소
83 주름
84 노화
85 교제
86 첫사랑[의 연인]
87 짝사랑
88 이상형
89 삼각관계(=eternal~)
90 연락
91 만남
92 데이트
93 바람둥이 남자
94 바람둥이 여자
95 바람둥이(남·여)
96 결혼
97 결혼식
98 신혼여행
99 첫날밤
100 임신

THE VOCABULARY
401 - 500

● 다음 주어진 영단어를 보고 우리말 뜻을 말해 보세요.

1	accessories	26	silver	51	sun block	76	oily skin
2	gloves	27	glasses	52	massage cream	77	sensitive skin
3	handkerchief	28	sunglasses	53	cold cream	78	pimple, acne
4	wallet	29	contact lenses	54	cleansing foam	79	freckles
5	change purse	30	gems	55	make-up base	80	moisture
6	scarf	31	diamond	56	foundation	81	waste
7	tote bag	32	emerald	57	eye shadow	82	toxin
8	clutch [bag]	33	ruby	58	eye liner	83	wrinkle
9	handbag	34	pearl	59	mascara	84	ageing
10	briefcase	35	sewing basket	60	eyebrow pencil	85	relationship
11	belt	36	needle	61	rouge	86	one's first love
12	buckle	37	thread	62	powder	87	crush
13	watch	38	thimble	63	puff	88	ideal type
14	necklace	39	pincushion	64	mask pack	89	love triangle
15	pendant	40	scissors	65	body lotion	90	contact
16	earring[s]	41	tape measure	66	perfume, scent	91	meeting
17	bracelet	42	Velcro	67	manicure	92	date
18	ring	43	knitting needle	68	hand mirror	93	womanizer
19	tie	44	cosmetic[s]	69	cotton pad	94	light-skirts
20	brooch	45	skin toner	70	tissue	95	flirt
21	[baseball] cap	46	skin lotion	71	wet tissue	96	marriage
22	hat	47	aftershave lotion	72	skin condition	97	wedding ceremony
23	noble metals	48	cream	73	skin care	98	honeymoon
24	gold	49	moisture cream	74	skin type	99	the wedding night
25	white gold	50	nourishing cream	75	dry skin	100	pregnancy

Unit 06 주방식재료 · 식사의 종류 · 음료 · 주류 · 마트

					Tips
1	**식재료, 구성성분**	1	**ingredients**	[ingrí:diənts]	
2	**향신료, 양념류**	2	**spices**	[spáisiz]	
3	조미료	3	seasoning	[sí:zəniŋ]	
4	고춧가루	4	red pepper powder	[réd pèpər páudər]	
5	후춧가루	5	ground pepper	[gráund pèpər]	
6	식용유	6	cooking oil	[kúkiŋ ɔ̀il]	
7	참기름	7	sesame oil	[sésəmi ɔ̀il]	
8	콩기름	8	soybean oil	[sɔ́ibì:n ɔ̀il]	
9	새우젓	9	pickled shrimps	[píkəld ʃrìmps]	
10	겨자	10	mustard	[mʌ́stərd]	
11	겨자 소스	11	mustard sauce	[mʌ́stərd sɔ̀:s]	
12	고추냉이	12	horseradish	[hɔ́:rsrædiʃ]	
13	계피	13	cinnamon	[sínəmən]	
14	드레싱(샐러드용 소스)	14	dressing	[drésiŋ]	
15	토핑, 고명	15	topping	[tápiŋ]	
16	딸기 잼	16	strawberry jam	[strɔ́:bèri dʒǽm]	
17	땅콩버터	17	peanut butter	[pí:nʌ̀t bʌ́tər]	
18	치즈	18	cheese	[tʃi:z]	
19	버터	19	butter	[bʌ́tər]	
20	마가린	20	margarine	[má:rdʒərin]	
21	꿀	21	honey	[hʌ́ni]	
22	화학조미료(MSG)	22	flavor enhancer	[fléivər inhǽnsər]	
23	방부제	23	preservative	[prizɔ́:rvətiv]	
24	식용색소	24	food colors	[fú:d kʌ̀lərz]	
25	식품첨가물	25	food additives	[fú:d ǽdətivz]	

26 설탕	26 sugar	[ʃúgər]	
27 소금	27 salt	[sɔːlt]	
28 식초	28 vinegar	[vínigər]	
29 통후추	29 pepper	[pépər]	
30 밀가루	30 flour	[flauər]	
31 튀김가루	31 frying powder	[fráiŋ pàudər]	
32 마요네즈	32 mayonnaise	[mèiənéiz]	
33 케첩	33 ketchup	[kétʃəp]	
34 볶은 참깨	34 roasted sesame	[róustid sèsəmi]	
35 간장	35 soy-sauce	[sɔ́i sɔ̀ːs]	
36 된장	36 bean-paste	[bíːn pèist]	
37 고추장	37 red-pepper paste	[réd pèpər péist]	
38 주식	38 staple food	[stéipəl fùːd]	
39 부식, 반찬	39 side dish	[sáid dìʃ]	
40 전채(식욕증진용 요리)	40 appetizer	[ǽpitàizər]	
41 아침식사	41 breakfast	[brékfəst]	
42 점심식사	42 lunch	[lʌntʃ]	
43 저녁식사	43 supper	[sʌ́pər]	
44 만찬	44 dinner	[dínər]	
45 연회	45 party, banquet	[páːrti], [bǽŋkwit]	
46 외식	46 dining(eating) out	[dáiniŋ(íːtiŋ) áut]	
47 간식	47 nosh	[nɑːʃ]	
48 후식	48 dessert	[dizə́ːrt]	
49 분식	49 flour based food	[fláuər bèist fúːd]	
50 야식	50 late night meal	[léit nàit míːl]	

Tips

- 간식
  'nosh' 이외에 'snack'이라는 표현도 자주 쓰인다. 모두 '가벼운 식사'라는 뜻이다.
  간식시간: snack time

Unit 06 주방식재료 · 식사의 종류 · 음료 · 주류 · 마트

			Tips
51 **음료**	51 **beverage**	[bévəridʒ]	
52 콜라/코카콜라	52 cola/coke	[kóulə]/[kouk]	
53 오렌지주스	53 orange juice	[ɔ́:rindʒ dʒù:s]	
54 포도주스	54 grape juice	[gréip dʒù:s]	
55 홍차	55 black tea	[blǽk tì:]	
56 녹차	56 green tea	[grí:n tì:]	
57 물	57 water	[wɑ́:tər]	
58 커피	58 coffee	[kɑ́:fi]	
59 원두커피	59 brewed coffee	[brú:d kɑ̀:fi]	
60 인스턴트커피	60 instant coffee	[ínstənt kɑ̀:fi]	
61 커피크림	61 coffee creamer	[kɑ́:fi krì:mər]	
62 우유	62 milk	[milk]	
63 **알코올성 음료**	63 **alcoholic beverage**	[æ̀lkəhɔ́:lik bèvəridʒ]	
64 소주	64 soju, liquor	[sódʒu], [líkər]	
65 맥주	65 beer	[biər]	
66 생맥주	66 draft beer	[drǽft bìər]	
67 탁주, 막걸리	67 raw rice wine	[rɔ́: ràis wáin]	
68 [적·백] 포도주	68 [red·white] wine	[réd·wáit wàin]	
69 위스키	69 whiskey	[wíski]	
70 샴페인	70 champagne	[ʃæmpéin]	
71 브랜디	71 brandy	[brǽndi]	
72 코냑	72 cognac	[kóunjæk]	
73 진	73 gin	[dʒin]	
74 보드카	74 vodka	[vádkə]	
75 칵테일	75 cocktail	[káktèil]	

			Tips
76 **마트(대형할인점)**	76 **mart**	[mɑ:rt]	
77 슈퍼마켓	77 supermarket	[sú:pərmɑ̀:rkit]	
78 식료품점	78 grocery store	[gróusəri stɔ̀:r]	
79 편의점	79 convenience store	[kənví:njəns stɔ̀:r]	
80 구멍가게	80 small store	[smɔ́:l stɔ̀:r]	
81 냉동식품	81 frozen foods	[fróuzən fù:dz]	
82 낙농식품	82 dairy products	[dɛ́əri prɑ̀dəkts]	
83 통조림식품	83 canned goods	[kǽnd gùdz]	
84 빵·과자류	84 baked goods	[béikt gùdz]	
85 간식류	85 snacks	[snæks]	
86 식료품	86 groceries	[gróusəriz]	
87 가정용품	87 household items	[háushòuld áitəmz]	
88 장바구니	88 shopping basket	[ʃɑ́piŋ bæ̀skit]	
89 쇼핑카트	89 shopping cart	[[ʃɑ́piŋ kɑ̀:rt]	
90 통로	90 aisle	[ail]	
91 매대, 진열대	91 shelf	[ʃelf]	
92 계산대	92 checkout counter	[tʃékàut káuntər]	
93 컨베이어 벨트	93 conveyor belt	[kənvéiər bèlt]	
94 손님, 고객	94 customer	[kʌ́stəmər]	
95 계산원	95 cashier	[kæʃíər]	
96 금전등록기	96 cash register	[kǽʃ rèdʒəstər]	
97 영수증	97 receipt	[risí:t]	
98 쇼핑봉투	98 bag	[bæg]	
99 상품권	99 gift certificate	[gíft sərtìfəkit]	
100 쿠폰	100 coupon	[kjú:pɑn]	

Review Test 1

THE VOCABULARY 501 - 600

● 다음 주어진 우리말 단어 뜻을 보고 영단어를 말해 보세요.

1 식재료, 구성성분
2 향신료, 양념류
3 조미료
4 고춧가루
5 후춧가루
6 식용유
7 참기름
8 콩기름
9 새우젓
10 겨자
11 겨자 소스
12 고추냉이
13 계피
14 드레싱(샐러드용 소스)
15 토핑, 고명
16 딸기 잼
17 땅콩버터
18 치즈
19 버터
20 마가린
21 꿀
22 화학조미료(MSG)
23 방부제
24 식용색소
25 식품첨가물
26 설탕
27 소금
28 식초
29 통후추
30 밀가루
31 튀김가루
32 마요네즈
33 케첩
34 볶은 참깨
35 간장
36 된장
37 고추장
38 주식
39 부식, 반찬
40 전채(식욕증진용 요리)
41 아침식사
42 점심식사
43 저녁식사
44 만찬
45 연회
46 외식
47 간식
48 후식
49 분식
50 야식
51 음료
52 콜라/코카콜라
53 오렌지주스
54 포도주스
55 홍차
56 녹차
57 물
58 커피
59 원두커피
60 인스턴트커피
61 커피크림
62 우유
63 알코올성 음료
64 소주
65 맥주
66 생맥주
67 탁주, 막걸리
68 [적·백] 포도주
69 위스키
70 샴페인
71 브랜디
72 코냑
73 진
74 보드카
75 칵테일
76 마트(대형할인점)
77 슈퍼마켓
78 식료품점
79 편의점
80 구멍가게
81 냉동식품
82 낙농식품
83 통조림식품
84 빵·과자류
85 간식류
86 식료품
87 가정용품
88 장바구니
89 쇼핑카트
90 통로
91 매대, 진열대
92 계산대
93 컨베이어 벨트
94 손님, 고객
95 계산원
96 금전등록기
97 영수증
98 쇼핑봉투
99 상품권
100 쿠폰

THE VOCABULARY 501 - 600

● 다음 주어진 영단어를 보고 우리말 뜻을 말해 보세요.

1 ingredients
2 spices
3 seasoning
4 red pepper powder
5 ground pepper
6 cooking oil
7 sesame oil
8 soybean oil
9 pickled shrimps
10 mustard
11 mustard sauce
12 horseradish
13 cinnamon
14 dressing
15 topping
16 strawberry jam
17 peanut butter
18 cheese
19 butter
20 margarine
21 honey
22 flavor enhancer
23 preservative
24 food colors
25 food additives
26 sugar
27 salt
28 vinegar
29 pepper
30 flour
31 frying powder
32 mayonnaise
33 ketchup
34 roasted sesame
35 soy-sauce
36 bean-paste
37 red-pepper paste
38 staple food
39 side dish
40 appetizer
41 breakfast
42 lunch
43 supper
44 dinner
45 party, banquet
46 dining(eating) out
47 nosh
48 dessert
49 flour based food
50 late night meal
51 beverage
52 cola/coke
53 orange juice
54 grape juice
55 black tea
56 green tea
57 water
58 coffee
59 brewed coffee
60 instant coffee
61 coffee creamer
62 milk
63 alcoholic beverage
64 soju, liquor
65 beer
66 draft beer
67 raw rice wine
68 [red·white] wine
69 whiskey
70 champagne
71 brandy
72 cognac
73 gin
74 vodka
75 cocktail
76 mart
77 supermarket
78 grocery store
79 convenience store
80 small store
81 frozen foods
82 dairy products
83 canned goods
84 baked goods
85 snacks
86 groceries
87 household items
88 shopping basket
89 shopping cart
90 aisle
91 shelf
92 checkout counter
93 conveyor belt
94 customer
95 cashier
96 cash register
97 receipt
98 bag
99 gift certificate
100 coupon

Unit 07

과일 · 채소 · 견과류 · 곡물 · 간식(군것질 식품)

1	**과일[류]**	1 **fruit[s]**	[fru:t-s]	**Tips**
2	사과	2 apple	[æpl]	• 머루 wild grape [wáild grèip]
3	배	3 pear	[pɛər]	
4	포도	4 grape	[greip]	
5	복숭아	5 peach	[pi:tʃ]	
6	감	6 persimmon	[pə:rsímən]	
7	바나나	7 banana	[bənǽnə]	
8	레몬	8 lemon	[lémən]	
9	오렌지	9 orange	[ɔ́:rindʒ]	
10	귤	10 tangerine	[tæ̀ndʒərí:n]	
11	자몽	11 grapefruit	[gréipfrù:t]	
12	멜론, 참외	12 melon	[mélən]	
13	수박	13 watermelon	[wá:tərmèlən]	
14	토마토	14 tomato	[təméitou]	
15	딸기	15 strawberry	[strɔ́:bèri]	
16	블루베리	16 blueberry	[blú:bèri]	
17	체리, 버찌	17 cherry	[tʃéri]	
18	자두	18 plum	[plʌm]	
19	살구	19 apricot	[éiprəkɑ̀t]	
20	매실	20 Japanese apricot	[dʒæ̀pəní:z èiprəkɑ̀t]	
21	파인애플	21 pineapple	[páinæ̀pl]	
22	망고	22 mango	[mǽŋgou]	
23	야자열매	23 coconut	[kóukənʌ̀t]	
24	석류	24 pomegranate	[pɑ́məgræ̀nit]	
25	무화과	25 fig	[fig]	

26 **채소**[류]	26 **vegetable**[s]	[védʒətəbəl-z]	
27 양배추	27 cabbage	[kǽbidʒ]	
28 배추	28 Chinese cabbage	[tʃainí:z kǽbidʒ]	
29 무	29 radish	[rǽdiʃ]	
30 상추	30 lettuce	[létis]	
31 당근	31 carrot	[kǽrət]	
32 양파	32 onion	[ʌ́njən]	
33 대파(=leek)	33 green onion	[grí:n ʌ̀njən]	
34 풋고추	34 green pepper	[grí:n pèpər]	
35 붉은 고추	35 red pepper	[réd pèpər]	
36 피망	36 bell pepper	[bél pèpər]	
37 마늘	37 garlic	[gɑ́:rlik]	
38 생강	38 ginger	[dʒíndʒər]	
39 감자	39 potato	[pətéitou]	
40 고구마	40 sweet potato	[swí:t pətèitou]	
41 시금치	41 spinach	[spínitʃ]	
42 오이	42 cucumber	[kjú:kəmbər]	
43 늙은 호박	43 pumpkin	[pʌ́mpkin]	
44 긴 애호박	44 zucchini	[zu:kí:ni]	
45 아스파라거스	45 asparagus	[əspǽrəgəs]	
46 버섯	46 mushroom	[mʌ́ʃru:m]	
47 가지	47 eggplant	[égplæ̀nt]	
48 셀러리	48 celery	[séləri]	
49 브로콜리	49 brocoli	[brɑ́kəli]	
50 미나리	50 dropwort	[drɑ́pwə̀:rt]	

Tips

- 콩나물
  bean sprouts
  [bí:n spràuts]
- 숙주나물
  green-bean sprouts
  [grí:n bì:n spràuts]
- 두부
  bean curd
  [bí:n kə̀:rd]
- '대파'의 다른 이름
  leek[li:k]
- 쪽파, 골파
  chives[tʃaivz]

Unit 07 과일 · 채소 · 견과류 · 곡물 · 간식(군것질 식품)

번호	한국어	번호	English	발음
51	**밤, 견과[류]**	51	**nut[s]**	[nʌt-s]
52	호두	52	walnut	[wɔ́:lnʌ̀t]
53	개암, 헤이즐넛	53	hazel nut	[héizəl nʌ̀t]
54	은행 열매	54	ginko nut	[gínkou nʌ̀t]
55	땅콩	55	peanut	[pí:nʌ̀t]
56	잣 열매	56	pine nut	[páin nʌ̀t]
57	아몬드	57	almond	[ɑ́:mənd]
58	피스타치오	58	pistachio	[pistǽ:ʃiòu]
59	캐슈넛	59	cashew nut	[kǽʃu: nʌ̀t]
60	건포도	60	raisin	[réizən]
61	마카다미아 열매	61	macadamia nut	[mæ̀kədéimiə nʌ̀t]
62	해바라기씨	62	sunflower seeds	[sʌ́nflàuər sí:dz]
63	호박씨	63	pumpkin seeds	[pʌ́mpkin sì:dz]
64	**곡물**	64	**grain, cereal**	[grein], [síəriəl]
65	쌀	65	rice	[rais]
66	현미	66	brown rice	[bráun ràis]
67	보리	67	barley	[bɑ́:rli]
68	밀	68	wheat	[wi:t]
69	옥수수	69	corn	[kɔ:rn]
70	흰콩, 대두	70	soybean	[sɔ́ibì:n]
71	완두콩	71	pea	[pi:]
72	팥	72	red bean	[réd bì:n]
73	녹두	73	mung bean	[mʌ́ŋ bì:n]
74	수수	74	sorghum	[sɔ́:rgəm]
75	기장	75	millet	[mílit]

Tips

- bean [bi:n]
  '강낭콩'을 의미한다.
- jack bean[dʒǽk bì:n]
  작두콩
- coffee beans
  커피 원두

76 조(좁쌀)	76 German millet	[dʒə́:rmən mìlit]	
77 참깨 씨	77 sesame seeds	[sésəmi sì:dz]	
78 들깨 씨	78 perilla seeds	[pərílə sì:dz]	
79 귀리	79 oat	[out]	
80 메밀	80 buckwheat	[bʌ́kwì:t]	
81 **간식[류]**	81 **snack**	[snæk]	
82 피자	82 pizza	[pí:tsə]	
83 후라이드 치킨	83 fried chicken	[fráid tʃikin]	
84 케이크	84 cake	[keik]	
85 빵	85 bread	[bred]	
86 팬케이크	86 pancake	[pǽnkèik]	
87 아이스크림	87 ice cream	[áis krì:m]	
88 과자(미)	88 cookie, cracker	[kúki], [krǽkər]	
89 과자(영)	89 biscuit	[bískit]	
90 쓰레기 음식	90 junk food	[dʒʌ́ŋk fù:d]	
91 즉석음식	91 fast food	[fǽst fù:d]	
92 즉석음식	92 instant food	[ínstənt fù:d]	
93 햄버거	93 hamburger	[hǽmbə̀:rgər]	
94 핫도그	94 hotdog	[hátdɔ̀g]	
95 감자튀김	95 French fries	[fréntʃ fràiz]	
96 도넛	96 doughnut	[dóunʌ̀t]	
97 샌드위치	97 sandwich	[sǽndwitʃ]	
98 토스트	98 toast	[toust]	
99 사과파이	99 apple pie	[ǽpl pái]	
100 팝콘	100 popcorn	[pápkɔ̀:rn]	

Tips

- 호밀
  rye[rai]
- 사탕수수
  sugar cane
  [ʃúgər kèin]
- apple pie
  가장 미국적인 음식
  따라서 'as American as apple pie'는 '가장 미국적인'이라는 뜻.
- 밀가루 반죽
  dough[dou]

Review Test 1

THE VOCABULARY **601 - 700**

● 다음 주어진 우리말 단어 뜻을 보고 영단어를 말해 보세요.

1 과일[류]
2 사과
3 배
4 포도
5 복숭아
6 감
7 바나나
8 레몬
9 오렌지
10 귤
11 자몽
12 멜론, 참외
13 수박
14 토마토
15 딸기
16 블루베리
17 체리, 버찌
18 자두
19 살구
20 매실
21 파인애플
22 망고
23 야자열매
24 석류
25 무화과
26 채소[류]
27 양배추
28 배추
29 무
30 상추
31 당근
32 양파
33 대파(=leek)
34 풋고추
35 붉은 고추
36 피망
37 마늘
38 생강
39 감자
40 고구마
41 시금치
42 오이
43 늙은 호박
44 긴 애호박
45 아스파라거스
46 버섯
47 가지
48 셀러리
49 브로콜리
50 미나리
51 밤, 견과[류]
52 호두
53 개암, 헤이즐넛
54 은행 열매
55 땅콩
56 잣 열매
57 아몬드
58 피스타치오
59 캐슈넛
60 건포도
61 마카다미아 열매
62 해바라기씨
63 호박씨
64 곡물
65 쌀
66 현미
67 보리
68 밀
69 옥수수
70 콩
71 완두콩
72 팥
73 녹두
74 수수
75 기장
76 조(좁쌀)
77 참깨 씨
78 들깨 씨
79 귀리
80 메밀
81 간식[류]
82 피자
83 후라이드 치킨
84 케이크
85 빵
86 팬케이크
87 아이스크림
88 과자(미)
89 과자(영)
90 쓰레기 음식
91 즉석음식
92 즉석음식
93 햄버거
94 핫도그
95 감자튀김
96 도넛
97 샌드위치
98 토스트
99 사과파이
100 팝콘

Review Test 2

THE VOCABULARY 601 - 700

● 다음 주어진 영단어를 보고 우리말 뜻을 말해 보세요.

1 fruit[s]
2 apple
3 pear
4 grape
5 peach
6 persimmon
7 banana
8 lemon
9 orange
10 tangerine
11 grapefruit
12 melon
13 watermelon
14 tomato
15 strawberry
16 blueberry
17 cherry
18 plum
19 apricot
20 Japanese apricot
21 pineapple
22 mango
23 coconut
24 pomegranate
25 fig
26 vegetable[s]
27 cabbage
28 Chinese cabbage
29 radish
30 lettuce
31 carrot
32 onion
33 green onion
34 green pepper
35 red pepper
36 bell pepper
37 garlic
38 ginger
39 potato
40 sweet potato
41 spinach
42 cucumber
43 pumpkin
44 zucchini
45 asparagus
46 mushroom
47 eggplant
48 celery
49 brocoli
50 dropwort
51 nut[s]
52 walnut
53 hazel nut
54 ginko nut
55 peanut
56 pine nut
57 almond
58 pistachio
59 cashew nut
60 raisin
61 macadamia nut
62 sunflower seeds
63 pumpkin seeds
64 grain, cereal
65 rice
66 brown rice
67 barley
68 wheat
69 corn
70 bean
71 pea
72 red bean
73 mung bean
74 sorghum
75 millet
76 German millet
77 sesame seeds
78 perilla seeds
79 oat
80 buckwheat
81 snack
82 pizza
83 fried chicken
84 cake
85 bread
86 pancake
87 ice cream
88 cookie, cracker
89 biscuit
90 junk food
91 fast food
92 instant food
93 hamburger
94 hotdog
95 French fries
96 doughnut
97 sandwich
98 toast
99 apple pie
100 popcorn

Unit 08

식용동물고기의 종류 · 각종 수산물

					Tips
1	[식용 동물의] 고기	1	**meat**	[mi:t]	
2	소고기	2	beef	[bi:f]	
3	소 목덜미살	3	chuck	[tʃʌk]	
4	소 갈비살	4	ribs	[ribz]	
5	필레(최고급 늑골살)	5	fillet	[filéi]	
6	소 위쪽 허리살	6	sirloin	[sə́:rlɔin]	
7	두툼하게 자른 살	7	steak	[steik]	
8	소꼬리	8	oxtail	[ákstèil]	
9	송아지 고기	9	veal	[vi:l]	
10	돼지고기	10	pork	[pɔ:rk]	
11	돼지 넓적다리살	11	ham	[hæm]	
12	돼지 등·옆구리살	12	bacon	[béikən]	
13	폭찹(돼지갈비)	13	pork chops	[pɔ́:rk tʃàps]	
14	소시지	14	sausage	[sɔ́:sidʒ]	
15	양고기	15	mutton	[mʌ́tn]	
16	어린 양고기	16	lamb	[læm]	
17	양갈비	17	lamb chops	[lǽm tʃàps]	
18	양다리	18	leg of lamb	[lég əv lǽm]	
19	생닭고기	19	chicken	[tʃíkin]	
20	통닭	20	whole chicken	[hóul tʃikin]	
21	튀긴 닭	21	fried chicken	[fráid tʃikin]	
22	닭백숙	22	chicken stew	[tʃíkin stjù:]	
23	닭다리	23	leg	[leg]	
24	닭 가슴살	24	breast	[brest]	
25	닭 날개	25	wing	[wiŋ]	

26 오리고기	26 duck	[dʌk]	
27 칠면조고기	27 turkey	[tə́:rki]	
28 사슴고기	28 venison	[vénəzən]	
29 살코기	29 lean meat	[lí:n mì:t]	
30 지방, 비계	30 fat	[fæt]	
31 **생선, 물고기**	31 **fish**	[fiʃ]	
32 **해물, 수산식품**	32 **seafood**	[sí:fù:d]	
33 **바닷물고기**	33 **saltwater fish**	[sɔ́ltwɑ̀:tər fíʃ]	
34 고등어	34 mackerel	[mǽkərəl]	
35 꽁치	35 mackerel pike	[mǽkərəl pàik]	
36 삼치(=cero)	36 **Japanese Spanish mackerel**	[dʒæ̀pəní:z spǽniʃ~]	
37 갈치	37 hair tail	[héər tèil]	
38 명태	38 pollack	[pálək]	
39 대구	39 codfish, cod	[kádfiʃ], [kad]	
40 도미	40 [sea] bream	[sí: brì:m]	
41 조기	41 yellow corbina	[jélou kɔ:rbìnə]	
42 광어(넙치)	42 flatfish	[flátfiʃ]	
43 가자미	43 halibut	[hǽləbət]	
44 오징어	44 squid	[skwid]	
45 갑오징어	45 cuttlefish	[kʌ́tlfiʃ]	
46 문어	46 octopus	[áktəpəs]	
47 낙지	47 small octopus	[smɔ́:l àktəpəs]	
48 멸치	48 anchovy	[ǽntʃouvi]	
49 송어	49 trout	[traut]	
50 연어	50 salmon	[sǽmən]	

Tips

- 복어, 복
  swellfish[swélfiʃ]
- 삼치
  cero[síərou]라고도 함.
- 도미
  앞에 'see'를 붙이지 않고 그냥 'bream[bri:m]'이라고도 한다.

Unit 08

식용동물고기의 종류 · 각종 수산물

51 참치	51 tuna	[tjú:nə]	
52 정어리	52 sardine	[sɑ:rdí:n]	
53 농어	53 sea bass	[sí: bæ̀s]	
54 민어	54 croaker	[króukər]	
55 가다랭이	55 [oceanic] bonito	[òuʃiǽnik bəní:tou]	
56 뱅어	56 whitebait	[wáitbèit]	
57 바다거북	57 turtle	[tə:rtl]	
58 민물거북, 남생이	58 tortoise	[tɔ́:rtəs]	
59 해삼	59 sea cucumber	[sí: kjú:kəmbər]	
60 멍게	60 sea squirt	[sí: skwə̀:rt]	
61 해파리	61 jellyfish	[dʒélifiʃ]	
62 불가사리	62 starfish	[stá:rfiʃ]	
63 **조개[류]/조개껍질**	63 **shellfish/shell**	[ʃélfiʃ]/[ʃel]	
64 조개(대합)	64 clam	[klæm]	
65 굴	65 oyster	[ɔ́istər]	
66 전복(=sea-ear)	66 abalone	[æ̀bəlóuni]	
67 소라	67 conch	[kɑ:ntʃ]	
68 게	68 crab	[kræb]	
69 꽃게	69 blue crab	[blú: kræ̀b]	
70 새우	70 shrimp	[ʃrimp]	
71 대하	71 jumbo shrimp	[dʒʌ́mbou ʃrìmp]	
72 바다가재	72 lobster	[lɑ́bstər]	
73 가재(가재의 통칭)	73 crayfish	[kréifiʃ]	
74 홍합	74 mussel	[mʌ́səl]	
75 꼬막	75 cockle	[kɑ́kəl]	

Tips

- 방어 yellowtail[jéloutèil]
- 대하 'prawn[prɔ:n]'이라고도 한다.
- 가재 가재류는 'crayfish'로 통칭하기 때문에 바다가재인 'lobster'를 'crayfish'로도 부른다.
- 맛(조개의 일종) razor clam [réizər klæ̀m]
- 소라게 hermit crab [hə́:rmit kræ̀b]
- 게·가재·새우의 집게발 claw[klɔ:]
- 갑각류 crustacean [krʌstéiʃən]

76	가리비	76	scallop	[skáləp]
77	성게	77	sea urchin	[síː ə̀ːrtʃin]
78	**해초, 해조류**	78	**seaweed**	[síːwìːd]
79	미역	79	sea mustard	[síː mʌ̀stərd]
80	김	80	laver	[léivər]
81	파래	81	green laver	[gríːn lèivər]
82	다시마	82	kelp	[kelp]
83	**담수어, 민물고기**	83	**freshwater fish**	[fréʃwɑ̀ːtər fíʃ]
84	잉어	84	carp	[kɑːrp]
85	붕어	85	crucian [carp]	[krúːʃən kɑ̀ːrp]
86	메기	86	catfish	[kǽtfiʃ]
87	피라미	87	minnow	[mínou]
88	황어	88	dace	[deis]
89	쏘가리	89	mandarin fish	[mǽndərin fiʃ]
90	뱀장어	90	eel	[iːl]
91	미꾸라지	91	loach, mudfish	[loutʃ], [mʌ́dfiʃ]
92	은어	92	sweetfish	[swíːtfiʃ]
93	빙어	93	pond smelt	[pɑ́nd smèlt]
94	산천어	94	cherry salmon	[tʃéri sǽmən]
95	곤들매기	95	char[r]	[tʃɑːr]
96	자라	96	soft-shelled turtle	[sɔ́ft ʃèld tə́ːrtl]
97	재첩	97	Asian clam	[éiʒən klæ̀m]
98	바지락	98	Manila clam	[mənílәklæ̀m]
99	우렁이	99	mud snail	[mʌ́d snèil]
100	식용달팽이(F)	100	escargot	[èskɑːrgóu]

Tips

- 송사리
killifish[kílifiʃ]
- 금붕어
goldfish[góuldfiʃ]
- 붕어(crucian carp)
'carp'라는 말을 떼고 그냥 'crucian'이라고도 부른다.

THE VOCABULARY 701 - 800

● 다음 주어진 우리말 단어 뜻을 보고 영단어를 말해 보세요.

1 [식용 동물의] 고기
2 소고기
3 소 목덜미살
4 소 갈비살
5 필레(최고급 늑골살)
6 소 위쪽 허리살
7 두툼하게 자른 살
8 소꼬리
9 송아지 고기
10 돼지고기
11 돼지 넓적다리살
12 돼지 등·옆구리살
13 폭찹(돼지갈비)
14 소시지
15 양고기
16 어린 양고기
17 양갈비
18 양다리
19 생닭고기
20 통닭
21 튀긴 닭
22 닭백숙
23 닭다리
24 닭 가슴살
25 닭 날개
26 오리고기
27 칠면조고기
28 사슴고기
29 살코기
30 지방, 비계
31 생선, 물고기
32 해물, 수산식품
33 바닷물고기
34 고등어
35 꽁치
36 삼치(=cero)
37 갈치
38 명태
39 대구
40 도미
41 조기
42 광어(넙치)
43 가자미
44 오징어
45 갑오징어
46 문어
47 낙지
48 멸치
49 송어
50 연어
51 참치
52 정어리
53 농어
54 민어
55 가다랭이
56 뱅어
57 바다거북
58 민물거북, 남생이
59 해삼
60 멍게
61 해파리
62 불가사리
63 조개[류]/조개껍질
64 조개(대합)
65 굴
66 전복(=sea-ear)
67 소라
68 게
69 꽃게
70 새우
71 대하
72 바다가재
73 가재(가재의 통칭)
74 홍합
75 꼬막
76 가리비
77 성게
78 해초, 해조류
79 미역
80 김
81 파래
82 다시마
83 담수어, 민물고기
84 잉어
85 붕어
86 메기
87 피라미
88 황어
89 쏘가리
90 뱀장어
91 미꾸라지
92 은어
93 빙어
94 산천어
95 곤들매기
96 자라
97 재첩
98 바지락
99 우렁이
100 식용달팽이(F)

Review Test 2

THE VOCABULARY 701 - 800

● 다음 주어진 영단어를 보고 우리말 뜻을 말해 보세요.

1 meat
2 beef
3 chuck
4 ribs
5 fillet
6 sirloin
7 steak
8 oxtail
9 veal
10 pork
11 ham
12 bacon
13 pork chops
14 sausage
15 mutton
16 lamb
17 lamb chops
18 leg of lamb
19 chicken
20 whole chicken
21 fried chicken
22 chicken stew
23 leg
24 breast
25 wing
26 duck
27 turkey
28 venison
29 lean meat
30 fat
31 fish
32 seafood
33 saltwater fish
34 mackerel
35 mackerel pike
36 Japanese Spanish mackerel
37 hair tail
38 pollack
39 codfish, cod
40 [sea] bream
41 yellow corbina
42 flatfish
43 halibut
44 squid
45 cuttlefish
46 octopus
47 small octopus
48 anchovy
49 trout
50 salmon
51 tuna
52 sardine
53 sea bass
54 croaker
55 [oceanic] bonito
56 whitebait
57 turtle
58 tortoise
59 sea cucumber
60 sea squirt
61 jellyfish
62 starfish
63 shellfish/shell
64 clam
65 oyster
66 abalone
67 conch
68 crab
69 blue crab
70 shrimp
71 jumbo shrimp
72 lobster
73 crayfish
74 mussel
75 cockle
76 scallop
77 sea urchin
78 seaweed
79 sea mustard
80 laver
81 green laver
82 kelp
83 freshwater fish
84 carp
85 crucian carp
86 catfish
87 minnow
88 dace
89 mandarin fish
90 eel
91 loach, mudfish
92 sweetfish
93 pond smelt
94 cherry salmon
95 char[r]
96 soft-shelled turtle
97 Asian clam
98 Manila clam
99 mud snail
100 escargot

Unit 09

식당 · 각종 요리의 종류

1	**식당**	1	**restaurant**	[réstərà:nt]
2	예약	2	reservation	[rèzərvéiʃən]
3	메뉴	3	menu	[ménju:]
4	주문	4	order	[ɔ́:rdər]
5	냅킨	5	napkin	[nǽpkin]
6	물수건	6	wet towel	[wét tàuəl]
7	식당종업원(남/여)	7	waiter/waitress	[wéitər]/[wéitris]
8	식당보조(허드렛일)	8	busboy/busgirl	[bʌ́sbɔ̀i]/[bʌ́sgə̀:rl]
9	봉사, 서비스	9	service	[sə́:rvis]
10	팁, 봉사사례금	10	tip	[tip]
11	주방장	11	chef	[ʃef]
12	요리사	12	cook	[kuk]
13	특히 잘하는 음식	13	specialty	[spéʃəlti]
14	맛	14	taste	[teist]
15	풍미, 독특한 맛	15	flavor	[fléivər]
16	음식 운반용 카트	16	serving cart	[sə́:rviŋ kà:rt]
17	뷔페	17	buffet	[bəféi]
18	식판(뷔페접시)	18	tray	[trei]
19	남긴 음식	19	leftovers	[léftòuvərz]
20	코르크 마개	20	cork stopper	[kɔ́:rk stàpər]
21	코르크 병따개	21	corkscrew	[kɔ́:rk skrù:]
22	칸막이가 된 공간	22	booth	[bu:θ]
23	결제	23	payment	[péimənt]
24	영수증	24	receipt	[risí:t]
25	업소의 화장실	25	restroom	[réstrù:m]

Tips

- stopper[stápər] 병이나 통 등에 내용물이 새지 않도록 끼워 넣어 막는 마개나 뚜껑을 일컫는 말이다.

26	술, 알코올	26 alcohol	[ǽlkəhɔ̀:l]
27	반찬/안주	27 side dish	[sáid dìʃ]
28	사이다, 청량음료	28 soda pop	[sóudə pàp]
29	**음식물**	29 **food and drink**	[fúd ən dríŋk]
30	**주요 요리**	30 **main course**	[méin kɔ̀:rs]
31	달걀, 계란	31 egg	[eg]
32	삶은 달걀	32 boiled egg	[bɔ́ild èg]
33	튀긴 달걀	33 fried egg	[fráid èg]
34	으깬 달걀	34 scrambled egg	[skrǽmbəld èg]
35	두툼하게 자른 고기	35 stake	[steik]
36	쇠고기구이	36 roast beef	[róust bì:f]
37	비후까스	37 beef cutlet	[bí:f kʌ̀tlit]
38	돈가스	38 pork cutlet	[pɔ́:rk kʌ̀tlit]
39	쌀밥	39 rice	[rais]
40	수프, 국물	40 soup	[su:p]
41	고깃국(탕)	41 broth	[brɔ:θ]
42	소고기스튜	42 beef stew	[bí:f stjù:]
43	스파게티	43 spaghetti	[spəgéti]
44	파스타	44 pasta	[pá:stə]
45	소스, 양념장	45 sauce	[sɔ:s]
46	카레라이스	46 curried rice	[kə́:rid ràis]
47	하이라이스	47 hashed rice	[hǽʃt ràis]
48	오믈렛	48 omelet	[ámǝlit]
49	샐러드	49 salad	[sǽləd]
50	통감자 구이	50 baked potato	[béikt pətéitou]

Tips

- stake(스테이크)
식용동물의고기이든 아니면 어류의 고기이든 '두툼하게 자른 고기'를 일컫는 말이다.
- 비후가스, 돈가스
'비프커틀릿', '포크커틀릿'이라는 이름을 발음이 잘 안 되는 일본식으로 부르던 말이 우리말처럼 굳어진 것이다. 돈가스의 '돈(豚)'은 '돼지고기(pork)'를 나타내는 한자어이다.
- soup, broth, stew
'soup'는 '국, 국물'을 'broth'는 '맑은 탕'을 'stew'는 '찌개나 전골'처럼 '걸쭉한 국물'을 각각 의미한다.

Unit 09 식당 · 각종 요리의 종류

			Tips
51 으깬 감자	51 mashed potato	[mǽʃt pətéitou]	
52 라자니아	52 lasagna	[ləzá:njə]	
53 생선전	53 fish fillet	[fíʃfilèi]	
54 생선 스테이크	54 fish steak	[fíʃ stèik]	
55 **후식, 디저트**	55 **dessert**	[dizə́:rt]	
56 아이스 티	56 iced tea	[áist tì:]	
57 푸딩	57 pudding	[púdiŋ]	
58 생크림	58 whipped cream	[wípt krì:m]	
59 아이스크림	59 ice cream	[áis krì:m]	
60 아이스크림**선디**	60 sundae	[sʌ́ndi]	
61 도넛	61 doughnut	[dóunnʌt]	
62 치즈케이크	62 cheesecake	[tʃí:zkèik]	
63 초콜릿 케이크	63 chocolate cake	[tʃá:klət kèik]	
64 머핀	64 muffin	[mʌ́fin]	
65 입가심 사탕	65 after-dinner mints	[ǽftərdìnər mínts]	
66 **한국요리**	66 **Korean dishes**	[kərí:ən dìʃz]	
67 **한정식**	67 **Korean Table d'hote**	[kərí:ən tábl dóut]	
68 공기밥(밥 한 공기)	68 a bowl of rice	[ə bóul əv ráis]	
69 비빔밥	69 bibimbap	[bibímbàp]	
70 돌솥비빔밥	70 hot stone pot bibimbap	[hát stoun pàt ~]	
71 김치볶음밥	71 kimchi fried rice	[kímtʃi: fràid ráis]	
72 김밥	72 gimbap	[gímbàp]	
73 쌈밥	73 rice wrapped in greens	[ráis rӕ̀pt in grí:nz]	
74 파전	74 Welsh-onion pancake	[wélʃ ʌ̀njən pǽnkèik]	
75 소고기덮밥	75 rice topped with beef	[ráis tàpt wið bí:f]	

				Tips
76 된죽	76	porridge	[pɔ́:ridʒ]	
77 묽은 미음	77	gruel	[grù:əl]	
78 찰밥	78	cooked glutinous rice	[kúkt glú:tənəs ràis]	
79 보리밥	79	boiled barley	[bɔ́ild bà:rli]	
80 볶음밥	80	fried rice	[fráid ràis]	
81 누룽지	81	parched rice	[pá:rtʃt ràis]	
82 김치	82	kimchi	[kímchì]	
83 된장찌개	83	soybean paste stew	[sɔ́ibi:n pèist stjú:]	
84 불고기(=bulgogi)	84	barbecued beef	[bá:rbikjù:d bí:f]	
85 갈비찜	85	braised short ribs	[bréizd ʃɔ̀:rt ríbz]	
86 갈비구이	86	roasted ribs	[róustid rìbz]	
87 양념갈비	87	seasoned ribs	[sí:zənd rìbz]	
88 삼겹살(=bacon)	88	pork belly	[pɔ́:rk bèli]	
89 닭갈비(=dakgalbi)	89	spicy stir-fried chicken	[spáisi stə́r fràid tʃíkin]	
90 생선조림	90	braised fish	[bréizd fiʃ]	
91 생선구이	91	broiled fish	[brɔ́ild fiʃ]	
92 장어구이	92	grilled eel	[gríld ì:l]	
93 활어	93	live fish	[láiv fiʃ]	
94 라면	94	ramen	[rɑ́:mən]	
95 국수	95	noodles	[nú:dlz]	
96 냉면	96	Korean cold noodles	[kərí:ən kòuld nú:dlz]	
97 비빔냉면	97	spicy buckwheat noodles	[spáisi bʌ́kwì:t nú:dlz]	
98 막국수/메밀국수	98	buckwheat noodles	[bʌ́kwì:t nú:dlz]	
99 칼국수	99	chopped noodles	[tʃápt nù:dlz]	
100 수제비(sujebi)	100	wheat flakes noodles	[wí:t flèiks nú:dlz]	

Review Test 1

THE VOCABULARY 801 - 900

● 다음 주어진 우리말 단어 뜻을 보고 영단어를 말해 보세요.

1 식당
2 예약
3 메뉴
4 주문
5 냅킨
6 물수건
7 식당종업원(남/여)
8 식당보조(허드렛일)
9 봉사, 서비스
10 팁, 봉사사례금
11 주방장
12 요리사
13 특히 잘하는 음식
14 맛
15 풍미, 독특한 맛
16 음식 운반용 카트
17 뷔페
18 식판(뷔페접시)
19 남긴 음식
20 코르크 마개
21 코르크 병따개
22 칸막이가 된 공간
23 결제
24 영수증
25 업소의 화장실
26 술, 알코올
27 반찬/안주
28 사이다, 청량음료
29 음식물
30 주요 요리
31 달걀, 계란
32 삶은 달걀
33 튀긴 달걀
34 으깬 달걀
35 두툼하게 자른 고기
36 쇠고기구이
37 비후까스
38 돈가스
39 쌀밥
40 수프, 국물
41 고깃국(탕)
42 소고기스튜
43 스파게티
44 파스타
45 소스, 양념장
46 카레라이스
47 하이라이스
48 오믈렛
49 샐러드
50 통감자 구이
51 으깬 감자
52 라자니아
53 생선전
54 생선 스테이크
55 후식, 디저트
56 아이스 티
57 푸딩
58 생크림
59 아이스크림
60 아이스크림선디
61 도넛
62 치즈케이크
63 초콜릿 케이크
64 머핀
65 입가심 사탕
66 한국요리
67 한정식
68 공기밥(밥 한 공기)
69 비빔밥
70 돌솥비빔밥
71 김치볶음밥
72 김밥
73 쌈밥
74 파전
75 소고기덮밥
76 된 죽
77 묽은 미음
78 찰밥
79 보리밥
80 볶음밥
81 누룽지
82 김치
83 된장찌개
84 불고기(=bulgogi)
85 갈비찜
86 갈비구이
87 양념갈비
88 삼겹살(=bacon)
89 닭갈비(=dakgalbi)
90 생선조림
91 생선구이
92 장어구이
93 활어
94 라면
95 국수
96 냉면
97 비빔냉면
98 막국수/메밀국수
99 칼국수
100 수제비(sujebi)

THE VOCABULARY 801 - 900

● 다음 주어진 영단어를 보고 우리말 뜻을 말해 보세요.

1 restaurant
2 reservation
3 menu
4 order
5 napkin
6 wet towel
7 waiter/waitress
8 busboy/busgirl
9 service
10 tip
11 chef
12 cook
13 specialty
14 taste
15 flavor
16 serving cart
17 buffet
18 tray
19 leftovers
20 cork stopper
21 corkscrew
22 booth
23 payment
24 receipt
25 restroom
26 alcohol
27 side dish
28 soda pop
29 food and drink
30 main course
31 egg
32 boiled egg
33 fried egg
34 scrambled egg
35 stake
36 roast beef
37 beef cutlet
38 pork cutlet
39 rice
40 soup
41 broth
42 beef stew
43 spaghetti
44 pasta
45 sauce
46 curried rice
47 hashed rice
48 omelet
49 salad
50 baked potato
51 mashed potato
52 lasagna
53 fish fillet
54 fish steak
55 dessert
56 iced tea
57 pudding
58 whipped cream
59 ice cream
60 sundae
61 doughnut
62 cheesecake
63 chocolate cake
64 muffin
65 after-dinner mints
66 Korean dishes
67 Korean Table d'hote
68 a bowl of rice
69 bibimbap
70 hot stone pot bibimbap
71 kimchi fried rice
72 gimbap
73 rice wrapped in greens
74 Welsh-onion pancake
75 rice topped with beef
76 porridge
77 gruel
78 cooked glutinous rice
79 boiled barley
80 fried rice
81 parched rice
82 kimchi
83 soybean paste stew
84 barbecued beef
85 braised short ribs
86 roasted ribs
87 seasoned ribs
88 pork belly
89 spicy stir-fried chicken
90 braised fish
91 broiled fish
92 grilled eel
93 live fish
94 ramen
95 noodles
96 Korean cold noodles
97 spicy buckwheat noodles
98 buckwheat noodles
99 chopped noodles
100 wheat flakes noodles

Unit 10

가옥기본구조물 · 기본가구 및 가정잡화

1	**집**	1	**house**	[haus]
2	**이층집**	2	**duplex**	[djú:pleks]
3	대문(=gate)	3	the main entrance	[ðə méin èntrəns]
4	대문노커(고리쇠)	4	knocker	[nɑkər]
5	문패	5	nameplate	[néimplèit]
6	현관 벨	6	doorbell	[dɔ́:rbèl]
7	인터폰(=~phone)	7	intercom	[íntərkɑ̀m]
8	현관, 현관입구	8	front door	[frʌ́nt dɔ́:r]
9	우편함	9	mailbox	[méilbɑ̀ks]
10	외부계단(전체)	10	stairs, steps	[stεərz], [steps]
11	계단의 한 단	11	stair, step	[stεər], [step]
12	실내용 계단(전체)	12	staircase	[stέərkèis]
13	계단용 난간	13	banister, handrail	[bǽnəstər],[hǽndrèil]
14	바닥, 마루	14	floor	[flɔ:r]
15	거실	15	livingroom	[líviŋrù:m]
16	침실	16	bedroom	[bédrù:m]
17	욕실(집화장실)	17	bathroom	[bǽθrù:m]
18	옷방	18	dressing room	[drésiŋ rù:m]
19	찬방, 식품저장실	19	pantry	[pǽntri]
20	식당	20	diningroom	[dáiniŋrù:m]
21	찬장(=cabinet)	21	cupboard	[kʌ́bərd]
22	싱크대	22	sink	[siŋk]
23	수도꼭지	23	faucet	[fɔ́:sit]
24	벽장	24	closet	[klɑ́zit]
25	테라스, 베란다	25	terrace	[térəs]

Tips

- 도어체인
  door chain
- 내다보는 문구멍
  peeping hole
- 이중자물쇠, 빗장
  dead-bolt=deadlock
- 찬장
  cabinet[kǽbənit]

26 복도(=hallway)	26 corridor	[kɔ́:ridɔ̀:r]
27 문	27 door	[dɔ:r]
28 문손잡이	28 doorknob	[dɔ́:rnɑ̀b]
29 천장	29 ceiling	[sí:liŋ]
30 천장 선풍기	30 ceiling fan	[sí:liŋ fæ̀n]
31 위층, [1층에서 본] 2층	31 upstairs	[ʌ́pstéərz]
32 [위층에서 본] 아래층	32 downstairs	[dáunstéərz]
33 1층	33 the first floor	[ðə fə́:rst flɔ̀:r]
34 2층	34 the second floor	[ðə sékənd flɔ̀:r]
35 지붕	35 roof	[ru:f]
36 기와	36 roofing tile	[rú:fiŋ tàil]
37 다락방	37 attic, garret	[ǽtik], [gǽrət]
38 옥상	38 rooftop	[rú:ftɑ̀p]
39 옥상정원	39 rooftop garden	[rú:ftɑp gɑ̀:rdn]
40 옥탑방	40 rooftop house	[rú:ftɑp hàus]
41 가로 빗물받이	41 gutter	[gʌ́tər]
42 세로 배수관	42 drainpipe	[dréinpàip]
43 발코니난간	43 balustrade, railing	[bǽləstrèid], [réiliŋ]
44 굴뚝	44 chimney	[tʃímni]
45 TV 안테나	45 TV antenna	[tí:ví: ænténə]
46 위성안테나	46 satellite dish	[sǽtəlàit díʃ]
47 보도(현관↔찻길)	47 walkway	[wɔ́:kwèi]
48 차도(차고↔찻길)	48 driveway	[dráivwèi]
49 앞마당	49 front yard	[frʌ́nt jɑ̀:rd]
50 골목	50 alley	[ǽli]

Tips

- 복도
  hallway[hɔ́:lwèi]

Unit **10**

가옥기본구조물 · 기본가구 및 가정잡화

			Tips
51 벽	51 wall	[wɔ:l]	● 성냥 match[mætʃ]
52 담장, 울타리	52 fence	[fens]	
53 **가구**	53 **furniture**	[fə́:rnitʃər]	
54 장롱	54 wardrobe	[wɔ́:rdròub]	
55 침대	55 bed	[bed]	
56 커피탁자, 다탁	56 coffee table	[kɑ́:fi tèibəl]	
57 의자	57 chair	[tʃɛər]	
58 책상	58 desk	[desk]	
59 책장	59 bookcase	[búkkèis]	
60 붙박이장	60 wall unit	[wɔ́:l jùnit]	
61 소파	61 sofa, couch	[sóufə], [kautʃ]	
62 쿠션	62 cushion	[kúʃən]	
63 온도계	63 thermometer	[θərmɑ́mitər]	
64 벽시계	64 clock	[klɑk]	
65 거울	65 mirror	[mírər]	
66 상자	66 box	[bɑks]	
67 꽃병	67 vase	[veis]	
68 그림 액자	68 [picture] frame	[píktʃər frèim]	
69 그림	69 painting	[péintiŋ]	
70 큰 양탄자, 융단	70 carpet	[kɑ́:rpit]	
71 소형 융단	71 rug	[rʌg]	
72 담배(궐련)	72 cigaret[te]	[sígərèt]	
73 라이터	73 [cigaret] lighter	[sígəret làitər]	
74 재떨이	74 ashtray	[ǽʃtrèi]	
75 파리채	75 flyswatter	[fláiswɑ̀tər]	

				Tips
76 전등(샹들리에)	76	pendant	[péndənt]	
77 전구	77	light bulb	[láit bʌlb]	
78 형광등	78	fluorescent light	[flùərésnt làit]	
79 전기 스탠드	79	lamp	[læmp]	
80 전등갓	80	lampshade	[lǽmpʃèid]	
81 환풍기	81	ventilator	[véntəlèitər]	
82 가스배관	82	gas pipeline	[gǽs pàiplain]	
83 창문	83	window	[wíndou]	
84 창문틀	84	window frame	[wíndou frèim]	
85 덧문	85	outer door	[áutər dɔ̀:r]	
86 덧창문	86	outer window	[áutər wìndou]	
87 방충망	87	screen	[skri:n]	
88 셔터	88	shutter	[ʃʌ́tər]	
89 블라인드	89	blind	[blaind]	
90 발	90	bamboo blind	[bæmbú: blàind]	
91 커튼	91	curtain	[kə́:rtən]	
92 주름잡아 드리운 커튼	92	drapes	[dreips]	
93 안락의자	93	armchair	[á:rmtʃὲər]	
94 신발장	94	shoe shelf	[ʃú: ʃèlf]	
95 우산	95	umbrella	[ʌmbrélə]	
96 고무장화	96	rubber boots	[rʌ́bər bù:ts]	
97 전원안전 차단기	97	circuit braker	[sə́:rkit brèikər]	
98 차고	98	garage	[gərá:ʒ]	
99 광, 헛간	99	barn	[ba:rn]	
100 지하실(=cellar)	100	basement	[béismənt]	

Review Test 1

THE VOCABULARY **901 - 1000**

● 다음 주어진 우리말 단어 뜻을 보고 영단어를 말해 보세요.

1 집
2 이층집
3 대문(=gate)
4 대문노커(고리쇠)
5 문패
6 현관 벨
7 인터폰(=~phone)
8 현관, 현관 입구
9 우편함
10 외부 계단(전체)
11 계단의 한 단
12 실내용 계단(전체)
13 계단용 난간
14 바닥, 마루
15 거실
16 침실
17 욕실(집화장실)
18 옷방
19 찬방, 식품저장실
20 식당
21 찬장(=cabinet)
22 싱크대
23 수도꼭지
24 벽장
25 테라스, 베란다
26 복도(=hallway)
27 문
28 문손잡이
29 천장
30 천장 선풍기
31 위층, [1층에서 본] 2층
32 [위층에서 본] 아래층
33 1층
34 2층
35 지붕
36 기와
37 다락방
38 옥상
39 옥상정원
40 옥탑방
41 가로 빗물받이
42 세로 배수관
43 발코니 난간
44 굴뚝
45 TV 안테나
46 위성안테나
47 보도(현관↔찻길)
48 차도(차고↔찻길)
49 앞마당
50 골목
51 벽
52 담장, 울타리
53 가구
54 장롱
55 침대
56 커피탁자, 다탁
57 의자
58 책상
59 책장
60 붙박이장
61 소파
62 쿠션
63 온도계
64 벽시계
65 거울
66 상자
67 꽃병
68 그림 액자
69 그림
70 큰 양탄자, 융단
71 소형 융단
72 담배(궐련)
73 라이터
74 재떨이
75 파리채
76 전등(샹들리에)
77 전구
78 형광등
79 전기 스탠드
80 전등갓
81 환풍기
82 가스배관
83 창문
84 창문틀
85 덧문
86 덧창문
87 방충망
88 셔터
89 블라인드
90 발
91 커튼
92 주름잡아 드리운 커튼
93 안락의자
94 신발장
95 우산
96 고무장화
97 전원안전 차단기
98 차고
99 광, 헛간
100 지하실(=cellar)

Review Test 2

THE VOCABULARY
901 - 1000

● 다음 주어진 영단어를 보고 우리말 뜻을 말해 보세요.

1 house
2 duplex
3 the main entrance
4 knocker
5 nameplate
6 doorbell
7 intercom
8 front door
9 mailbox
10 stairs, steps
11 stair, step
12 staircase
13 banister, handrail
14 floor
15 livingroom
16 bedroom
17 bathroom
18 dressing room
19 pantry
20 diningroom
21 cupboard
22 sink
23 faucet
24 closet
25 terrace
26 corridor
27 door
28 doorknob
29 ceiling
30 ceiling fan
31 upstairs
32 downstairs
33 the first floor
34 the second floor
35 roof
36 roofing tile
37 garret
38 rooftop
39 rooftop garden
40 rooftop house
41 gutter
42 drainpipe
43 balustrade, railing
44 chimney
45 TV antenna
46 satellite dish
47 walkway
48 driveway
49 front yard
50 alley
51 wall
52 fence
53 furniture
54 wardrobe
55 bed
56 coffee table
57 chair
58 desk
59 bookcase
60 wall unit
61 sofa, couch
62 cushion
63 thermometer
64 clock
65 mirror
66 box
67 vase
68 [picture] frame
69 painting
70 carpet
71 rug
72 cigaret[te]
73 [cigaret] lighter
74 ashtray
75 flyswatter
76 pendant
77 light bulb
78 fluorescent light
79 lamp
80 lampshade
81 ventilator
82 gas pipeline
83 window
84 window frame
85 outer door
86 outer window
87 screen
88 shutter
89 blind
90 bamboo blind
91 curtain
92 drapes
93 armchair
94 shoe shelf
95 umbrella
96 rubber boots
97 circuit braker
98 garage
99 barn
100 basement

Unit **11**

집안일 · 집안 각 장소에 쓰이는 물건

1	**집안일**	1	**housework**	[háuswə̀:rk]
2	**집안 허드렛일**	2	**house chores**	[háus tʃɔ̀:rz]
3	청소	3	cleaning	[klí:niŋ]
4	빗자루	4	broom	[bru:m]
5	먼지, 티끌	5	dust	[dʌst]
6	쓰레받기	6	dustpan	[dʌ́stpæ̀n]
7	걸레	7	rag, dustcloth	[ræg], [dʌ́stklɔ̀:θ]
8	봉걸레	8	mop	[mɑp]
9	먼지떨이	9	duster	[dʌ́stər]
10	쓰레기통	10	trash can	[træʃ kæ̀n]
11	재활용 쓰레기통	11	recycling bin	[ri:sáikəliŋ bìn]
12	세척제	12	cleanser	[klénzər]
13	유리창 세정제	13	window cleaner	[wíndou klì:nər]
14	**세탁**	14	**washing**	[wɑ́ʃiŋ]
15	세탁물, 빨랫감	15	laundry	[lɔ́:ndri]
16	세제	16	laundry detergent	[lɔ́:ndri ditə̀:rdʒənt]
17	빨랫비누	17	laundry soap	[lɔ́:ndri sòup]
18	섬유유연제	18	fabric softener	[fæ̀brik sɔ̀:fnər]
19	표백제	19	bleach	[bli:tʃ]
20	빨래바구니	20	laundry basket	[lɔ́:ndri bæ̀skit]
21	양동이	21	bucket	[bʌ́kit]
22	빨랫줄	22	clothesline	[klóuzlàin]
23	빨래집게	23	clothespin	[klóuzpìn]
24	옷걸이	24	hanger	[hæŋər]
25	**다림질**	25	**ironing**	[áiərniŋ]

Tips

- 'cloth'와 'clothe'의 차이점
  - –cloth[klɔ:θ] 천, 옷감, 직물
  - –clothes[klouz] 옷, 의복 ('복수형'으로만 쓴다.)

26 다리미	26 iron	[áiərn]	
27 다림질 판	27 ironing board	[áiərniŋ bɔ̀:rd]	
28 주름	28 wrinkle	[ríŋkəl]	
29 **욕실(집화장실)**	29 **bathroom**	[bǽθrù:m]	
30 샤워 커튼	30 shower curtain	[ʃáuər kə̀:rtən]	
31 욕조	31 bathtub, tub	[bǽθtʌ̀b], [tʌb]	
32 [욕조의] 배수구	32 drain	[drein]	
33 배수구 마개	33 stopper, plug	[stápər], [plʌg]	
34 세면대	34 sink	[siŋk]	
35 변기	35 toilet, stool	[tɔ́ilit], [stu:l]	
36 두루마리 화장지	36 toilet paper	[tɔ́ilit pèipər]	
37 변기용 솔	37 toilet brush	[tɔ́ilit brʌ̀ʃ]	
38 칫솔	38 toothbrush	[tú:θbrʌ̀ʃ]	
39 치약	39 toothpaste	[tú:θpèist]	
40 면도기	40 razor	[réizər]	
41 면도크림	41 shaving cream	[ʃéiviŋ krì:m]	
42 면도솔	42 shaving brush	[ʃéiviŋ brʌ̀ʃ]	
43 비누	43 soap	[soup]	
44 타일	44 tile	[tail]	
45 체중계	45 scale	[skeil]	
46 **침실**	46 **bedroom**	[bédrù:m]	
47 1인용 침대	47 single bed	[síŋgəl bèd]	
48 2인용 침대	48 double bed	[dʌ́bəl bèd]	
49 침대 커버	49 bedspread	[bédsprèd]	
50 베개	50 pillow	[pílou]	

Tips

- hook
  물건을 거는 데 쓰는 낚시 바늘 모양의 모든 '고리'나 '고리 모양의 물건'은 'hook'이라고 부른다.

Unit 11

집안일 · 집안 각 장소에 쓰이는 물건

			Tips
51 담요	51 blanket	[blǽŋkit]	
52 자명종 시계	52 alarm clock	[əlá:rm klὰk]	
53 **아기 방**	53 **the baby's room**	[ðə béibiz rù:m]	
54 인형	54 doll	[dɑ:l]	
55 젖병	55 [baby] bottle	[béibi bὰtl]	
56 요람	56 cradle	[kréidl]	
57 기저귀	57 diaper	[dáiəpər]	
58 유모차	58 stroller	[stróulər]	
59 **식탁용 식기류**	59 **tableware**	[téibəlwὲər]	
60 **주방용품**	60 **kitchen utensils**	[kítʃən ju:ténsəlz]	
61 가스레인지	61 gas range, burner	[gǽs rèindʒ], [bə́:rnər]	
62 서랍	62 drawer	[drɔ:r]	
63 주전자	63 kettle	[kétl]	
64 냄비	64 pan	[pæn]	
65 프라이팬	65 frying-pan	[fráiŋpæ̀n]	
66 행주	66 dishtowel	[díʃtàuəl]	
67 컵	67 cup	[kʌp]	
68 유리잔	68 glass	[glæs]	
69 와인잔	69 wine glass	[wáin glæ̀s]	
70 접시	70 plate	[pleit]	
71 숟가락	71 spoon	[spu:n]	
72 젓가락	72 chopsticks	[tʃápstìks]	
73 나무젓가락	73 wooden chopsticks	[wúdn tʃὰpstiks]	
74 포크	74 fork	[fɔ:rk]	
75 나이프	75 knife	[naif]	

76	빨대	76	straw	[strɔ:]
77	[솥, 냄비의] 뚜껑	77	lid	[lid]
78	쟁반	78	tray	[trei]
79	그릇, 용기	79	container	[kəntéinər]
80	병	80	bottle	[bátl]
81	오븐, 화덕	81	oven	[ʌvən]
82	요리책	82	cookbook	[kúkbùk]
83	병따개	83	bottle opener	[bátl òupənər]
84	깡통따개	84	can opener	[kǽn òupənər]
85	알루미늄 호일	85	aluminum foil	[əlú:mənəm fɔ̀il]
86	랩	86	plastic wrap	[plǽstik rǽp]
87	지퍼 백	87	zipper bag	[zípər bǽg]
88	앞치마	88	apron	[éiprən]
89	밥 수저	89	tablespoon	[téibəlspù:n]
90	티스푼	90	teaspoon	[tí:spù:n]
91	양초	91	candle	[kǽndl]
92	촛대	92	candlestick	[kǽndlstìk]
93	샹들리에	93	chandelier	[ʃæ̀ndəlíər]
94	식탁	94	table	[téibəl]
95	식탁보	95	tablecloth	[téibəlklɔ̀:θ]
96	의자	96	chair	[tʃɛər]
97	종이냅킨	97	paper napkin	[péipər nǽpkin]
98	키친타월	98	paper towel	[péipər táuəl]
99	커피머신	99	coffee maker	[ká:fi mèikər]
100	음식물 쓰레기통	100	garbage can	[gá:rbidʒ kæ̀n]

Tips

- lid
  '뚜껑이나 덮개' 중에서 '꽉 끼워서 막거나 나사식으로 돌려 잠가서 막는 것'이 아니라 항아리 뚜껑처럼 '그냥 얹어서 덮는 형식의 것들'을 통칭하는 말이다.
- container
  '모든 종류의 그릇', 즉 '담을 것'을 통칭하는 말이다. 'container box'도 결국 '물건을 담는 큰 상자'라는 뜻인 셈이다.
- earthen
  이처럼 물질명사 뒤에 '-en'이 붙으면 '그 물질로 만든'이라는 뜻이 된다. 따라서 'earthen pot'은 '흙으로 만든 냄비', 즉 '토기'라는 뜻이 되므로 '뚝배기'가 되는 것이다.
- sifter[síftər]
  작은 체, 밀가루를 치는 데 주로 쓴다.

Review Test 1

THE VOCABULARY 1001 - 1100

● 다음 주어진 우리말 단어 뜻을 보고 영단어를 말해 보세요.

1 집안일
2 집안 허드렛일
3 청소
4 빗자루
5 먼지, 티끌
6 쓰레받기
7 걸레
8 봉걸레
9 먼지떨이
10 쓰레기통
11 재활용 쓰레기통
12 세척제
13 유리창 세정제
14 세탁
15 세탁물, 빨랫감
16 세제
17 빨랫비누
18 섬유 유연제
19 표백제
20 빨래바구니
21 양동이
22 빨랫줄
23 빨래집게
24 옷걸이
25 다림질
26 다리미
27 다림질 판
28 주름
29 욕실(집화장실)
30 샤워커튼
31 욕조
32 [욕조의] 배수구
33 배수구 마개
34 세면대
35 변기
36 두루마리 화장지
37 변기용 솔
38 칫솔
39 치약
40 면도기
41 면도크림
42 면도솔
43 비누
44 타일
45 체중계
46 침실
47 1인용 침대
48 2인용 침대
49 침대 커버
50 베개
51 담요
52 자명종 시계
53 아기 방
54 인형
55 젖병
56 요람
57 기저귀
58 유모차
59 식탁용 식기류
60 주방용품
61 가스레인지
62 서랍
63 주전자
64 냄비
65 프라이팬
66 행주
67 컵
68 유리잔
69 와인잔
70 접시
71 숟가락
72 젓가락
73 나무젓가락
74 포크
75 나이프
76 빨대
77 [솥, 냄비의] 뚜껑
78 쟁반
79 그릇, 용기
80 병
81 오븐, 화덕
82 요리책
83 병따개
84 깡통따개
85 알루미늄 호일
86 랩
87 지퍼 백
88 앞치마
89 밥 수저
90 티스푼
91 양초
92 촛대
93 샹들리에
94 식탁
95 식탁보
96 의자
97 종이냅킨
98 키친타월
99 커피머신
100 음식물 쓰레기통

Review Test 2

THE VOCABULARY 1001 - 1100

● 다음 주어진 영단어를 보고 우리말 뜻을 말해 보세요.

1 housework
2 house chores
3 cleaning
4 broom
5 dust
6 dustpan
7 rag, dustcloth
8 mop
9 duster
10 trash can
11 recycling bin
12 cleanser
13 window cleaner
14 washing
15 laundry
16 laundry detergent
17 laundry soap
18 fabric softener
19 bleach
20 laundry basket
21 bucket
22 clothesline
23 clothespin
24 hanger
25 ironing
26 iron
27 ironing board
28 wrinkle
29 bathroom
30 shower curtain
31 bathtub, tub
32 drain
33 stopper, plug
34 sink
35 toilet, stool
36 toilet paper
37 toilet brush
38 toothbrush
39 toothpaste
40 razor
41 shaving cream
42 shaving brush
43 soap
44 tile
45 scale
46 bedroom
47 single bed
48 double bed
49 bedspread
50 pillow
51 blanket
52 alarm clock
53 the baby's room
54 doll
55 [baby] bottle
56 cradle
57 diaper
58 stroller
59 tableware
60 kitchen utensils
61 gas range, burner
62 drawer
63 kettle
64 pan
65 frying-pan
66 dishtowel
67 cup
68 glass
69 wine glass
70 plate
71 spoon
72 chopsticks
73 wooden chopsticks
74 fork
75 knife
76 straw
77 lid
78 tray
79 container
80 bottle
81 oven
82 cookbook
83 bottle opener
84 can opener
85 aluminum foil
86 plastic wrap
87 zipper bag
88 apron
89 tablespoon
90 teaspoon
91 candle
92 candlestick
93 chandelier
94 table
95 tablecloth
96 chair
97 paper napkin
98 paper towel
99 coffee maker
100 garbage can

Unit 12 가전제품 · 정원 및 뒤뜰에 있는 것

					Tips
1	**가전제품**	1	**home appliances**	[hóum əpláiənsiz]	
2	텔레비전	2	television, TV	[téləvìʒən], [tí:ví:]	
3	냉장고 냉장실	3	refrigerator	[rifrídʒərèitər]	
4	냉장고 냉동실	4	freezer	[frí:zər]	
5	식기세척기	5	dishwasher	[díʃwɑ̀:ʃər]	
6	세탁기	6	washing machine	[wɑ́:ʃiŋ məʃì:n]	
7	진공청소기	7	vacuum cleaner	[vǽkjuəm klì:nər]	
8	전화기	8	telephone	[téləfòun]	
9	무선전화기	9	cordless phone	[kɔ́:rdles fòun]	
10	휴대전화기	10	cell-phone	[sélfòun]	
11	팩시밀리	11	facsimile, fax	[fæksíməli],[fæks]	
12	에어컨	12	air conditioner	[ɛ́ər kəndìʃənər]	
13	선풍기	13	[electric] fan	[iléktrik fæ̀n]	
14	전자레인지	14	microwave [oven]	[máikrouwèiv ʌ́vən]	
15	전기압력솥	15	electric pressure cooker	[iléktrik prèʃər kúkər]	
16	전기오븐	16	electric oven	[iléktrik ʌ̀vən]	
17	토스터	17	toaster	[tóustər]	
18	가습기	18	humidifier	[hju:mídəfàiər]	
19	제습기	19	dehumidifier	[dì:hju:mídifàiər]	
20	전기난로	20	electric heater	[iléktrik hì:tər]	
21	전기장판	21	electric pad	[iléktrik pæ̀d]	
22	전기다리미	22	electric iron	[iléktrik àiərn]	
23	공기청정기	23	air cleaner	[ɛ́ər klì:nər]	
24	커피포트	24	coffee pot	[kɑ́:fi pɑ̀t]	
25	믹서(=blender)	25	electric mixer	[iléktrik mìksər]	

					Tips
26	온수기	26	water heater	[wɑ́:tər hì:tər]	
27	정수기	27	water purifier	[wɑ́:tər pjùrəfaiər]	
28	전기면도기	28	electric shaver	[iléktrik ʃèivər]	
29	전기스탠드	29	desk lamp	[désk læ̀mp]	
30	디지털카메라	30	digital camera	[dídʒitl kǽmərə]	
31	비디오캠코더	31	video camcorder	[vídiòu kǽmkɔ̀:rdər]	
32	라디오	32	radio	[réidiòu]	
33	스테레오 장치	33	stereo system	[stériou sìstəm]	
34	스피커	34	speaker	[spí:kər]	
35	마이크	35	microphone, mike	[máikrəfòun], [máik]	
36	MP3 플레이어	36	MP3 player	[émpí:θrí: plèiər]	
37	이어폰	37	earphone	[íərfòun]	
38	헤드폰	38	headphone	[hédfòun]	
39	리모컨	39	remote control	[rimóut kəntróul]	
40	배터리 충전기	40	battery charger	[bǽtəri tʃɑ̀:rdʒər]	
41	플래시	41	flashlight	[flæʃlàit]	
42	전원스위치	42	power switch	[páuər swìtʃ]	
43	컴퓨터	43	[desktop]computer	[désktɑ̀pkəmpjú:tər]	
44	노트북 컴퓨터	44	laptop computer	[lǽptɑ̀p kəmpjú:tər]	
45	노트패드	45	notepad	[nóutpæ̀d]	
46	프린터	46	printer	[príntər]	
47	스캐너	47	scanner	[skǽnər]	
48	키보드	48	keyboard	[kí:bɔ̀:rd]	
49	마우스	49	mouse	[maus]	
50	모니터	50	monitor	[mɑ́nitər]	

Unit 12

가전제품 · 정원 및 뒤뜰에 있는 것

한국어	English	발음	Tips
51 **정원**	51 **garden**	[gá:rdn]	
52 잔디밭	52 lawn	[lɔ:n]	
53 잔디	53 grass	[græs]	
54 마당	54 yard	[jɑ:rd]	
55 채소밭	55 vegetable garden	[védʒətəbəl gà:rdn]	
56 산[나무] 울타리	56 hedge	[hedʒ]	
57 관목(작은 잡목)	57 bush	[buʃ]	
58 [줄기가 있는] 나무	58 tree	[tri:]	
59 바비큐 틀	59 barbecue	[bá:rbikjù:]	
60 석쇠	60 grill	[gril]	
61 바비큐용 장갑	61 mitt	[mit]	
62 바비큐 주걱	62 spatula	[spǽtʃulə]	
63 바비큐용 목탄	63 charcoal briquettes	[tʃá:rkoul brikèts]	
64 큰 파라솔	64 sunshade	[sʌ́nʃèid]	
65 안뜰용 테이블	65 patio table	[pǽtiòu téibəl]	
66 안뜰용 의자	66 patio chair	[pǽtiòu tʃέər]	● 'herbicide'와 'pesticide'의 '-cide'는 '–살해[자]'라는 뜻이다. 여기서는 herb(풀)+cide(살해)= herbicide(풀을 죽이는 것=제초제)의 뜻으로 쓰였으며, pest(해충)+cide(살해)= pesticide(해충을 죽이는 것=살충제)의 뜻으로 쓰였다. 그밖에도 hom(사람)+cide(살해)=homicide는 살인, suicide는 자살의 뜻이 된다. 중간의 'i'는 접미사 cide와 앞말을 붙이면서 추가된 연결모음이다.
67 꽃밭, 화단	67 flowerbed	[fláuərbèd]	
68 꽃	68 flower	[fláuər]	
69 화분	69 flowerpot	[fláuərpɑ̀t]	
70 잡초	70 weeds	[wi:dz]	
71 제초제	71 herbicide	[hə́:rbəsàid]	
72 벌레, 곤충	72 insect, bug	[ínsekt], [bʌg]	
73 해충	73 vermin	[və́:rmin]	
74 살충제	74 pesticide	[péstəsàid]	
75 분무기	75 spray gun	[spréi gʌ̀n]	

					Tips
76	**뒤뜰**	76	**rear garden**	[ríər gɑ̀:rdn]	
77	호스	77	gardenhose	[gɑ́:rdn hòuz]	
78	물뿌리개	78	watering can	[wɔ́:təriŋ kæ̀n]	
79	회전 살수기	79	sprinkler	[spríŋkələr]	
80	사다리	80	ladder	[lǽdər]	
81	해먹(그물침대)	81	hammock	[hǽmək]	
82	전정가위	82	clippers	[klípərz]	
83	원예재단기(큰가위)	83	hedge clippers	[hédʒ klìpərz]	
84	작업용 장갑	84	work gloves	[wɔ́:rk glʌ̀vz]	
85	모종삽, 흙손	85	trowel	[tráuəl]	
86	평삽/일반 삽	86	spade/shovel	[speid]/[ʃʌ́vəl]	
87	괭이	87	hoe	[hou]	
88	곡괭이	88	pickax	[píkæ̀ks]	
89	갈퀴	89	rake	[reik]	
90	도끼	90	ax, axe(영)	[æks]	
91	손도끼	91	hatchet	[hǽtʃit]	
92	낫	92	sickle	[síkəl]	
93	톱	93	saw	[sɔ:]	
94	잔디 깎는 기계	94	lawn mower	[lɔ́:n mòuər]	
95	외바퀴 손수레	95	wheelbarrow	[wí:lbæ̀rou]	
96	헛간, 광	96	shed	[ʃed]	
97	횟가루	97	lime powder	[láim pàudər]	
98	시멘트	98	cement	[simént]	
99	페인트	90	paint	[peint]	
100	페인트 통	100	paintpot	[péintpàt]	

THE VOCABULARY 1101 - 1200

● 다음 주어진 우리말 단어 뜻을 보고 영단어를 말해 보세요.

1 가전제품
2 텔레비전
3 냉장고 냉장실
4 냉장고 냉동실
5 식기세척기
6 세탁기
7 진공청소기
8 전화기
9 무선전화기
10 휴대전화기
11 팩시밀리
12 에어컨
13 선풍기
14 전자레인지
15 전기압력솥
16 전기오븐
17 토스터
18 가습기
19 제습기
20 전기난로
21 전기장판
22 전기다리미
23 공기청정기
24 커피포트
25 믹서(=blender)
26 온수기
27 정수기
28 전기면도기
29 전기스탠드
30 디지털카메라
31 비디오캠코더
32 라디오
33 스테레오 장치
34 스피커
35 마이크
36 MP3 플레이어
37 이어폰
38 헤드폰
39 리모컨
40 배터리 충전기
41 플래시
42 전원스위치
43 컴퓨터
44 노트북 컴퓨터
45 노트패드
46 프린터
47 스캐너
48 키보드
49 마우스
50 모니터
51 정원
52 잔디밭
53 잔디
54 마당
55 채소밭
56 산[나무] 울타리
57 관목(작은 잡목)
58 [줄기가 있는] 나무
59 바비큐 틀
60 석쇠
61 바비큐용 장갑
62 바비큐 주걱
63 바비큐용 목탄
64 큰 파라솔
65 안뜰용 테이블
66 안뜰용 의자
67 꽃밭, 화단
68 꽃
69 화분
70 잡초
71 제초제
72 벌레, 곤충
73 해충
74 살충제
75 분무기
76 뒤뜰
77 호스
78 물뿌리개
79 회전 살수기
80 사다리
81 해먹(그물침대)
82 전정가위
83 원예재단기(큰가위)
84 작업용 장갑
85 모종삽, 흙손
86 평삽/일반 삽
87 괭이
88 곡괭이
89 갈퀴
90 도끼
91 손도끼
92 낫
93 톱
94 잔디 깎는 기계
95 외바퀴 손수레
96 헛간, 광
97 횟가루
98 시멘트
99 페인트
100 페인트 통

Review Test 2

THE VOCABULARY 1101 - 1200

● 다음 주어진 영단어를 보고 우리말 뜻을 말해 보세요.

1 home appliances
2 television, TV
3 refrigerator
4 freezer
5 dishwasher
6 washing machine
7 vacuum cleaner
8 telephone
9 cordless phone
10 cell-phone
11 facsimile, fax
12 air conditioner
13 [electric] fan
14 microwave [oven]
15 electric pressure cooker
16 electric oven
17 toaster
18 humidifier
19 dehumidifier
20 electric heater
21 electric pad
22 electric iron
23 air cleaner
24 coffee pot
25 electric mixer
26 water heater
27 water purifier
28 electric shaver
29 desk lamp
30 digital camera
31 video camcorder
32 radio
33 stereo system
34 speaker
35 microphone, mike
36 MP3 player
37 earphone
38 headphone
39 remote control
40 battery charger
41 flashlight
42 power switch
43 [desktop]computer
44 laptop computer
45 notepad
46 printer
47 scanner
48 keyboard
49 mouse
50 monitor
51 garden
52 lawn
53 grass
54 yard
55 vegetable garden
56 hedge
57 bush
58 tree
59 barbecue
60 grill
61 mitt
62 spatula
63 charcoal briquettes
64 sunshade
65 patio table
66 patio chair
67 flowerbed
68 flower
69 flowerpot
70 weeds
71 herbicide
72 insect, bug
73 vermin
74 pesticide
75 spray gun
76 rear garden
77 gardenhose
78 watering can
79 sprinkler
80 ladder
81 hammock
82 clippers
83 hedge clippers
84 work gloves
85 trowel
86 spade/shovel
87 hoe
88 pickax
89 rake
90 ax, axe(영)
91 hatchet
92 sickle
93 saw
94 lawn mower
95 wheelbarrow
96 shed
97 lime powder
98 cement
90 paint
100 paintpot

Unit 13

주거형태 · 소형공구 · 자전거 · 오토바이

1	부동산중개사	1 real estate broker	[rí:əl istèit bróukər]	
2	단층집	2 one-storied house	[wʌ́n stɔ̀:rid háus]	
3	이층집	3 two-storied house	[tú: stɔ̀:rid háus]	
4	한옥	4 Korean style house	[kərí:ən stàil háus]	
5	양옥	5 Western style house	[wéstərn stàil háus]	
6	아파트(영=flat)	6 apartment house	[əpá:rtmənt hàus]	
7	맨션	7 mansion house	[mǽnʃən hàus]	
8	임대(세놓기)	8 lease	[li:s]	
9	임대주택	9 rental house	[réntl hàus]	
10	집 내부 장식	10 interior	[intíəriər]	
11	건평	11 floor space	[flɔ́:r spèis]	
12	기숙사	12 dormitory, dorm	[dɔ́:rmətɔ̀:ri], [dɔ́:rm]	
13	셋집(세로 얻은 집)	13 rented house	[réntid hàus]	
14	하숙집	14 boarding house	[bɔ́:rdiŋ hàus]	
15	자취방	15 rented room	[réntid rù:m]	
16	하숙 · 셋집 여주인	16 landlady	[lǽndlèidi]	
17	하숙 · 셋집 남주인	17 landlord	[lǽndlɔ̀:rd]	
18	임차인(세든 사람)	18 hirer, lessee	[háirər], [lesí:]	
19	계약	19 contract	[kántrækt]	
20	선불	20 advance payment	[ædvǽns pèimənt]	
21	후불	21 later payment	[léitər pèimənt]	
22	관리비	22 maintenance cost(fee)	[méintənəns kɔ̀:st]	
23	집세	23 [house] rent	[háus rènt]	
24	전기료	24 electrical charges	[iléktrikəl tʃɑ̀:rdʒiz]	
25	수도요금	25 water rate	[wɔ́:tər rèit]	

Tips

- fare
  배, 기차, 버스, 택시 따위의 요금, 운임
  taxi fare 택시 요금
- rate
  우편, 화물, 전화, 수도 따위의 요금, 사용료
  postal rate 우편요금
- charge
  봉사, 노력 따위의 요금
  service charge 서비스료
- fee
  의사, 변호사 등 전문직의 보수 또는 입장료
  lawyer's fee 변호사 비용
  admission fee–입장료
- price
  특히 물품에 관해 파는 가격
  selling price –판매 가격
- cost
  제조, 입수, 유지를 위해 지불하는 원가
  maintenance cost 유지(관리)비용
- fine
  위반, 체납, 연체 따위의 벌금
  parking fine 주차위반 벌금

26	**수리**	26	**fixing**	[fíksiŋ]
27	**공구, 도구**	27	**tool**	[tu:l]
28	공구함	28	tool box	[tú:l bàks]
29	망치	29	hammer	[hǽmər]
30	못	30	nail	[neil]
31	드라이버	31	screwdriver	[skrú:dràivər]
32	+(-) 드라이버	32	plus(minus) driver	[plʌ́s(máinəs) dràivər]
33	나사	33	screw	[skru:]
34	볼트(수나사)	34	bolt	[boult]
35	너트(암나사)	35	nut	[nʌt]
36	니퍼	36	nippers	[nípərz]
37	롱노즈 플라이어	37	long nose pliers	[lɔ́:ŋ nòuz pláiərz]
38	펜치	38	pinchers	[píntʃərz]
39	스패너	39	spanner(=wrench)	[spǽnər]
40	멍키스패너	40	monkey wrench	[mʌ́ŋki rèntʃ]
41	전기드릴	41	electric power drill	[iléktrik pàuər dríl]
42	드릴 촉(날)	42	drill bit	[dríl bìt]
43	본드	43	glue, adhesive	[glu:], [ædhí:siv]
44	강력본드	44	super glue	[sú:pər glù:]
45	철사	45	wire	[waiər]
46	전선	46	electric wire	[iléktrik wàiər]
47	전기절연테이프	47	electrical tape	[iléktrikəl tèip]
48	전기납땜인두	48	soldering iron	[sɔ́ldəriŋàiən]
49	땜납	49	solder	[sɔ́ldər]
50	케이블 타이	50	cable tie	[kéibəl tài]

Tips

- 본드, 접착제
  영어로 '접착제'의 뜻으로는 우리처럼 'bond'라는 말을 잘 쓰지 않고, 주로 'glue[glu:]'나 'adhesive[ædhí:siv]'라는 말을 쓴다.
- 와셔
  washer[wɑʃər]
- 스테이플 'ㄷ'형 꺾쇠
  staple[stéipəl]

			Tips
51 [전기] 테스터	51 tester	[téstər]	
52 박스용 커터 칼	52 box cutter	[báks kʌ̀tər]	
53 작은 톱	53 handsaw	[hǽndsɔ̀:]	
54 쇠톱	54 hacksaw	[hǽksɔ̀:]	
55 대패	55 plane	[plein]	
56 끌	56 chisel	[tʃízəl]	
57 송곳	57 awl	[ɔ:l]	
58 사포	58 sandpaper	[sǽndpèipər]	
59 거친 눈 줄	59 rasp	[ræsp]	
60 고운 눈 줄	60 file	[fail]	
61 와이어 스트리퍼	61 wire stripper	[wáiər strìpər]	
62 줄자	62 tape measure	[téip mèʒər]	
63 바이스	63 vise	[vais]	
64 **자전거**	64 **bicycle, bike**	[báisikəl], [baik]	
65 세발자전거	65 tricycle	[tráisikəl]	
66 보조바퀴	66 training wheels	[tréiniŋ wì:lz]	
67 산악자전거	67 mountain bike	[máuntən bàik]	
68 자전거 차체	68 frame	[freim]	
69 남성용 차체(―형)	69 boy's frame	[bɔ́iz frèim]	
70 여성용 차체(∪형)	70 girl's frame	[gə́:rlz frèim]	
71 안장	71 saddle, seat	[sǽdl], [si:t]	
72 일반형 핸들	72 touring handle bars	[túəriŋ hæ̀ndl bá:rz]	
73 경기용 핸들(⊃)	73 racing handle bars	[réisiŋ hæ̀ndl bá:rz]	
74 손 브레이크	74 hand brake	[hǽnd brèik]	
75 브레이크 케이블	75 [brake] cable	[bréik kèibəl]	

			Tips
76 브레이크	76 brake	[breik]	
77 바퀴	77 wheel	[wi:l]	
78 타이어	78 tire	[táiər]	
79 튜브	79 tube	[tju:b]	
80 바퀴살	80 spoke	[spouk]	
81 바퀴 테	81 rim	[rim]	
82 흙받이	82 fender	[féndər]	
83 반사경	83 reflector	[rifléktər]	
84 공기주입구	84 valve	[vælv]	
85 사슬톱니바퀴	85 sprocket	[sprákit]	
86 페달	86 pedal	[pédl]	
87 체인	87 chain	[tʃein]	
88 기어	88 gear	[giər]	
89 기어변속기(=~shift)	89 gear changer	[gíər tʃèindʒər]	
90 헬멧	90 helmet	[hélmit]	
91 뒷받침 살	91 kickstand	[kíkstænd]	
92 **오토바이**	92 **motorcycle**	[móutərsàikl]	
93 스쿠터	93 motor scooter	[móutər skù:tər]	
94 모페드(모터자전거)	94 moped	[móupèd]	
95 엔진	95 engine	[éndʒən]	
96 연료통	96 fuel tank	[fjú:əl tæ̀nk]	
97 완충기(쇼바)	97 shock absorbers	[ʃák æbsɔ́:rbərz]	
98 배기관(머플러)	98 exhaust pipe	[igzɔ́:st pàip]	
99 사이드 미러	99 side mirror	[sáid mìrər]	
100 짐받이	100 carrier	[kǽriər]	

THE VOCABULARY 1201 - 1300

● 다음 주어진 우리말 단어 뜻을 보고 영단어를 말해 보세요.

1 부동산중개사
2 단층집
3 이층집
4 한옥
5 양옥
6 아파트(영=flat)
7 맨션
8 임대(세놓기)
9 임대주택
10 집 내부 장식
11 건평
12 기숙사
13 셋집(세로 얻은 집)
14 하숙집
15 자취방
16 하숙·셋집 여주인
17 하숙·셋집 남주인
18 임차인(세든 사람)
19 계약
20 선불
21 후불
22 관리비
23 집세
24 전기료
25 수도요금
26 수리
27 공구, 도구
28 공구함
29 망치
30 못
31 드라이버
32 +(-) 드라이버
33 나사
34 볼트(수나사)
35 너트(암나사)
36 니퍼
37 롱노즈 플라이어
38 펜치
39 스패너
40 멍키스패너
41 전기드릴
42 드릴 촉(날)
43 본드(=glue)
44 강력본드
45 철사
46 전선
47 전기절연테이프
48 전기납땜인두
49 땜납
50 케이블 타이
51 [전기] 테스터
52 박스용 커터 칼
53 작은 톱
54 쇠톱
55 대패
56 끌
57 송곳
58 사포
59 거친 눈 줄
60 고운 눈 줄
61 와이어 스트리퍼
62 줄자
63 바이스
64 자전거
65 세발자전거
66 보조바퀴
67 산악자전거
68 자전거 차체
69 남성용 차체(—형)
70 여성용 차체(∪형)
71 안장(=seat)
72 일반형 핸들
73 경기용 핸들(⊃)
74 손 브레이크
75 브레이크 케이블
76 브레이크
77 바퀴
78 타이어
79 튜브
80 바퀴살
81 바퀴 테
82 흙받이
83 반사경
84 공기주입구
85 사슬톱니바퀴
86 페달
87 체인
88 기어
89 기어변속기(=~shift)
90 헬멧
91 뒷받침 살
92 오토바이
93 스쿠터
94 모페드(모터자전거)
95 엔진
96 연료통
97 완충기(쇼바)
98 배기관(머플러)
99 사이드 미러
100 짐받이

Review Test 2

THE VOCABULARY 1201 - 1300

● 다음 주어진 영단어를 보고 우리말 뜻을 말해 보세요.

1 real estate broker
2 one-storied house
3 two-storied house
4 Korean style house
5 Western style house
6 apartment house
7 mansion house
8 lease
9 rental house
10 interior
11 floor space
12 dormitory, dorm
13 rented house
14 boarding house
15 rented room
16 landlady
17 landlord
18 hirer, lessee
19 contract
20 advance payment
21 later payment
22 maintenance cost(fee)
23 [house] rent
24 electrical charges
25 water rate
26 fixing
27 tool
28 tool box
29 hammer
30 nail
31 screwdriver
32 plus(minus) driver
33 screw
34 bolt
35 nut
36 nippers
37 long nose pliers
38 pinchers
39 spanner(=wrench)
40 monkey wrench
41 electric power drill
42 drill bit
43 glue, adhesive
44 super glue
45 wire
46 electric wire
47 electrical tape
48 soldering iron
49 solder
50 cable tie
51 tester
52 box cutter
53 handsaw
54 hacksaw
55 plane
56 chisel
57 awl
58 sandpaper
59 rasp
60 file
61 wire stripper
62 tape measure
63 vise
64 bicycle, bike
65 tricycle
66 training wheels
67 mountain bike
68 frame
69 boy's frame
70 girl's frame
71 saddle
72 touring handle bars
73 racing handle bars
74 hand brake
75 [brake] cable
76 brake
77 wheel
78 tire
79 tube
80 spoke
81 rim
82 fender
83 reflector
84 valve
85 sprocket
86 pedal
87 chain
88 gear
89 gear changer
90 helmet
91 kickstand
92 motorcycle
93 motor scooter
94 moped
95 engine
96 fuel tank
97 shockabsorbers
98 exhaust pipe
99 side mirror
100 carrier

Unit 14

자동차 · 각종 도로

1	자동차	1	**automobile, car**	[ɔ́:təməbì:l], [kɑ:r]
2	문	2	door	[dɔ:r]
3	문 [누름] 자물쇠	3	doorlock	[dɔ́:rlὰk]
4	문 [여는] 고리	4	door handle	[dɔ́:r hǽndl]
5	백미러	5	side mirror	[sáid mìrər]
6	룸미러	6	rear view mirror	[ríər vjù: mírər]
7	팔걸이	7	armrest	[ά:rmrèst]
8	운전대	8	steering wheel	[stíəriŋ wì:l]
9	경적	9	horn	[hɔ:rn]
10	깜빡이 레버	10	turn signal lever	[tə́:rn sìgnəl lévər]
11	키 홀	11	ignition	[igníʃən]
12	속도계	12	speedometer	[spi:dά:mitər]
13	연료게이지	13	gas gauge	[gǽs gèidʒ]
14	계기반	14	dashboard	[dǽʃbɔ̀:rd]
15	카 라디오	15	[car] radio	[kά:r rèidiòu]
16	조수석 앞 사물함	16	glove compartment	[glʌ́v kəmpὰ:rtmənt]
17	바닥 매트	17	mat	[mæt]
18	자동차용 1인 좌석	18	bucket seat	[bʌ́kit sì:t]
19	좌석용 머리받침	19	headrest	[hédrèst]
20	안전벨트	20	seat belt	[sí:t bèlt]
21	기어변속레버	21	gearshift	[gíərʃìft]
22	클러치	22	clutch	[klʌtʃ]
23	브레이크	23	brake	[breik]
24	가속기	24	accelerator	[æksélərèitər]
25	앞 유리창	25	windshield	[wíndʃì:ld]

Tips

- 백미러 / 룸미러
  우리말의 '백미러'는 영어로는 'side mirror'이고, 룸미러는 'rear view mirror'이다.
- 핸들과 운전대
  영어의 'handle'은 '손잡이'라는 뜻이므로 '운전대'라는 뜻으로는 틀린 표현이다. 영어로 운전대는 'steering wheel'이라고 한다.
- 회전속도계
  tachometer
  [tækάmitər]

				Tips
26 윈도우 와이퍼	26	windshield wiper	[wíndʃi:ld wàipər]	
27 와셔 액	27	washing fluid	[wáʃiŋ flù:id]	
28 선바이저(차양판)	28	sun visor	[sʌ́n vàizər]	
29 선루프	29	sunroof	[sʌ́nrù:f]	
30 펜더(차 흙받이)	30	fender	[féndər]	
31 보닛(영=bonnet)	31	hood	[hud]	
32 헤드라이트	32	headlight	[hédlàit]	
33 앞 범퍼	33	front bumper	[frʌ́nt bʌ̀mpər]	
34 뒷좌석	34	backseat	[bǽksì:t]	
35 어린이용 좌석	35	child's seat	[tʃáildz sì:t]	
36 뒤쪽유리창	36	rear window	[ríər wìndou]	
37 브레이크등	37	brakelight	[bréiklàit]	
38 후진등, 백라이트	38	backup light	[bǽkʌp làit]	
39 미등	39	taillight	[téillàit]	
40 좌우 깜빡이등	40	turn signal light	[tə́:rn sìgnəl láit]	
41 번호판	41	license plate	[láisəns plèit]	
42 타이어	42	tire	[táiər]	
43 휠 캡	43	hubcap	[hʌ́bkæ̀p]	
44 연료탱크	44	gas tank	[gǽs tæ̀ŋk]	
45 연료주입구뚜껑	45	gas cap	[gǽs kæ̀p]	
46 **트렁크**	46	**trunk**	[trʌŋk]	
47 잭(차를 드는 공구)	47	jack	[dʒæk]	
48 예비타이어	48	spare tire	[spέər tàiər]	
49 신호용 손전등	49	hand flare	[hǽnd flὲər]	
50 뒷 범퍼	50	rear bumper	[ríər bʌ̀mpər]	

Unit 14 자동차 · 각종 도로

51 수냉식엔진냉각기	51 radiator	[réidièitər]
52 부동액	52 antifreeze	[ǽntifrì:z]
53 팬벨트	53 fan belt	[fǽn bèlt]
54 공기정화기 필터	54 air filter	[éər filtər]
55 호스	55 hose	[houz]
56 배터리	56 battery	[bǽtəri]
57 배터리 단자	57 terminal	[tə́:rmənəl]
58 배터리 케이블	58 battery cable	[bǽtəri kèibəl]
59 점화플러그	59 spark plug	[spá:rk plʌ̀g]
60 엔진오일	60 engine(motor) oil	[éndʒən(móutər) ɔ̀il]
61 엔진오일 첨가제	61 engine oil additives	[éndʒən ɔ̀il ǽdətivz]
62 그리스	62 grease	[gri:s]
63 브레이크 오일	63 brake oil(fluid)	[bréik ɔ̀il(flù:id)]
64 오일 게이지	64 dipstick	[dípstìk]
65 **도로, 찻길**	65 **road**	[roud]
66 간선도로	66 highway	[háiwèi]
67 차선	67 lane	[lein]
68 1차선(추월차선)	68 left lane	[léft lèin]
69 2차선(주행차선)	79 center lane	[séntər lèin]
70 3차선(저속차선)	70 right lane	[ráit lèin]
71 진입차선	71 on-ramp	[á:nræmp]
72 출구차선	72 off-ramp, exit	[ɔ́:fræmp], [éksit]
73 노견, 갓길	73 shoulder	[ʃóuldər]
74 삼거리	74 three way intersection	[θrí: wèi ìntərsékʃən]
75 사거리(=intersection)	75 crossroads	[krɔ́:sròudz]

Tips

- 냉각수
  coolant[kú:lənt]
  cooling water
  [kú:liŋwɑ̀:tər]
- 교차로, 교차점, 사거리
  intersection
  [intərsékʃən]
  기본적으로는 '사거리'를 나타내는 말이다. 그러나 아래의 예처럼 '삼거리', '오거리'등 '모든 종류의 교차로'를 나타낼 수 있는 말이다.
  –삼거리
  three way intersection
  –오거리
  five way intersection
  '사거리'는 '십자형 도로'이므로 'crossroads'라고 도 한다.

76	가로등	76	street light	[strí:t làit]
77	중앙분리대	77	center divider	[séntər divàidər]
78	철제난간(가드레일)	78	guardrail	[gá:rdrèil]
79	교통신호등	79	traffic light	[trǽfik làit]
80	빨간 불	80	red light	[réd làit]
81	노란 불	81	yellow light	[jélou làit]
82	녹색 불	82	green light	[grí:n làit]
83	길거리, 차도	83	street	[stri:t]
84	건널목	84	crosswalk	[krɔ́:swɔ̀:k]
85	다리, 교량	85	bridge	[bridʒ]
86	철도건널목	86	railroad crossing	[réilroud krɔ̀:siŋ]
87	차단기	87	barrier	[bǽriər]
88	원뿔형 교통표지	88	cone	[koun]
89	아스팔트	89	asphalt	[ǽsfɔ:lt]
90	포장도로	90	paved road	[péivd ròud]
91	비포장도로	91	unpaved road	[ʌnpéivd ròud]
92	고가도로	92	overpass	[óuvərpæ̀s]
93	고속도로	93	expressway	[ikspréswèi]
94	입체교차로	94	interchange	[ìntərtʃéindʒ]
95	입체교차로(구어)	95	cloverleaf	[klóuvərlì:f]
96	휴게소	96	rest area	[rést ɛ̀əriə]
97	도로통행료	97	toll	[toul]
99	유료도로	98	toll road	[tóul ròud]
99	통행료 징수문	99	tollgate	[tóulgèit]
100	통행료 징수소	100	tollbooth	[tóulbù:θ]

Tips

- cloverleaf
  = interchange
  –'cloverleaf'의 문자적인 뜻은 '클로버 잎'이라는 뜻인데, 이는 입체교차로가 이렇게 생긴 것을 근거로 비유적으로 쓰는 구어체 표현이다.

THE VOCABULARY 1301 - 1400

● 다음 주어진 우리말 단어 뜻을 보고 영단어를 말해 보세요.

1 자동차
2 문
3 문 [누름] 자물쇠
4 문 [여는] 고리
5 백미러
6 룸미러
7 팔걸이
8 운전대
9 경적
10 깜빡이 레버
11 키 홀
12 속도계
13 연료게이지
14 계기반
15 카 라디오
16 조수석 앞 사물함
17 바닥 매트
18 자동차용 1인 좌석
19 좌석용 머리받침
20 안전벨트
21 기어변속레버
22 클러치
23 브레이크
24 가속기
25 앞 유리창
26 윈도우 와이퍼
27 와셔 액
28 선바이저(차양판)
29 선루프
30 펜더(차 흙받이)
31 보닛(영=bonnet)
32 헤드라이트
33 앞 범퍼
34 뒷좌석
35 어린이용 좌석
36 뒤쪽유리창
37 브레이크등
38 후진등, 백라이트
39 미등
40 좌우 깜빡이등
41 번호판
42 타이어
43 휠 캡
44 연료탱크
45 연료주입구뚜껑
46 트렁크
47 잭(차를 드는 공구)
48 예비타이어
49 신호용 손전등
50 뒷 범퍼
51 수냉식엔진냉각기
52 부동액
53 팬벨트
54 공기정화기 필터
55 호스
56 배터리
57 배터리 단자
58 배터리 케이블
59 점화플러그
60 엔진오일
61 엔진오일 첨가제
62 그리스
63 브레이크 오일
64 오일 게이지
65 도로, 찻길
66 간선도로
67 차선
68 1차선(추월차선)
69 2차선(주행차선)
70 3차선(저속차선)
71 진입차선
72 출구차선
73 노견, 갓길
74 삼거리
75 사거리(=intersection)
76 가로등
77 중앙분리대
78 철제난간(가드레일)
79 교통신호등
80 빨간 불
81 노란 불
82 녹색 불
83 길거리, 차도
84 건널목
85 다리, 교량
86 철도건널목
87 차단기
88 원뿔형 교통표지
89 아스팔트
90 포장도로
91 비포장도로
92 고가도로
93 고속도로
94 입체교차로
95 입체교차로(구어)
96 휴게소
97 도로통행료
99 유료도로
99 통행료 징수문
100 통행료 징수소

Review Test 2

THE VOCABULARY 1301 - 1400

● 다음 주어진 영단어를 보고 우리말 뜻을 말해 보세요.

1 automobile, car
2 door
3 doorlock
4 door handle
5 side mirror
6 rearviewmirror
7 armrest
8 steering wheel
9 horn
10 turn signal lever
11 ignition
12 speedometer
13 gas gauge
14 dashboard
15 [car] radio
16 glove compartment
17 mat
18 bucket seat
19 headrest
20 seat belt
21 gearshift
22 clutch
23 brake
24 accelerator
25 windshield
26 windshield wiper
27 washing fluid
28 sun visor
29 sunroof
30 fender
31 hood
32 headlight
33 front bumper
34 backseat
35 child's seat
36 rear window
37 brakelight
38 backup light
39 taillight
40 turn signal light
41 license plate
42 tire
43 hubcap
44 gas tank
45 gas cap
46 trunk
47 jack
48 spare tire
49 hand flare
50 rear bumper
51 radiator
52 antifreeze
53 fan belt
54 air filter
55 hose
56 battery
57 terminal
58 battery cable
59 spark plug
60 engine(motor) oil
61 engine oil additives
62 grease
63 brake oil(fluid)
64 dipstick
65 road
66 highway
67 lane
68 left lane
79 center lane
70 right lane
71 on-ramp
72 off-ramp, exit
73 shoulder
74 three way intersection
75 crossroads
76 street light
77 center divider
78 guardrail
79 traffic light
80 red light
81 yellow light
82 green light
83 street
84 crosswalk
85 bridge
86 railroad crossing
87 barrier
88 cone
89 asphalt
90 paved road
91 unpaved road
92 overpass
93 expressway
94 interchange
95 cloverleaf
96 rest area
97 toll
98 toll road
99 tollgate
100 tollbooth

Unit **15**

공공교통수단 · 교통사고 · 교통표지판

					Tips
1	**공공 교통수단**	1	**public transportation**	[pʌ́blik træ̀nspərtéiʃən]	
2	**버스**	2	**bus**	[bʌs]	
3	버스정류장	3	bus stop	[bʌ́s stàp]	
4	버스운전기사	4	bus driver	[bʌ́s dràivər]	
5	승객(공통)	5	passenger	[pǽsəndʒər]	
6	버스표	6	bus ticket	[bʌ́s tìkit]	
7	차비, 운임	7	fare	[fɛər]	
8	요금함	8	fare box	[fɛ́ər bàks]	
9	거스름돈	9	change	[tʃeindʒ]	
10	좌석	10	seat	[si:t]	
11	손잡이	11	strap	[stræp]	
12	[육상의] 짐	12	luggage	[lʌ́gidʒ]	
13	버스 옆 짐칸	13	luggage compartment	[lʌ́gidʒ kəmpá:rtmənt]	
14	**지하철(영tube)**	14	**subway**	[sʌ́bwèi]	
15	에스컬레이터	15	escalator	[éskəlèitər]	
16	지하철역	16	subway station	[sʌ́bwei stèiʃən]	
17	표 파는 곳	17	token booth	[tóukən bù:θ]	
18	십자형 회전문	18	turnstile	[tə́:rnstàil]	
19	타는 곳, 플랫폼	19	platform	[plǽtfɔ̀:rm]	
20	객차	20	passenger car	[pǽsəndʒər kà:r]	
21	철로	21	track	[træk]	
22	시간표	22	timetable	[táimtèibl]	
23	**기차, 열차**	23	**train**	[trein]	
24	기차역(=railway~)	24	train station	[tréin stèiʃən]	
25	차장	25	conductor	[kəndʌ́ktər]	

26	**택시(=taxicab)**	26	**taxi, cab**	[tǽksi], [kæb]
27	택시 타는 곳	27	taxi stand	[tǽksi stæ̀nd]
28	택시 운전기사	28	taxi(cab) driver	[tǽksi(kæb) dràivər]
29	미터기	29	meter	[míːtər]
30	택시요금	30	[taxi] fair	[tǽksi fɛ̀ər]
31	기본요금	31	minimum fare	[mínəməm fɛ̀ər]
32	**시가전차(트램)**	32	**tram**(영국식)	[træm]
33	**시가전차**	33	**streetcar**(미국식)	[stríːtkɑ̀ːr]
34	교통카드	34	transportation card	[træ̀nspərtéiʃən kɑ̀ːrd]
35	승차권	35	ticket	[tíkit]
36	자동발권기	36	ticket vendingmachine	[tíkit vèndiŋməʃíːn]
37	정기권	37	commutation ticket	[kɑ̀ːmjutéiʃən tìkit]
38	안내방송	38	announcement	[ənáunsmənt]
39	연착	39	late arrival	[léit əràivəl]
40	지하철노선도	40	subway linemap	[sʌ́bwèi láinmæ̀p]
41	버스노선도	41	bus route map	[bʌ́s rùːt mǽp]
42	행선지	42	destination	[dèstənéiʃən]
43	소요시간	43	the time required	[ðə táim rikwáiərd]
44	편도표	44	one-way ticket	[wʌ́nwèi tíkit]
45	왕복표	45	round-trip ticket	[ráund trìp tíkit]
46	첫차(버스, 기차 등)	46	the first bus(train)	[ðə fɔ́ːrst bʌ̀s(trèin)]
47	막차(버스, 기차 등)	47	the last bus(train)	[ðə lǽst bʌ̀s(trèin)]
48	종점	48	the last stop	[ðə lǽst stɑ̀p]
49	정체	49	hold-up	[hóuldʌ̀p]
50	환승	50	transfer	[trǽnsfər]

Tips

- 택시
우리가 알고 있는 택시는 원래는 'taxicab'이라고 써야 맞는다. 그러나 실제로 미국인들은 'taxi'나 'cab' 중 한 가지를 주로 쓴다.

Unit 15 공공교통수단 · 교통사고 · 교통표지판

51 **주유소**	51 **gas station**	[gǽs stèiʃən]	**Tips**
52 가스충전소	52 LPG station	[élpí:dʒí: stèiʃən]	● wrecker[rékər] 구난차, 견인차
53 주유기	53 gas pump	[gǽs pʌ̀mp]	
54 주유건	54 nozzle	[názəl]	
55 휘발유(=gas)	55 gasoline	[gæ̀səlí:n]	
56 경유	56 diesel fuel	[dí:zəl fjù:əl]	
57 석유	57 petroleum	[pitróuliəm]	
58 등유	58 kerosene	[kérəsì:n]	
59 **교통사고**	59 **traffic accident**	[trǽfik ǽksidənt]	
60 운전교습소	60 driving school	[dráiviŋ skù:l]	
61 운전면허증	61 driver's license	[dráivərz làisəns]	
62 초보운전자	62 novice driver	[návis dràivər]	
63 자동차보험	63 auto insurance	[ɔ́:tou inʃùərəns]	
64 음주운전	64 drunk drive	[drʌ́ŋk dràiv]	
65 음주운전자	65 drunk driver	[drʌ́ŋk dràivər]	
66 음주단속	66 drunk driving control	[drʌ́ŋk dràiviŋ kəntróul]	
67 속도위반	67 speeding	[spí:diŋ]	
68 신호위반	68 traffic signal violation	[trǽfik sìgnəl vàiəléiʃən]	
69 충돌사고	69 car crash	[ká:r kræ̀ʃ]	
70 접촉사고	70 minor collision	[máinər kəlìʒən]	
71 추돌사고	71 rear-end collision	[ríərènd kəlíʒən]	
72 견인차(=wrecker)	72 tow truck	[tóu trʌ̀k]	
73 구급차	73 ambulance	[ǽmbjuləns]	
74 뺑소니사고	74 hit-and-run case	[hítænrʌ́n kèis]	
75 뺑소니차	75 hit-and-run car	[hítænrʌ́n kà:r]	

				Tips
76 보행자	76	pedestrian	[pədéstriən]	
77 무단횡단	77	jaywalking	[dʒéiwɔ̀:kiŋ]	
78 무단횡단보행자	78	jaywalker	[dʒéiwɔ̀:kər]	
79 사상자	79	casualty	[kǽʒuəlti]	
80 부상자	80	injured person	[índʒərd pə́:rsən]	
81 사망자	81	the dead	[ðədéd]	
82 사망자 명부	82	death roll(list)	[déθ ròul(lìst)]	
83 구조	83	rescue, help	[réskju:], [help]	
84 응급조치(=first aid)	84	emergency measures	[imə́:rdʒənsi méʒərz]	
85 후송(=sending back)	85	evacuation	[ivæ̀kjuéiʃən]	
86 응급실(=ER)	86	emergency room	[imə́:rdʒənsi rù:m]	
87 교통표지판	87	**traffic sign**	[trǽfik sàin]	
88 일방통행	88	ONE WAY	[wʌ́n wèi]	
89 정지	89	STOP	[stɑp]	
90 양보운전	90	YIELD	[ji:ld]	
91 철도건널목	91	RAILROAD CROSSING	[réilroud krɔ̀:siŋ]	
92 도로공사 중	92	ROADWORK	[róudwə́:rk]	
93 가파른 언덕	93	STEEP HILL	[stí:p hìll]	
94 U턴 금지	94	NO U TURN	[nóu jù: tə́:rn]	
95 우회전 금지	95	NO RIGHT TURN	[nóu ràit tə́:rn]	
96 학교건널목	96	SCHOOL CROSSING	[skú:l krɔ̀:siŋ]	
97 진입금지	97	DO NOT ENTER	[du nɑ́t éntər]	
98 주(州)간 고속도로	98	INTERSTATE	[íntərstèit]	
99 보행자건널목	99	PEDESTRIAN CROSSING	[pədéstriən krɔ̀:siŋ]	
100 속도제한	100	SPEED LIMIT	[spí:d lìmit]	

Review Test 1

THE VOCABULARY 1401 - 1500

● 다음 주어진 우리말 단어 뜻을 보고 영단어를 말해 보세요.

1	공공 교통수단	26	택시(=taxicab)	51	주유소	76	보행자
2	버스	27	택시 타는 곳	52	가스충전소	77	무단횡단
3	버스정류장	28	택시 운전기사	53	주유기	78	무단횡단보행자
4	버스운전기사	29	미터기	54	주유건	79	사상자
5	승객(공통)	30	택시요금	55	휘발유(=gas)	80	부상자
6	버스표	31	기본요금	56	경유	81	사망자
7	차비, 운임	32	시가전차(트램)	57	석유	82	사망자 명부
8	요금함	33	시가전차	58	등유	83	구조
9	거스름돈	34	교통카드	59	교통사고	84	응급조치(=first aid)
10	좌석	35	승차권	60	운전교습소	85	후송(=sending back)
11	손잡이	36	자동발권기	61	운전면허증	86	응급실(=ER)
12	[육상의] 짐	37	정기권	62	초보운전자	87	교통표지판
13	버스 옆 짐칸	38	안내방송	63	자동차보험	88	일방통행
14	지하철(영tube)	39	연착	64	음주운전	89	정지
15	에스컬레이터	40	지하철노선도	65	음주운전자	90	양보운전
16	지하철역	41	버스노선도	66	음주단속	91	철도건널목
17	표 파는 곳	42	행선지	67	속도위반	92	도로공사 중
18	십자형 회전문	43	소요시간	68	신호위반	93	가파른 언덕
19	타는 곳, 플랫폼	44	편도표	69	충돌사고	94	U턴 금지
20	객차	45	왕복표	70	접촉사고	95	우회전 금지
21	철로	46	첫차(버스, 기차 등)	71	추돌사고	96	학교건널목
22	시간표	47	막차(버스, 기차 등)	72	견인차(=wrecker)	97	진입금지
23	기차, 열차	48	종점	73	구급차	98	주(州)간 고속도로
24	기차역(railway~=)	49	정체	74	뺑소니사고	99	보행자건널목
25	차장	50	환승	75	뺑소니차	100	속도제한

Review Test 2

THE VOCABULARY 1401 - 1500

● 다음 주어진 영단어를 보고 우리말 뜻을 말해 보세요.

1 public transportation
2 bus
3 bus stop
4 bus driver
5 passenger
6 bus ticket
7 fare
8 fare box
9 change
10 seat
11 strap
12 luggage
13 luggage compartment
14 subway
15 escalator
16 subway station
17 token booth
18 turnstile
19 platform
20 passenger car
21 track
22 timetable
23 train
24 train station
25 conductor
26 taxi, cab
27 taxi stand
28 taxi(cab) driver
29 meter
30 [taxi] fair
31 minimum fare
32 tram(영국식)
33 streetcar(미국식)
34 transportation card
35 ticket
36 ticket vending machine
37 commutation ticket
38 announcement
39 late arrival
40 subway linemap
41 bus route map
42 destination
43 the time required
44 one-way ticket
45 round-trip ticket
46 the first bus(train)
47 the last bus(train)
48 the last stop
49 hold-up
50 transfer
51 gas station
52 LPG station
53 gas pump
54 nozzle
55 gasoline
56 diesel fuel
57 petroleum
58 kerosene
59 traffic accident
60 driving school
61 driver's license
62 novice driver
63 auto insurance
64 drunk drive
65 drunk driver
66 drunk driving control
67 speeding
68 traffic signal violation
69 car crash
70 minor collision
71 rear-end collision
72 tow truck
73 ambulance
74 hit-and-run case
75 hit-and-run car
76 pedestrian
77 jaywalking
78 jaywalker
79 casualty
80 injured person
81 the dead
82 death roll(list)
83 rescue, help
84 emergency measures
85 evacuation
86 emergency room
87 traffic sign
88 ONE WAY
89 STOP
90 YIELD
91 RAILROAD CROSSING
92 ROADWORK
93 STEEP HILL
94 NO U TURN
95 NO RIGHT TURN
96 SCHOOL CROSSING
97 DO NOT ENTER
98 INTERSTATE
99 PEDESTRIAN CROSSING
100 SPEED LIMIT

Unit **16** 자동차의 종류 · 비행기 여행 · 항공기

				Tips
1	운송수단, 탈것	1	**vehicles**	[ví:hikəlz]	
2	세단형 자동차	2	sedan	[sidǽn]	
3	뒷문이 있는 차	3	hatchback	[hǽtʃbæ̀k]	
4	스테이션 왜건	4	station wagon	[stéiʃən wæ̀gən]	
5	SUV	5	four-wheel drive	[fɔ́:rwí:l dràiv]	
6	접이식 지붕차	6	convertible	[kənvə́:rtəbl]	
7	스포츠카	7	sports car	[spɔ́:rts kà:r]	
8	밴(봉고차)	8	van	[væn]	
9	리무진 버스	9	limousine bus	[líməzi:n bʌ̀s]	
10	트레일러	10	trailer	[tréilər]	
11	이동주택차	11	motor home	[móutər hòum]	
12	유조차	12	tanker	[tǽŋkər]	
13	트럭	13	truck	[trʌk]	
14	구난차	14	tow truck	[tóu trʌ̀k]	
15	쓰레기차	15	garbage truck	[gá:rbidʒ trʌ̀k]	
16	택배탑차	16	panel truck	[pǽnl trʌ̀k]	
17	덤프트럭	17	dump truck	[dʌ́mp trʌ̀k]	
18	제설차	18	snow plow	[snóu plàu]	
19	이삿짐 용달차	19	moving van	[mú:viŋ væ̀n]	
20	자동차 수송차량	20	transporter	[trænspɔ́:rtər]	
21	냉동탑차	21	refrigerator van	[rifrídʒəreitər væ̀n]	
22	중식 판매차	22	lunch truck	[lʌ́ntʃ trʌ̀k]	
23	레미콘	23	cement mixer truck	[simént mìksər trʌ́k]	
24	소형 오픈트럭	24	pickup truck	[píkʌp trʌ̀k]	
25	평상형 트레일러	25	flatbed trailer	[flǽtbed trèilər]	

26 **공항**	26 **airport**	[ɛ́ərpɔ̀:rt]
27 항공로	27 airline	[ɛ́ərlàin]
28 항공사	28 airlines	[ɛ́ərlàinz]
29 국내항공사	29 domestic airlines	[douméstik ɛ̀ərlàinz]
30 국제항공사	30 international airlines	[ìntərnǽʃənəl ɛ̀ərlàinz]
31 항공 여행자	31 air traveler	[ɛ́ər trǽvlər]
32 공항탑승수속	32 airport check-in	[ɛ́ərpɔ̀:rt tʃékìn]
33 항공사 카운터	33 airline desk	[ɛ́ərlàin désk]
34 비행기표, 항공권	34 air ticket	[ɛ́ər tìkit]
35 탑승권	35 boarding pass	[bɔ́:rdiŋ pæ̀s]
36 여권(여행자신분증)	36 passport	[pǽspɔ̀:rt]
37 이민국사무소	37 immigration office	[ìməgréiʃən ɑ̀:fis]
38 보안검사	38 security check	[sikjúəriti tʃèk]
39 보안요원	39 security guard	[sikjúəriti gɑ̀:rd]
40 금속탐지기	40 metal detector	[métl ditéktər]
41 엑스선 기계	41 X-ray machine	[éksrèi məʃí:n]
42 휴대용 가방	42 carry-on bag	[kǽriɑ:n bæ̀g]
43 개인소지품	43 personal effects	[pɔ́:rsənəl ifékts]
44 수하물(큰 짐)	44 baggage/luggage	[bǽgidʒ]/[lʌ́gidʒ]
45 여행가방	45 suitcase	[sú:tkèis]
46 수하물표	46 baggage claim ticket	[bǽgidʒ klèim tíkit]
47 비행기	47 airplane	[ɛ́ərplèin]
48 정기항공편	48 flight	[flait]
49 항공편 안내판	49 flight information	[fláit ìnfərméiʃən]
50 공항출국장	50 departure lounge	[dipɑ́:rtʃər làundʒ]

Tips

- **airline / airlines**
  –철자만 보면 끝에 '**–s**'가 하나 더 붙고 안 붙고의 차이뿐이지만 의미상으로는 전혀 다른 뜻이 된다.
  –**airline** 항공로
  –**airlines** 항공사
  ⇨'**많은 항공로들을 통해 비행기를 띄우는 회사**'라는 뜻이다.

- **airplane / flight**
  –이 두 단어들은 사용할 때 무척 혼동되는 단어들이다. 먼저 '**airplane**'은 단지 사물로서의 비행기 자체를 의미한다.
  그러나 '**flight**'은 몇 시 몇 분에 어디를 떠나서 몇 시 몇 분에 어디에 도착할 것인지 그 비행스케줄이 정해져 있는 비행기, 즉 '정기항공편'을 나타내는 말이다.

Unit 16

자동차의 종류 · 비행기 여행 · 항공기

			Tips
51 세관	51 customs	[kʌ́stəmz]	
52 세관신고서	52 customs declaration	[kʌ́stəmz dèkləréiʃən]	● 비행기의 '기수' nose 비행기의 앞쪽 뾰족한 부분인 '기수'는 영어로는 'nose', 즉 '비행기의 코'라고 한다.
53 세관원	53 customs officer	[kʌ́stəmz ɔ́:fisər]	
54 면세점	54 duty-free shop	[djú:tifrí: ʃɑ̀p]	
55 검역소	55 quarantine	[kwɔ́:rəntì:n]	
56 예방접종	56 vaccination	[væ̀ksənéiʃən]	
57 출발시간	57 departure time	[dipɑ́:rtʃər tàim]	
58 탑승시간	58 boarding time	[bɔ́:rdiŋ tàim]	
59 목적지	59 destination	[dèstənéiʃən]	
60 짐 찾는 곳	60 baggage claim area	[bǽgidʒ klèim ɛ́əriə]	
61 수하물 컨베이어벨트	61 baggage carousel	[bǽgidʒ kæ̀rəsél]	
62 출국신고서	62 departure card	[dipɑ́:rtʃər kɑ̀:rd]	
63 입국신고서	63 arrival card	[əráivəl kɑ̀:rd]	
64 조종실	64 cockpit	[kɑ́:kpìt]	
65 계기반	65 instruments panel	[ínstrəmənts pǽnl]	
66 조종사/기장	66 pilot/captain	[páilət]/[kǽptin]	
67 부조종사, 부기장	67 copilot	[kóupàilət]	
68 항공기관사	68 flight engineer	[fláit èndʒəníər]	
69 스튜어디스	69 flight attendant	[fláit ətèndənt]	● 스튜어디스 예전에는 'stewardess'를 사용했지만 요즘은 주로 'flightattendant'라는 표현을 쓴다.
70 객실	70 cabin	[kǽbin]	
71 통로	71 aisle	[ail]	
72 통로 쪽 자리	72 aisle seat	[áil sì:t]	
73 중간자리	73 middle seat	[mídl sì:t]	
74 창 쪽 자리	74 window seat	[wíndou sì:t]	● luggage compartment =overhead compartment
75 좌석 위 짐칸	75 luggage compartment	[lʌ́gidʒ kəmpɑ́:rtmənt]	

76 팔걸이	76 armrest	[á:rmrèst]	
77 접이식 테이블	77 tray table	[tréi tèibəl]	
78 산소마스크	78 oxygen mask	[áksidʒən mæ̀sk]	
79 구명조끼	79 life jacket	[láif dʒæ̀kit]	
80 시차	80 time difference	[táim dìfərəns]	
81 현지시간	81 local time	[lóukəl tàim]	
82 이륙	82 take-off	[téikɔ̀:f]	
83 착륙	83 landing	[lǽndiŋ]	
84 착륙장치	84 landing gear	[lǽndiŋ gìər]	
85 날개	85 wing	[wiŋ]	
86 수직꼬리날개	86 tail [wing]	[téil wiŋ]	
87 수평꼬리날개	87 tail plane	[téil plèin]	
88 관제탑	88 control tower	[kəntróul tàuər]	
89 항공관제사	89 air traffic controller	[έər træ̀fik kəntróulər]	
90 활주로	90 runway	[rʌ́nwèi]	
91 **항공기**	91 **aircraft**	[έərkræ̀ft]	
92 헬리콥터	92 helicopter	[hélikàptər]	
93 회전날개	93 rotor [blade]	[róutər blèid]	
94 꼬리 회전날개	94 tail rotor	[téil ròutər]	
95 자가용 항공기	95 private jet	[práivit dʒèt]	
96 비행선	96 airship	[έərʃìp]	
97 글라이더	97 glider	[gláidər]	
98 행글라이더	98 hang glider	[hǽŋ glàidər]	
99 열기구	99 hot air balloon	[hát ὲər bəlú:n]	
100 프로펠러 비행기	100 propeller plane	[prəpélər plèin]	

Tips

- '비행선'을 나타내는 다른 말들
  -dirigible[díridʒəbəl]
  -blimp[blimp]
  (연안용의 소형비행선)
- 헬리콥터
  구어체로는 chopper[tʃápər] 또는 copter [káptər]라고도 한다.

Review Test 1

THE VOCABULARY **1501 - 1600**

● 다음 주어진 우리말 단어 뜻을 보고 영단어를 말해 보세요.

1 운송수단, 탈것
2 세단형 자동차
3 뒷문이 있는 차
4 스테이션 왜건
5 SUV
6 접이식 지붕차
7 스포츠카
8 밴(봉고차)
9 리무진 버스
10 트레일러
11 이동주택차
12 유조차
13 트럭
14 구난차
15 쓰레기차
16 택배탑차
17 덤프트럭
18 제설차
19 이삿짐 용달차
20 자동차 수송차량
21 냉동탑차
22 중식 판매차
23 레미콘
24 소형 오픈트럭
25 평상형 트레일러
26 공항
27 항공로
28 항공사
29 국내항공사
30 국제항공사
31 항공 여행자
32 공항탑승수속
33 항공사 카운터
34 비행기표, 항공권
35 탑승권
36 여권(여행자신분증)
37 이민국사무소
38 보안검사
39 보안요원
40 금속탐지기
41 엑스선 기계
42 휴대용 가방
43 개인소지품
44 수하물(큰 짐)
45 여행가방
46 수하물표
47 비행기
48 정기항공편
49 항공편 안내판
50 공항출국장
51 세관
52 세관신고서
53 세관원
54 면세점
55 검역소
56 예방접종
57 출발시간
58 탑승시간
59 목적지
60 짐 찾는 곳
61 수하물 컨베이어벨트
62 출국신고서
63 입국신고서
64 조종실
65 계기반
66 조종사/기장
67 부조종사, 부기장
68 항공기관사
69 스튜어디스
70 객실
71 통로
72 통로 쪽 자리
73 중간자리
74 창 쪽 자리
75 좌석 위 짐칸
76 팔걸이
77 접이식 테이블
78 산소마스크
79 구명조끼
80 시차
81 현지시간
82 이륙
83 착륙
84 착륙장치
85 날개
86 수직꼬리날개
87 수평꼬리날개
88 관제탑
89 항공관제사
90 활주로
91 항공기
92 헬리콥터
93 회전날개
94 꼬리 회전날개
95 자가용 항공기
96 비행선
97 글라이더
98 행글라이더
99 열기구
100 프로펠러 비행기

Review Test 2

THE VOCABULARY 1501 - 1600

● 다음 주어진 영단어를 보고 우리말 뜻을 말해 보세요.

1 vehicles	26 airport	51 customs	76 armrest
2 sedan	27 airline	52 customs declaration	77 tray table
3 hatchback	28 airlines	53 customs officer	78 oxygen mask
4 station wagon	29 domestic airlines	54 duty-free shop	79 life jacket
5 four-wheel drive	30 international airlines	55 quarantine	80 time difference
6 convertible	31 air traveler	56 vaccination	81 local time
7 sports car	32 airport check-in	57 departure time	82 take-off
8 van	33 airline desk	58 boarding time	83 landing
9 limousine bus	34 air ticket	59 destination	84 landing gear
10 trailer	35 boarding pass	60 baggage claim area	85 wing
11 motor home	36 passport	61 baggage carousel	86 tail [wing]
12 tanker	37 immigration office	62 departure card	87 tail plane
13 truck	38 security check	63 arrival card	88 control tower
14 tow truck	39 security guard	64 cockpit	89 air traffic controller
15 garbage truck	40 metal detector	65 instruments panel	90 runway
16 panel truck	41 X-ray machine	66 pilot/captain	91 aircraft
17 dump truck	42 carry-on bag	67 copilot	92 helicopter
18 snow plow	43 personal effects	68 flight engineer	93 rotor [blade]
19 moving van	44 baggage/luggage	69 flight attendant	94 tail rotor
20 transporter	45 suitcase	70 cabin	95 private jet
21 refrigerator van	46 baggage claim ticket	71 aisle	96 airship
22 lunch truck	47 airplane	72 aisle seat	97 glider
23 cement mixer truck	48 flight	73 middle seat	98 hang glider
24 pickup truck	49 flight information	74 window seat	99 hot air balloon
25 flatbed trailer	50 departure lounge	75 luggage compartment	100 propeller plane

Unit 17

항구 · 선박 · 여행 · 호텔 · 도시의 거리

				Tips
1	항구	1	**port**	[pɔ:rt]	
2	작은 배	2	boat	[bout]	
3	큰 배, 선박	3	ship, (격식) vessel	[ʃip], [vésəl]	
4	고깃배, 낚싯배	4	fishing boat	[fíʃiŋ bòut]	
5	어망, 그물	5	fishing net	[fíʃiŋ nèt]	
6	선착장, 나루	6	docks	[dɑks]	
7	부두, 선창	7	pier, wharf	[piər], [wɔ:rf]	
8	방파제	8	breakwater	[bréikwɑ̀:tər]	
9	지게차	9	forklift	[fɔ́:rklìft]	
10	뱃머리, 이물	10	bow	[bou]	
11	선미, 고물	11	stern	[stə:rn]	
12	크레인, 기중기	12	crane	[krein]	
13	컨테이너	13	container	[kəntéinər]	
14	컨테이너선	14	container ship	[kəntéinər ʃip]	
15	화물	15	cargo	[kɑ́:rgou]	
16	거룻배, 바지선	16	barge	[bɑ:rdʒ]	
17	예인선, 끄는 배	17	tugboat	[tʌ́g bòut]	
18	유조선	18	oil tanker	[ɔ́il tæ̀ŋkər]	
19	배의 굴뚝	19	smokestack	[smóukstæ̀k]	
20	등대	20	lighthouse	[láithàus]	
21	부표	21	buoy	[bú:i]	
22	구명정	22	lifeboat	[láifbòut]	
23	구명조끼	23	life jacket	[láif dʒæ̀kit]	
24	배↔육지 간 트랩	24	gangway	[gæ̀ŋwèi]	
25	갑판	25	deck	[dek]	

				Tips
26 닻	26	anchor	[ǽŋkər]	
27 닻줄	27	line, cable	[lain], [kéibəl]	
28 배의 둥근 창문	28	porthole	[pɔ́:rthòul]	
29 윈치, 권양기	29	windlass	[wíndləs]	
30 배를 묶는 기둥	30	bollard	[bάlərd]	
31 원양정기여객선	31	ocean liner	[óuʃən làinər]	
32 여객선 터미널	32	passenger terminal	[pǽsəndʒər tə́:rmənəl]	
33 연락선, 나룻배	33	ferry	[féri]	
34 유람선	34	cruise ship	[krú:z ʃip]	
35 범선	35	sailing ship	[séiliŋ ʃip]	
36 돛배, 수동요트	36	sailboat, yacht	[séilbòut], [jαt]	
37 돛	37	sail	[seil]	
38 돛대	38	mast	[mæst]	
39 돛의 아래활대	39	boom	[bu:m]	
40 키, 방향타	40	rudder	[rʌ́dər]	
41 카약	41	kayak	[káiæk]	
42 노 젓는 배	42	rowboat	[róubòut]	
43 노(일반적인 노)	43	oar	[ɔ:r]	
44 카누	44	canoe	[kənú:]	
45 카누의 노	45	paddle	[pǽdl]	
46 윈드서핑용 보드	46	sailboard	[séilbɔ̀:rd]	
47 행락용 모터요트	47	cabin cruiser	[kǽbin krù:zər]	
48 모터보트	48	motor boat	[móutər bòut]	
49 선외 돌출엔진	49	outboard motor	[óutbɔ:rd mòutər]	
50 요트·모터보트용 부두	50	marina	[mərí:nə]	

Unit 17

항구 · 선박 · 여행 · 호텔 · 도시의 거리

			Tips
51 **군함, 전함**	51 **warship**	[wɔ́:rʃìp]	
52 항공모함	52 aircraft carrier	[ɛ́ərkræ̀ft kæ̀riər]	
53 구축함	53 destroyer	[distrɔ́iər]	
54 순양함	54 cruiser	[krú:zər]	
55 순시함	55 patrol boat	[pətróul bòut]	
56 잠수함	56 submarine	[sʌ̀bmərí:n]	
57 쇄빙선	57 icebreaker	[áisbrèikər]	
58 고무보트	58 rubber boat	[rʌ́bər bòut]	
59 **여행**	59 **travel, traveling**	[trǽvəl], [trǽvəliŋ]	
60 긴 여행	60 journey	[dʒə́:rni]	
61 짧은 여행	61 trip	[trip]	
62 해외여행	62 foreign travel	[fɔ́:rin træ̀vəl]	
63 관광여행, 유람	63 tour	[tuər]	
64 **숙박시설**	64 **accommodations**	[əkɑ̀mədéiʃənz]	
65 호텔	65 hotel	[houtél]	
66 모텔	66 motel	[moutél]	
67 여관	67 inn	[in]	
68 게스트하우스	68 guesthouse	[gésthàus]	
69 유스호스텔	69 youth hostel	[jú:θ hɑ̀stəl]	
70 숙박등록절차	70 checkin	[tʃékìn]	
71 방 비울 시각	71 checkout	[tʃékàut]	
72 접수대	72 front desk	[frʌ́nt dèsk]	
73 접수계원	73 front desk clerk	[frʌ́nt dèsk klɔ́:rk]	
74 객실	74 guest room	[gést rù:m]	
751 인실	75 single room	[síŋgəl rù:m]	

				Tips
76	1인용 침대 둘 있는 방	76 twin room	[twín rù:m]	
77	2인용 큰 침대 방	77 double room	[dʌ́bəl rù:m]	
78	1인용 침대 셋 있는 방	78 triple room	[trípəl rù:m]	
79	특별실(침실+응접실)	79 suite	[swi:t]	
80	호텔요금	80 hotel fee	[houtél fí:]	
81	**도시**	81 **city**	[síti]	
82	시내중심지	82 downtown	[dàuntáun]	
83	도회지	83 the town	[ðə táun]	
84	초고층빌딩	84 skyscraper	[skáiskrèipər]	
85	사무실용 큰 빌딩	85 office building	[ɔ́:fis bìldiŋ]	
86	빌딩 현관	86 lobby	[lɑ́bi]	
87	동서로 달리는 거리	87 street	[stri:t]	
88	남북으로 달리는 거리	88 avenue	[ǽvənjù:]	
89	대로, 큰길	89 boulevard	[bú:ləvɑ̀:rd]	
90	안전지대	90 safety zone	[séifti zòun]	
91	버스차로	91 bus lane	[bʌ́s lèin]	
92	버스 대기소	92 bus shelter	[bʌ́s ʃèltər]	
93	이중 황색선	93 double yellow line	[dʌ́bəl jèlou làin]	
94	도로명 안내판	94 street sign	[strí:t sàin]	
95	길모퉁이, 구석	95 corner	[kɔ́:rnər]	
96	건널목, 횡단보도	96 crosswalk	[krɔ́:swɔ̀:k]	
97	전봇대, 전신주	97 utility pole	[ju:tíləti pòul]	
98	보도, 인도	98 sidewalk	[sáidwɔ̀:k]	
99	연석(차도와 보도의 턱)	99 curb	[kə:rb]	
100	[길가의] 하수도	100 gutter	[gʌ́tər]	

THE VOCABULARY 1601 - 1700

● 다음 주어진 우리말 단어 뜻을 보고 영단어를 말해 보세요.

1 항구
2 작은 배
3 큰 배, 선박
4 고깃배, 낚싯배
5 어망, 그물
6 선착장, 나루
7 부두, 선창
8 방파제
9 지게차
10 뱃머리, 이물
11 선미, 고물
12 크레인, 기중기
13 컨테이너
14 컨테이너선
15 화물
16 거룻배, 바지선
17 예인선, 끄는 배
18 유조선
19 배의 굴뚝
20 등대
21 부표
22 구명정
23 구명조끼
24 배↔육지 간 트랩
25 갑판
26 닻
27 닻줄
28 배의 둥근 창문
29 윈치, 권양기
30 배를 묶는 기둥
31 원양정기여객선
32 여객선 터미널
33 연락선, 나룻배
34 유람선
35 범선
36 돛배, 수동요트
37 돛
38 돛대
39 돛의 아래활대
40 키, 방향타
41 카약
42 노 젓는 배
43 노(일반적인 노)
44 카누
45 카누의 노
46 윈드서핑용 보드
47 행락용 모터요트
48 모터보트
49 선외 돌출엔진
50 요트·모터보트용 부두
51 군함, 전함
52 항공모함
53 구축함
54 순양함
55 순시함
56 잠수함
57 쇄빙선
58 고무보트
59 여행
60 긴 여행
61 짧은 여행
62 해외여행
63 관광여행, 유람
64 숙박시설
65 호텔
66 모텔
67 여관
68 게스트하우스
69 유스호스텔
70 숙박등록절차
71 방 비울 시각
72 접수대
73 접수계원
74 객실
75 1인실
76 1인용 침대 둘 있는 방
77 2인용 큰 침대 방
78 1인용 침대 셋 있는 방
79 특별실(침실+응접실)
80 호텔요금
81 도시
82 시내중심지
83 도회지
84 초고층빌딩
85 사무실용 큰 빌딩
86 빌딩 현관
87 동서로 달리는 거리
88 남북으로 달리는 거리
89 대로, 큰길
90 안전지대
91 버스차로
92 버스 대기소
93 이중 황색선
94 도로명 안내판
95 길모퉁이, 구석
96 건널목, 횡단보도
97 전봇대, 전신주
98 보도, 인도
99 연석(차도와 보도의 턱)
100 [길가의] 하수도

Review Test 2

● 다음 주어진 영단어를 보고 우리말 뜻을 말해 보세요.

1 port
2 boat
3 ship, (격식) vessel
4 fishing boat
5 fishing net
6 docks
7 pier, wharf
8 breakwater
9 forklift
10 bow
11 stern
12 crane
13 container
14 container ship
15 cargo
16 barge
17 tugboat
18 oil tanker
19 smokestack
20 lighthouse
21 buoy
22 lifeboat
23 life jacket
24 gangway
25 deck
26 anchor
27 line, cable
28 porthole
29 windlass
30 bollard
31 ocean liner
32 passenger terminal
33 ferry
34 cruise ship
35 sailing ship
36 sailboat, yacht
37 sail
38 mast
39 boom
40 rudder
41 kayak
42 rowboat
43 oar
44 canoe
45 paddle
46 sailboard
47 cabin cruiser
48 motor boat
49 outboard motor
50 marina
51 warship
52 aircraft carrier
53 destroyer
54 cruiser
55 patrol boat
56 submarine
57 icebreaker
58 rubber boat
59 travel, traveling
60 journey
61 trip
62 foreign travel
63 tour
64 accommodations
65 hotel
66 motel
67 inn
68 guesthouse
69 youth hostel
70 checkin
71 checkout
72 front desk
73 front desk clerk
74 guest room
75 single room
76 twin room
77 double room
78 triple room
79 suite
80 hotel fee
81 city
82 downtown
83 the town
84 skyscraper
85 office building
86 lobby
87 street
88 avenue
89 boulevard
90 safety zone
91 bus lane
92 bus shelter
93 double yellow line
94 street sign
95 corner
96 crosswalk
97 utility pole
98 sidewalk
99 curb
100 gutter

Chapter 02

편의시설·기관·환경 관련 명사 1900

Unit 01

도시의 거리 · 쇼핑몰 · 백화점

					Tips
1	고층빌딩	1	high-rise building	[háiràiz bíldiŋ]	
2	건물 윤곽선	2	skyline	[skáilàin]	
3	맨홀	3	manhole	[mǽnhòul]	
4	맨홀 뚜껑	4	manhole cover	[mǽnhòul kʌ́vər]	
5	소화전	5	fire hydrant	[fáiər hàidrənt]	
6	지하철 입구	6	subway entrance	[sʌ́bwèi éntrəns]	
7	상점	7	store, shop	[stɔ:r], [ʃap]	
8	잡지가판대	8	magazine stand	[mæ̀gəzí:n stæ̀nd]	
9	신문가판대	9	newsstand	[njú:sstæ̀nd]	
10	노점상인	10	street vendor	[strí:t vèndər]	
11	자동판매기	11	vending machine	[véndiŋməʃì:n]	
12	다리	12	bridge	[bridʒ]	
13	광고판	13	billboard	[bílbɔ̀:rd]	
14	주차장 건물	14	parking garage	[pá:rkiŋ gərà:ʒ]	
15	신호등	15	traffic light	[trǽfik làit]	
16	교통순경	16	traffic cop	[trǽfik kàp]	
17	경찰서	17	police office	[pəlí:s à:fis]	
18	파출소	18	police box	[pəlí:s bàks]	
19	서점	19	bookstore	[búkstɔ̀:r]	
20	학교	20	school	[sku:l]	
21	도서관	21	library	[láibrèri]	
22	약국	22	pharmacy	[fá:rməsi]	
23	약방	23	drugstore	[drʌ́gstɔ̀:r]	
24	병원	24	hospital	[háspitl]	
25	은행	25	bank	[bæŋk]	

26 소방서	26 fire station	[fáiər stèiʃən]	
27 시청	27 City Hall	[síti hɔ́:l]	
28 법원 건물	28 Courthouse	[kɔ́:rthàus]	
29 검찰청	29 Public Prosecutors Office	[pʌ́blik pràsəkju:tərz ɑ́:fis]	
30 버스터미널	30 bus station	[bʌ́s stèiʃən]	
31 경기장	31 stadium	[stéidiəm]	
32 공장	32 factory	[fǽktəri]	
33 자동차 매매시장	33 car dealership	[kɑ́:r dì:lərʃip]	
34 [연극용] 극장	34 theater	[θí:ətər]	
35 영화관	35 movie theater	[mú:vi θì:ətər]	
36 화장품가게	36 cosmetics store	[kɑzmétiks stɔ̀:r]	
37 식당	37 restaurant	[réstərənt]	
38 제과점, 빵집	38 bakery	[béikəri]	
39 도넛 집	39 donut shop	[dóunʌt ʃʌ̀p]	
40 패스트푸드 식당	40 fast food restaurant	[fǽst fùd réstərənt]	
41 승차상태 주문창구	41 drive-thru window	[dráiv θrù: wíndou]	
42 커피숍	42 coffee shop	[kɑ́:fi ʃʌ̀p]	
43 술집	43 bar	[bɑ:r]	
44 슈퍼마켓	44 supermarket	[sú:pərmà:rkit]	
45 식료품점	45 grocery store	[gróusəri stɔ̀:r]	
46 옷가게	46 clothing store	[klóuðiŋ stɔ̀:r]	
47 가구점	47 furniture store	[fə́:rnitʃər stɔ̀:r]	
48 철물점	48 hardware store	[hɑ́:rdwɛər stɔ̀:r]	
49 헬스클럽	49 health club	[hélθ klʌ̀b]	
50 체육관(=gym)	50 gymnasium	[dʒimnéiziəm]	

Tips

- shop / store
  둘 다 '상점'을 나타내는 말이지만 'shop'은 주로 영국영어에서 많이 쓰고, 'store'는 주로 미국영어에서 많이 쓰는 말이다. 이 두 단어에는 원래 내용적으로 차이가 있는데 'shop'은 주로 파는 물건을 주인이 직접 가공하거나 만들어서 파는 곳을 뜻하고, 'store'는 도매상에서 완제품을 떼어다가 판매만 하는 곳을 뜻한다. 그래서 예를 들어 사진관은 주인이 직접 사진을 찍고 현상·인화 등 작업을 해서 사진을 손님에게 건네주는 곳이므로 누구든 'photoshop'이나 'photo studio'라고만 하지 아무도 'photo store'라고는 하지 않는다.
  또한 가게 주인이 꽃을 키우고 손질해서 파는 곳인 'flower shop'이나 커피를 만들어 파는 'coffee shop'도 같은 맥락이다. 따라서 완성된 구두를 단지 판매만 하는 '구둣방'은 'shoe store'라고 하지만, '구두 수선집'은 'shoe repair shop'이라고 부른다.

			Tips
51 컨벤션 센터	51 convention center	[kənvénʃən sèntər]	
52 박물관	52 museum	[mju:zí:əm]	
53 교회	53 church	[tʃə:rtʃ]	
54 이슬람사원	54 mosque	[mɑsk]	
55 유대교회당	55 synagogue	[sínəgɑ̀:g]	
56 공동묘지	56 cemetery	[sémətèri]	
57 국립묘지	57 national cemetery	[næʃənəl sémətèri]	
58 건축공사장	58 construction site	[kənstrʌ́kʃən sàit]	
59 세탁소	59 dry cleaners	[drái klì:nərz]	
60 자동빨래방	60 laundromat	[lɔ́:ndrəmæ̀t]	
61 주차 공간	61 parking space	[pɑ́:rkiŋ spèis]	
62 장애인주차구역	62 handicapped parking area	[hǽndikæ̀pt pɑ́:rkiŋ ɛ̀əriə]	
63 목욕탕	63 bathhouse	[bǽθhàus]	
64 이발관	64 barbershop	[bɑ́:rbərʃʌ̀p]	
65 미용실	65 beauty shop	[bjú:ti ʃʌ̀p]	
66 피부관리숍	66 skin care shop	[skín kɛ̀ər ʃʌ̀p]	
67 네일숍	67 nail salon	[néil səlɑ̀n]	
68 안마시술소	68 massage parlor	[məsɑ́:ʒ pɑ̀:rlər]	
69 예식장	69 wedding hall	[wédiŋ hɔ̀:l]	
70 공중전화	70 pay phone	[péi fòun]	
71 공중전화 박스	71 telephone booth	[téləfoun bù:θ]	
72 어린이집	72 childcare center	[tʃáildkɛər sèntər]	
73 아파트	73 apartment house	[əpɑ́:rtmənt hàus]	
74 아파트 단지	74 apartment complex	[əpɑ́:rtmənt kɑ̀mpleks]	
75 엘리베이터	75 elevator	[éləvèitər]	

			Tips
76 **쇼핑몰**	76 **shopping mall**	[ʃápiŋmɔ:l]	
77 **백화점**	77 **department store**	[dipá:rtmənt stɔ:r]	
78 장난감 가게	78 toy store	[tɔ́i stɔ:r]	
79 애완동물 가게	79 pet store	[pét stɔ:r]	
80 꽃 가게, 꽃장수	80 florist	[flɔ́:rist]	
81 사진관	81 photo studio	[fóutou stjú:diòu]	
82 안경점	82 optician	[ɑptíʃən]	
83 보석상	83 jewelry store	[dʒú:əlri stɔ:r]	
84 구둣방	84 shoe store	[ʃú: stɔ:r]	
85 가방 가게	85 bag store	[bǽg stɔ:r]	
85 음반 가게	85 music store	[mjú:zik stɔ:r]	
86 여행사	86 travel agency	[trǽvəl èidʒənsi]	
87 음식점 코너	87 food court	[fú:d kɔ:rt]	
88 피자집	88 pizza place	[pí:tsə plèis]	
89 치킨집	89 chicken restaurant	[tʃíkin rèstərənt]	
88 아이스크림 가게	88 ice cream shop	[áis kri:m ʃʌp]	
89 과자 가게	89 candy store	[kǽndi stɔ:r]	
90 임산부용품점	90 maternity store	[mətə́:rnəti stɔ:r]	
91 전자제품 가게	91 electronics store	[ilèktrániks stɔ:r]	
92 휴대폰 가게	92 cell-phone store	[sélfòun stɔ́:r]	
93 잡화상점	93 fancy goods store	[fǽnsi gùdz stɔ́:r]	
94 남성복 코너	94 men's clothing department	[ménz klòuðiŋ dipá:rtmənt]	
95 여성복 코너	95 women's clothing department	[wíminz klòuðiŋ dipá:rtmənt]	
99 분실물 취급소	99 lost and found	[lɔ́:st ən fàund]	
100 고객서비스 코너	100 customer services	[kʌ́stəmər sə:rvisiz]	

THE VOCABULARY 1 - 100

● 다음 주어진 우리말 단어 뜻을 보고 영단어를 말해 보세요.

1 고층빌딩
2 건물 윤곽선
3 맨홀
4 맨홀 뚜껑
5 소화전
6 지하철 입구
7 상점
8 잡지가판대
9 신문가판대
10 노점상인
11 자동판매기
12 다리
13 광고판
14 주차장 건물
15 신호등
16 교통순경
17 경찰서
18 파출소
19 서점
20 학교
21 도서관
22 약국
23 약방
24 병원
25 은행
26 소방서
27 시청
28 법원 건물
29 검찰청
30 버스터미널
31 경기장
32 공장
33 자동차 매매시장
34 [연극용] 극장
35 영화관
36 화장품가게
37 식당
38 제과점, 빵집
39 도넛 집
40 패스트푸드식당
41 승차상태 주문창구
42 커피숍
43 술집
44 슈퍼마켓
45 식료품점
46 옷가게
47 가구점
48 철물점
49 헬스클럽
50 체육관(=gym)
51 컨벤션 센터
52 박물관
53 교회
54 이슬람사원
55 유대교회당
56 공동묘지
57 국립묘지
58 건축공사장
59 세탁소
60 자동빨래방
61 주차 공간
62 장애인주차구역
63 목욕탕
64 이발관
65 미용실
66 피부관리숍
67 네일숍
68 안마시술소
69 예식장
70 공중전화
71 공중전화박스
72 어린이집
73 아파트
74 아파트 단지
75 엘리베이터
76 쇼핑몰
77 백화점
78 장난감 가게
79 애완동물 가게
80 꽃 가게, 꽃장수
81 사진관
82 안경점
83 보석상
84 구둣방
85 가방 가게
85 음반 가게
86 여행사
87 음식점 코너
88 피자집
89 치킨집
88 아이스크림 가게
89 과자 가게
90 임산부용품점
91 전자제품 가게
92 휴대폰 가게
93 잡화상점
94 남성복 코너
95 여성복 코너
99 분실물 취급소
100 고객서비스 코너

THE VOCABULARY 1 - 100

● 다음 주어진 영단어를 보고 우리말 뜻을 말해 보세요.

1 high-rise building
2 skyline
3 manhole
4 manhole cover
5 fire hydrant
6 subway entrance
7 store, shop
8 magazine stand
9 newsstand
10 street vendor
11 vending machine
12 bridge
13 billboard
14 parking garage
15 traffic light
16 traffic cop
17 police office
18 police box
19 bookstore
20 school
21 library
22 pharmacy
23 drugstore
24 hospital
25 bank
26 fire station
27 City Hall
28 Courthouse
29 Public Prosecutors Office
30 bus station
31 stadium
32 factory
33 car dealership
34 theater
35 movie theater
36 cosmetics store
37 restaurant
38 bakery
39 donut shop
40 fast food restaurant
41 drive-thru window
42 coffee shop
43 bar
44 supermarket
45 grocery store
46 clothing store
47 furniture store
48 hardware store
49 health club
50 gymnasium
51 convention center
52 museum
53 church
54 mosque
55 synagogue
56 cemetery
57 national cemetery
58 construction site
59 dry cleaners
60 laundromat
61 parking space
62 handicapped parking area
63 bathhouse
64 barbershop
65 beauty shop
66 skin care shop
67 nail salon
68 massage parlor
69 wedding hall
70 pay phone
71 telephone booth
72 childcare center
73 apartment house
74 apartment complex
75 elevator
76 shopping mall
77 department store
78 toy store
79 pet store
80 florist
81 photo studio
82 optician
83 jewelry store
84 shoe store
85 bag store
85 music store
86 travel agency
87 food court
88 pizza place
89 chicken restaurant
88 ice cream shop
89 candy store
90 maternity store
91 electronics store
92 cell-phone store
93 fancy goods store
94 men's clothing department
95 women's clothing department
99 lost and found
100 customer services

Unit 02

교육제도 · 학교시설 · 교실 · 교과과목

					Tips
1	**교육제도**	1	**educational system**	[èdʒukéiʃənəl sìstəm]	
2	유아원(nursery~)	2	pre-school	[prí:skù:l]	
3	유치원	3	kindergarten	[kíndərgà:rtn]	
4	초등학교	4	elementary school	[èləméntəri skù:l]	
5	중학교(junior high~)	5	middle school	[mídl skù:l]	
6	고등학교	6	high school	[hái skù:l]	
7	전문대학	7	community college	[kəmjú:nəti kálidʒ]	
8	단과대학	8	college	[kálidʒ]	
9	종합대학	9	university	[jù:nəvə́:rsəti]	
10	대학원	10	graduate school	[grǽdʒuət skù:l]	
11	공업학교(vocational~)	11	technical school	[téknikəl skù:l]	
12	상업학교	12	commercial school	[kəmə́:rʃəl skù:l]	
13	의무교육	13	compulsory education	[kəmpʌ́lsəri èdʒukéiʃən]	
14	고등교육(대학이상)	14	higher education	[háiər èdʒukéiʃən]	
15	중등교육(중·고과정)	15	secondary education	[sékəndèri èdʒukéiʃən]	
16	초등교육(초등과정)	16	elementary education	[èləméntəri èdʒukéiʃən]	
17	**선생님**	17	**teacher**	[tí:tʃər]	
18	중·고교 교장	18	principal	[prínsəpəl]	
19	초등학교 교장	19	headmaster	[hédmǽstər]	
20	교감	20	assistant principal	[əsístənt prìnsəpəl]	
21	양호교사	21	school nurse	[skú:l nə̀:rs]	
22	지도교사	22	guidance counselor	[gáidns kàunsələr]	
23	운동부 코치	23	coach	[koutʃ]	
24	교내식당아줌마	24	cafeteria worker	[kæ̀fitíəriəwə̀:rkər]	
25	관리인	25	custodian	[kʌstóudiən]	

26	**학교시설**	26	**school facility**	[skú:l fəsìləti]
27	교사(학교건물)	27	school building	[skú:l bìldiŋ]
28	강당	28	auditorium	[ɔ̀:ditɔ́:riəm]
29	체육관	29	gymnasium	[dʒimnéiziəm]
30	도서관	30	library	[láibrèri]
31	교무실	31	school office	[skú:l ɑ̀:fis]
32	회의실	32	assembly room	[əsémbli rù:m]
33	교장실	33	principal's office	[prínsəpəlz ɑ̀:fis]
34	상담실	34	guidance office	[gáidns ɑ̀:fis]
35	양호실	35	nurse's office	[nɔ́:rsiz ɑ̀:fis]
36	어학실습실	36	language lab	[læŋgwidʒ læb]
37	컴퓨터실습실	37	computer lab	[kəmpjú:tər læb]
38	화학실험실	38	chemistry lab	[kémistri læb]
39	라커룸	39	locker room	[lɑ́kər rù:m]
40	라커, 사물함	40	locker	[lɑ́kər]
41	교내식당	41	cafeteria	[kæ̀fitíəriə]
42	교사 휴게실	42	teacher's lounge	[tí:tʃərz làundʒ]
43	화장실	43	restroom	[réstrù:m]
44	운동장	44	playground	[pléigràund]
45	트랙, 경주로	45	track	[træk]
46	야외관람석	46	bleachers, stand	[blí:tʃərz], [stænd]
47	풀장	47	swimming pool	[swímiŋ pù:l]
48	미끄럼틀	48	slide	[slaid]
49	모래놀이터	49	sandbox	[sǽndbɑ̀ks]
50	그네	50	swing	[swiŋ]

Tips

● 야외관람석

–**bleachers**
지붕이 없는 야외관람석이나 야구장의 외야석을 의미한다. 보통 복수 형태로 쓴다.

–**stand**
경기장의 계단식 관람석을 의미한다.

			Tips
51 시소	51 seesaw	[síːsɔ̀ː]	
52 정글짐	52 jungle gym	[dʒʌ́ŋgl dʒím]	
53 철봉	53 horizontal bar	[hɔ̀ːrəzántl bɑ̀ːr]	
54 평행봉	54 parallel bars	[pǽrəlèl bɑ̀ːrz]	
55 깃대	55 flag pole	[flǽg pòul]	
56 주차장	56 parking lot	[pɑ́ːrkiŋ lɑ̀t]	
57 교정	57 school yard	[skúːl jɑ̀ːrd]	
58 교문	58 school gate	[skúːl gèit]	
59 **교실**	59 **classroom**	[klǽsrùːm]	
60 선생님, 교사	60 teacher	[tíːtʃər]	
61 학생	61 student	[stjúːdənt]	
62 칠판(=chalkboard)	62 blackboard	[blǽkbɔ̀ːrd]	
63 분필	63 chalk	[tʃɔːk]	
64 칠판지우개	64 blackboard eraser	[blǽkbɔːrd irèisər]	
65 흰 칠판	65 whiteboard	[wáitbɔ̀ːrd]	
66 보드마커 펜	66 whiteboard marker	[wáitbɔːrd mɑ̀ːrkər]	
67 책상	67 desk	[desk]	
68 의자	68 chair	[tʃɛər]	
69 게시판	69 bulletin board	[búlətin bɔ̀ːrd]	
70 포스터, 전단	70 poster	[póustər]	
71 국기	71 flag	[flæg]	
72 교과서	72 textbook	[tékstbùk]	
73 공책	73 notebook	[nóutbùk]	
74 스프링 노트	74 spiral notebook	[spáiərəl nóutbùk]	
75 삼각자	75 triangle	[tráiæ̀ŋgəl]	

				Tips
76 연필깎이	76	pencil sharpener	[pénsəl ʃɑ̀:rpənər]	
77 계산기	77	calculator	[kǽlkjəlèitər]	
78 **교과과목**	78	**school subject[s]**	[skú:l sʌ̀bdʒikts]	
79 수학	79	math	[mæθ]	
80 대수학	80	algebra	[ǽldʒəbrə]	
81 기하학	81	geometry	[dʒi:ámətri]	
82 과학	82	science	[sáiəns]	
83 사회	83	social study	[sóuʃəl stʌ̀di]	
84 체육(=gym, P.E.)	84	physical education	[fízikəl èdʒukéiʃən]	
85 언어학	85	languages	[lǽŋgwidʒiz]	
86 영문학	86	English literature	[íŋgliʃ lìtərətʃər]	
87 물리	87	physics	[fíziks]	
88 화학	88	chemistry	[kémistri]	
89 생물	89	biology	[baiálədʒi]	
90 지구과학	90	earth science	[ə́:rθ sàiəns]	
91 미술	91	art	[ɑ:rt]	
92 음악	92	music	[mjú:zik]	
93 사회학	93	sociology	[sòusiálədʒi]	
94 가정	94	home economics	[hóum ì:kənámiks]	
95 연극	95	drama	[drá:mə]	
96 경영학	96	business studies	[bíznis stʌ̀diz]	
97 윤리학	97	ethics	[éθiks]	
98 컴퓨터 공학	98	computer science	[kəmpjú:tər sàiəns]	
99 지리학	99	geography	[dʒi:ágrəfi]	
100 역사	100	history	[hístəri]	

Review Test ❶

THE VOCABULARY 101 - 200

● 다음 주어진 우리말 단어 뜻을 보고 영단어를 말해 보세요.

1 교육제도
2 유아원(nursery~)
3 유치원
4 초등학교
5 중학교(junior high~)
6 고등학교
7 전문대학
8 단과대학
9 종합대학
10 대학원
11 공업학교(vocational~)
12 상업학교
13 의무교육
14 고등교육(대학이상)
15 중등교육(중·고과정)
16 초등교육(초등과정)
17 선생님
18 중·고교 교장
19 초등학교 교장
20 교감
21 양호교사
22 지도교사
23 운동부 코치
24 교내식당아줌마
25 관리인
26 학교시설
27 교사(학교건물)
28 강당
29 체육관
30 도서관
31 교무실
32 회의실
33 교장실
34 상담실
35 양호실
36 어학실습실
37 컴퓨터실습실
38 화학실험실
39 라커룸
40 라커, 사물함
41 교내식당
42 교사 휴게실
43 화장실
44 운동장
45 트랙, 경주로
46 야외관람석
47 풀장
48 미끄럼틀
49 모래놀이터
50 그네
51 시소
52 정글짐
53 철봉
54 평행봉
55 깃대
56 주차장
57 교정
58 교문
59 교실
60 선생님, 교사
61 학생
62 칠판(=chalkboard)
63 분필
64 칠판지우개
65 흰 칠판
66 보드마커 펜
67 책상
68 의자
69 게시판
70 포스터, 전단
71 국기
72 교과서
73 공책
74 스프링 노트
75 삼각자
76 연필깎이
77 계산기
78 교과과목
79 수학
80 대수학
81 기하학
82 과학
83 사회
84 체육(=gym, P.E.)
85 언어학
86 영문학
87 물리
88 화학
89 생물
90 지구과학
91 미술
92 음악
93 사회학
94 가정
95 연극
96 경영학
97 윤리학
98 컴퓨터 공학
99 지리학
100 역사

Review Test 2

THE VOCABULARY
101 - 200

● 다음 주어진 영단어를 보고 우리말 뜻을 말해 보세요.

1	educational system	26	school facility	51	seesaw	76	pencil sharpener
2	pre-school	27	school building	52	jungle gym	77	calculator
3	kindergarten	28	auditorium	53	horizontal bar	78	school subject[s]
4	elementary school	29	gymnasium	54	parallel bars	79	math
5	middle school	30	library	55	flag pole	80	algebra
6	high school	31	school office	56	parking lot	81	geometry
7	community college	32	assembly room	57	school yard	82	science
8	college	33	principal's office	58	school gate	83	social study
9	university	34	guidance office	59	classroom	84	physical education
10	graduate school	35	nurse's office	60	teacher	85	languages
11	technical school	36	language lab	61	student	86	English literature
12	commercial school	37	computer lab	62	blackboard	87	physics
13	compulsory education	38	chemistry lab	63	chalk	88	chemistry
14	higher education	39	locker room	64	blackboard eraser	89	biology
15	secondary education	40	locker	65	whiteboard	90	earth science
16	elementary education	41	cafeteria	66	whiteboard marker	91	art
17	teacher	42	teacher's lounge	67	desk	92	music
18	principal	43	restroom	68	chair	93	sociology
19	headmaster	44	playground	69	bulletin board	94	home economics
20	assistant principal	45	track	70	poster	95	drama
21	school nurse	46	bleachers, stand	71	flag	96	business studies
22	guidance counselor	47	swimming pool	72	textbook	97	ethics
23	coach	48	slide	73	notebook	98	computer science
24	cafeteria worker	49	sandbox	74	spiral notebook	99	geography
25	custodian	50	swing	75	triangle	100	history

Unit 03

색채 · 과학용어 · 과학실험실

					Tips
1	색, 빛깔	1	**color[s]**	[kʌ́lərz]	
2	빨간색	2	red	[red]	
3	주황색, 오렌지색	3	orange	[ɔ́:rindʒ]	
4	노란색	4	yellow	[jélou]	
5	초록색	5	green	[gri:n]	
6	파란색	6	blue	[blu:]	
7	남색	7	indigo blue	[índigou blú:]	
8	보라색	8	violet	[váiəlit]	
9	흰색	9	white	[wait]	
10	검은색	10	black	[blæk]	
11	회색	11	gray	[grei]	
12	진회색	12	charcoal gray	[tʃɑ́:rkoul grèi]	
13	청록색	13	turquoise	[tə́:rkwɔiz]	
14	분홍색	14	pink	[piŋk]	
15	주홍색, 진홍색	15	scarlet	[skɑ́:rlit]	
16	포도주색	16	wine red	[wáin rèd]	
17	자주색	17	purple	[pə́:rpəl]	
17	갈색	17	brown	[braun]	
18	겨자색	18	mustard	[mʌ́stərd]	
19	호박색, 진한 주황색	19	amber	[ǽmbər]	
20	카키색, 황갈색	20	khaki	[kɑ́:ki]	
21	상아색	21	ivory	[áivəri]	
22	베이지색	22	beige	[beiʒ]	
24	연두색	24	light green	[láit grì:n]	
25	올리브색	25	olive	[ɑ́liv]	

26 **과학용어**	26 **scientific terms**	[sàiəntífik tə́:rmz]	
27 유기체	27 organism	[ɔ́:rgənìzəm]	
28 세포	28 cell	[sel]	
29 세포벽	29 cell wall	[sél wɔ̀:l]	
30 세포막	30 cell membrane	[sél mèmbrein]	
31 세포질	31 cytoplasm	[sáitouplæ̀zm]	
32 핵	32 nucleus	[njú:kliəs]	
33 염색체	33 chromosome	[króuməsòum]	
34 광합성	34 photosynthesis	[fòutousínθəsis]	
35 서식지	35 habitat	[hǽbətæ̀t]	
36 척추동물	36 vertebrate	[və́:rtəbrət]	
37 무척추동물	37 invertebrate	[invə́:rtəbrət]	
38 원소주기율표	38 periodic table	[pìəriάdik tèibəl]	
39 분자	39 molecule	[mάləkjù:l]	
40 원자	40 atom	[ǽtəm]	
41 전자	41 electron	[iléktrαn]	
42 양성자	42 proton	[próutαn]	
43 중성자	43 neutron	[njú:trαn]	
44 공식	44 formula	[fɔ́:rmjələ]	
45 전류	45 electric current	[iléktrik kə́:rənt]	
46 전압	46 voltage	[vóultidʒ]	
47 전력	47 electric power	[iléktrik páuər]	
48 저항	48 resistance	[rizístəns]	
49 전기회로	49 electric circuit	[iléktrik sə́:rkit]	
50 옴의 법칙	50 Ohm's Law	[óumz lɔ̀:]	

Tips

- 세포분열
  cell division
  [sél divìʒən]
- 핵분열
  nuclear division
  [njú:kliər divìʒən]
  nuclear fission
  [njú:kliər fiʃən]
- 유전자, 유전 인자
  gene[dʒi:n]

			Tips
51 **실험실, 연구실**	51 **laboratory(=lab)**	[lǽbərətɔ̀:ri], [læb]	
52 **과학실험실**	52 **the science lab**	[ðəsáiəns lǽb]	
53 플라스크	53 flask	[flæsk]	
54 비커	54 beaker	[bí:kər]	
55 시험관	55 test tube	[tést tjù:b]	
56 세균배양접시	56 petri dish	[pí:tri dìʃ]	
57 피펫	57 pipette	[pipét]	
58 깔때기	58 funnel	[fʌ́nl]	
59 메스실린더	59 graduated cylinder	[grǽdʒuèitid sílindər]	
60 여과기, 필터	60 filter	[fíltər]	
61 집게, 부젓가락	61 tongs	[tɔ:ŋz]	
62 타이머	62 timer	[táimər]	
63 저울(=scale)	63 balance	[bǽləns]	
64 저울추, 분동	64 weights	[weits]	
65 보안경, 고글	65 goggles	[gágəlz]	
66 분광기, 프리즘	66 prism	[prizəm]	
67 스펙트럼	67 spectrum	[spéktrəm]	
68 확대경, 돋보기	68 magnifying glass	[mǽgnəfàiŋ glǽs]	
69 볼록렌즈	69 convex lens	[kɑnvéks lènz]	
70 오목렌즈	70 concave lens	[kɑnkéiv lènz]	
71 현미경	71 microscope	[máikrəskòup]	
72 접안렌즈	72 eyepiece	[áipì:s]	
73 대물렌즈	73 objective lens	[əbdʒéktiv lènz]	
74 망원경	74 telescope	[téləskòup]	
75 쌍안경	75 binoculars	[bənákjələrz]	

76	**주요 원소들**	76	**main elements**	[méin èləmənts]
77	구리(Cu)	77	copper	[kάpər]
78	금(Au)	78	gold	[gould]
79	나트륨(Na)	79	sodium	[sóudiəm]
80	납(Pb)	80	lead	[led]
81	네온(Ne)	81	neon	[ní:ɑn]
82	니켈(Ni)	82	nickel	[níkəl]
83	마그네슘(Mg)	83	magnesium	[mægní:ziəm]
84	산소(O)	84	oxygen	[άksidʒən]
85	수소(H)	85	hydrogen	[háidrədʒən]
86	수은(Hg)	86	mercury	[mə́:rkjəri]
87	아연(Zn)	87	zinc	[ziŋk]
88	알루미늄(Al)	88	aluminum	[əlú:mənəm]
89	우라늄(U)	89	uranium	[juəréiniəm]
90	유황(S)	90	sulfur	[sʌ́lfər]
91	은(Ag)	91	silver	[sílvər]
92	주석(Sn)	92	tin	[tin]
93	질소(N)	93	nitrogen	[náitrədʒən]
94	철(Fe)	94	iron	[áiərn]
95	카드뮴(Cd)	95	cadmium	[kǽdmiəm]
96	칼륨(K)	96	potassium	[pətǽsiəm]
97	칼슘(Ca)	97	calcium	[kǽlsiəm]
98	코발트(Co)	98	cobalt	[kóubɔ:lt]
99	탄소(C)	99	carbon	[kά:rbən]
100	헬륨(He)	100	helium	[hí:liəm]

Tips

- 금의 원소기호 'Au'
  '금'이라는 뜻의 다른 단어인 'aurum[ɔ́:rəm]'의 첫 머리글자에서 따온 것이다.
- 나트륨(natrium)
  옛 명칭이라서지금은 거의 안 쓰고, 'sodium(소디움)'이라고 한다.
- 칼륨
  옛 명칭이라서지
  금은 거의 안 쓰고,
  'potassium(포타슘)'이라고 한다.
- 수소(hydrogen)
  'hydro'는'물'이라는 뜻이고, 'gen'은 '만들어지는 것'이라는 뜻이다. 따라서 'hydrogen'은 '물로부터 생성된 물질'이라는 뜻이다. 물의 분자식이 H2O임을 통해서도 유추가 가능하다.
- 각 원소들의 발음이 우리가 흔히 쓰는 발음과 많이 다르므로 발음기호에 따라서 충분히 연습하고 바르게 쓰도록 노력해야 한다.
- 고체:
  solid[sάlid]
- 액체
  liquid[líkwid]
- 기체:
  gas[gæs]

Review Test 1

THE VOCABULARY 201 - 300

● 다음 주어진 우리말 단어 뜻을 보고 영단어를 말해 보세요.

1 색, 빛깔	26 과학용어	51 실험실, 연구실	76 주요 원소
2 빨간색	27 유기체	52 과학실험실	77 구리(Cu)
3 주황색, 오렌지색	28 세포	53 플라스크	78 금(Au)
4 노란색	29 세포벽	54 비커	79 나트륨(Na)
5 초록색	30 세포막	55 시험관	80 납(Pb)
6 파란색	31 세포질	56 세균배양접시	81 네온(Ne)
7 남색	32 핵	57 피펫	82 니켈(Ni)
8 보라색	33 염색체	58 깔때기	83 마그네슘(Mg)
9 흰색	34 광합성	59 메스실린더	84 산소(O)
10 검은색	35 서식지	60 여과기, 필터	85 수소(H)
11 회색	36 척추동물	61 집게, 부젓가락	86 수은(Hg)
12 진회색	37 무척추동물	62 타이머	87 아연(Zn)
13 청록색	38 원소주기율표	63 저울(=scale)	88 알루미늄(Al)
14 분홍색	39 분자	64 저울추, 분동	89 우라늄(U)
15 주홍색, 진홍색	40 원자	65 보안경, 고글	90 유황(S)
16 포도주색	41 전자	66 분광기, 프리즘	91 은(Ag)
17 자주색	42 양성자	67 스펙트럼	92 주석(Sn)
17 갈색	43 중성자	68 확대경, 돋보기	93 질소(N)
18 겨자색	44 공식	69 볼록렌즈	94 철(Fe)
19 호박색, 진한 주황색	45 전류	70 오목렌즈	95 카드뮴(Cd)
20 카키색, 황갈색	46 전압	71 현미경	96 칼륨(K)
21 상아색	47 전력	72 접안렌즈	97 칼슘(Ca)
22 베이지색	48 저항	73 대물렌즈	98 코발트(Co)
24 연두색	49 전기회로	74 망원경	99 탄소(C)
25 올리브색	50 옴의 법칙	75 쌍안경	100 헬륨(He)

Review Test 2

THE VOCABULARY 201 - 300

● 다음 주어진 영단어를 보고 우리말 뜻을 말해 보세요.

1 color[s]
2 red
3 orange
4 yellow
5 green
6 blue
7 indigo blue
8 violet
9 white
10 black
11 gray
12 charcoal gray
13 turquoise
14 pink
15 scarlet
16 wine red
17 purple
17 brown
18 mustard
19 amber
20 khaki
21 ivory
22 beige
24 light green
25 olive
26 scientific terms
27 organism
28 cell
29 cell wall
30 cell membrane
31 cytoplasm
32 nucleus
33 chromosome
34 photosynthesis
35 habitat
36 vertebrate
37 invertebrate
38 periodic table
39 molecule
40 atom
41 electron
42 proton
43 neutron
44 formula
45 electric current
46 voltage
47 electric power
48 resistance
49 electric circuit
50 Ohm's Law
51 laboratory(=lab)
52 the science lab
53 flask
54 beaker
55 test tube
56 petri dish
57 pipette
58 funnel
59 graduated cylinder
60 filter
61 tongs
62 timer
63 balance
64 weights
65 goggles
66 prism
67 spectrum
68 magnifying glass
69 convex lens
70 concave lens
71 microscope
72 eyepiece
73 objective lens
74 telescope
75 binoculars
76 main element
77 copper
78 gold
79 sodium
80 lead
81 neon
82 nickel
83 magnesium
84 oxygen
85 hydrogen
86 mercury
87 zinc
88 aluminum
89 uranium
90 sulfur
91 silver
92 tin
93 nitrogen
94 iron
95 cadmium
96 potassium
97 calcium
98 cobalt
99 carbon
100 helium

Unit 04

숫자 · 시간 · 달력

				Tips
1	기본 숫자(기수)	1	**cardinal number[s]**	[ká:rdənl nʌ́mbər-z]
2	하나(1)	2	one	[wʌn]
3	둘(2)	3	two	[tu:]
4	셋(3)	4	three	[θri:]
5	넷(4)	5	four	[fɔ:r]
6	다섯(5)	6	five	[faiv]
7	여섯(6)	7	six	[siks]
8	일곱(7)	8	seven	[sévən]
9	여덟(8)	9	eight	[eit]
10	아홉(9)	10	nine	[nain]
11	열(10)	11	ten	[ten]
12	열하나(11)	12	eleven	[ilévən]
13	열둘(12)	13	twelve	[twelv]
14	열셋(13)	14	thirteen	[θə̀:rtí:n]
15	열넷(14)	15	fourteen	[fɔ́:rtí:n]
16	열다섯(15)	16	fifteen	[fíftí:n]
17	열여섯(16)	17	sixteen	[síkstí:n]
18	열일곱(17)	18	seventeen	[sévəntí:n]
19	열여덟(18)	19	eighteen	[éití:n]
20	열아홉(19)	20	nineteen	[náintí:n]
21	스물(20)	21	twenty	[twénti]
22	스물하나(21)	22	twenty-one	[twénti wʌ̀n]
23	스물둘(22)	23	twenty-two	[twénti tù:]
24	스물셋(23)	24	twenty-three	[twénti θrì:]
25	서른(30)	25	thirty	[θə́:rti]

Tips

- 숫자는 기수와 서수 모두 '형용사'로도 쓰인다.

				Tips
26	마흔(40)	26 forty	[fɔ:rti]	
27	쉰(50)	27 fifty	[fífti]	
28	예순(60)	28 sixty	[síksti]	
29	일흔(70)	29 seventy	[sévənti]	
30	여든(80)	30 eighty	[éiti]	
31	아흔(90)	31 ninety	[náinti]	
32	백(100)	32 one hundred	[wʌ́n hʌ̀ndrəd]	
33	백하나(101)	33 one hundred and one	[wʌ́n hʌ̀ndrəd æn wʌ́n]	
34	천(1,000)	34 one thousand	[wʌ́n θàuzənd]	
35	만(10,000)	35 ten thousand	[tén θàuzənd]	
36	십만(100,000)	36 one hundred thousand	[wʌ́n hʌ̀ndrəd θáuzənd]	
37	백만(1,000,000)	37 one million	[wʌ́n mìljən]	
38	천만	38 ten million	[tén mìljən]	
39	억	39 one hundred million	[wʌ́n hʌ̀ndrəd míljən]	
40	십억	40 one billion	[wʌ́n bìljən]	
41	조	41 trillion	[tríljən]	
42	무한대	42 infinity	[infínəti]	
43	**서수**	43 **ordinal number**	[ɔ́:rdənəl nʌ̀mbər]	
44	첫 번째	44 first(1st)	[fə:rst]	
45	두 번째	45 second(2nd)	[sékənd]	
46	세 번째	46 third(3rd)	[θə:rd]	
47	네 번째	47 fourth(4th)	[fɔ:rθ]	
48	다섯 번째	48 fifth(5th)	[fifθ]	
49	여섯 번째	49 sixth(6th)	[siksθ]	
50	일곱 번째	50 seventh(7th)	[sévənθ]	

				Tips
51	여덟 번째	51 eighth(8th)	[eitθ]	
52	아홉 번째	52 ninth(9th)	[nainθ]	
53	열 번째	53 tenth(10th)	[tenθ]	
54	열한 번째	54 eleventh(11th)	[ilévənθ]	
55	열두 번째	55 twelfth(12th)	[twelfθ]	
56	열세 번째	56 thirteenth(13th)	[θə̀:rtí:nθ]	
57	열네 번째	57 fourteenth(14th)	[fɔ́:rtí:nθ]	
58	열다섯 번째	58 fifteenth(15th)	[fíftí:nθ]	
59	열여섯 번째	59 sixteenth(16th)	[síkstí:nθ]	
60	열일곱 번째	60 seventeenth(17th)	[sévəntí:nθ]	
61	열여덟 번째	61 eighteenth(18th)	[éití:nθ]	
62	열아홉 번째	62 nineteenth(19th)	[náintí:nθ]	
63	스무 번째	63 twentieth(20th)	[twéntiiθ]	
64	스물한 번째	64 twenty-first(21th)	[twénti fə̀:rst]	
65	스물두 번째	65 twenty-second(22nd)	[twénti sèkənd]	
66	스물세 번째	66 twenty-third(23rd)	[twénti θə̀:rd]	
67	서른 번째	67 thirtieth(30th)	[θə́:rtiiθ]	
68	마흔 번째	68 fortieth(40th)	[fɔ́:rtiiθ]	
69	쉰 번째	69 fiftieth(50th)	[fíftiiθ]	
70	예순 번째	70 sixtieth(60th)	[síkstiiθ]	
71	일흔 번째	71 seventieth(70th)	[sévəntiiθ]	
72	여든 번째	72 eightieth(80th)	[éitiiθ]	
73	아흔 번째	73 ninetieth(90th)	[náintiiθ]	
74	백 번째	74 one hundredth(100th)	[wʌ́n hʌ̀ndrədθ]	
75	천 번째	75 one thousandth(1000th)	[wʌ́n θàuzəndθ]	

			Tips
76 **때, 시간**	76 **time**	[taim]	
77 동틀 녘	77 sunrise	[sʌ́nràiz]	
78 아침(오전)	78 morning	[mɔ́:rniŋ]	
79 정오(낮12시)	79 noon	[nu:n]	
80 오후	80 afternoon	[æ̀ftərnú:n]	
81 해질 녘	81 sunset	[sʌ́nsèt]	
82 저녁	82 evening	[í:vniŋ]	
83 밤	83 night	[nait]	
84 자정(밤12시)	84 midnight	[mídnàit]	
85 시	85 hour	[áuər]	
86 분	86 minute	[mínit]	
87 초	87 second	[sékənd]	
88 **달력**	88 **calendar**	[kǽləndər]	
89 일요일	89 Sunday	[sʌ́ndei]	
90 월요일	90 Monday	[mʌ́ndei]	
91 화요일	91 Tuesday	[tjú:zdei]	
92 수요일	92 Wednesday	[wénzdei]	
93 목요일	93 Thursday	[θə́:rzdei]	
94 금요일	94 Friday	[fráidei]	
95 토요일	95 Saturday	[sǽtərdèi]	
96 **계절**	96 **season**	[sí:zən]	
97 봄	97 spring	[spriŋ]	
98 여름	98 summer	[sʌ́mər]	
99 가을	99 fall/autumn(영)	[fɔ:l]/[ɔ́:təm]	
100 겨울	100 winter	[wíntər]	

● 다음 주어진 우리말 단어 뜻을 보고 영단어를 말해 보세요.

1 기본 숫자(기수)
2 하나(1)
3 둘(2)
4 셋(3)
5 넷(4)
6 다섯(5)
7 여섯(6)
8 일곱(7)
9 여덟(8)
10 아홉(9)
11 열(10)
12 열하나(11)
13 열둘(12)
14 열셋(13)
15 열넷(14)
16 열다섯(15)
17 열여섯(16)
18 열일곱(17)
19 열여덟(18)
20 열아홉(19)
21 스물(20)
22 스물하나(21)
23 스물둘(22)
24 스물셋(23)
25 서른(30)
26 마흔(40)
27 쉰(50)
28 예순(60)
29 일흔(70)
30 여든(80)
31 아흔(90)
32 백(100)
33 백하나(101)
34 천(1,000)
35 만(10,000)
36 십만(100,000)
37 백만(1,000,000)
38 천만
39 억
40 십억
41 조
42 무한대
43 서수
44 첫 번째
45 두 번째
46 세 번째
47 네 번째
48 다섯 번째
49 여섯 번째
50 일곱 번째
51 여덟 번째
52 아홉 번째
53 열 번째
54 열한 번째
55 열두 번째
56 열세 번째
57 열네 번째
58 열다섯 번째
59 열여섯 번째
60 열일곱 번째
61 열여덟 번째
62 열아홉 번째
63 스무 번째
64 스물한 번째
65 스물두 번째
66 스물세 번째
67 서른 번째
68 마흔 번째
69 쉰 번째
70 예순 번째
71 일흔 번째
72 여든 번째
73 아흔 번째
74 백 번째
75 천 번째
76 때, 시간
77 동틀 녘
78 아침(오전)
79 정오(낮12시)
80 오후
81 해질 녘
82 저녁
83 밤
84 자정(밤12시)
85 시
86 분
87 초
88 달력
89 일요일
90 월요일
91 화요일
92 수요일
93 목요일
94 금요일
95 토요일
96 계절
97 봄
98 여름
99 가을
100 겨울

THE VOCABULARY 301 - 400

● 다음 주어진 영단어를 보고 우리말 뜻을 말해 보세요.

1 cardinal number[s]	26 forty	51 eighth(8th)	76 time
2 one	27 fifty	52 ninth(9th)	77 sunrise
3 two	28 sixty	53 tenth(10th)	78 morning
4 three	29 seventy	54 eleventh(11th)	79 noon
5 four	30 eighty	55 twelfth(12th)	80 afternoon
6 five	31 ninety	56 thirteenth(13th)	81 sunset
7 six	32 one hundred	57 fourteenth(14th)	82 evening
8 seven	33 one hundred and one	58 fifteenth(15th)	83 night
9 eight	34 one thousand	59 sixteenth(16th)	84 midnight
10 nine	35 ten thousand	60 seventeenth(17th)	85 hour
11 ten	36 one hundred thousand	61 eighteenth(18th)	86 minute
12 eleven	37 one million	62 nineteenth(19th)	87 second
13 twelve	38 ten million	63 twentieth(20th)	88 calendar
14 thirteen	39 one hundred million	64 twenty-first(21th)	89 Sunday
15 fourteen	40 one billion	65 twenty-second(22nd)	90 Monday
16 fifteen	41 trillion	66 twenty-third(23rd)	91 Tuesday
17 sixteen	42 infinity	67 thirtieth(30th)	92 Wednesday
18 seventeen	43 ordinal number	68 fortieth(40th)	93 Thursday
19 eighteen	44 first(1st)	69 fiftieth(50th)	94 Friday
20 nineteen	45 second(2nd)	70 sixtieth(60th)	95 Saturday
21 twenty	46 third(3rd)	71 seventieth(70th)	96 season
22 twenty-one	47 fourth(4th)	72 eightieth(80th)	97 spring
23 twenty-two	48 fifth(5th)	73 ninetieth(90th)	98 summer
24 twenty-three	49 sixth(6th)	74 one hundredth(100th)	99 fall/autumn(영)
25 thirty	50 seventh(7th)	75 one thousandth(1000th)	100 winter

Unit 05

달과 미국국경일 · 수학용어들

		Tips
1 날짜	1 date [deit]	
2 **달(1개월)**	2 **month** [mʌnθ]	
3 1월	3 January [dʒǽnjuèri]	
4 2월	4 February [fébruèri]	
5 3월	5 March [mɑ:rtʃ]	
6 4월	6 April [éiprəl]	
7 5월	7 May [mei]	
8 6월	8 June [dʒu:n]	
9 7월	9 July [dʒu:lái]	
10 8월	10 August [ɔ:gəst]	
11 9월	11 September [septémbər]	
12 10월	12 October [ɑktóubər]	
13 11월	13 November [nouvémbər]	
14 12월	14 December [disémbər]	
15 [미국의] **국경일**	15 **national holiday** [nǽʃənəl hálədèi]	
16 부활절(4월)	16 Easter [í:stər]	
17 어머니날(5월)	17 Mother's Day [mʌ́ðərz dèi]	
18 현충일(5월)	18 Memorial Day [məmɔ́:riəl dèi]	
19 아버지날(6월)	19 Father's Day [fɑ́:ðərz dèi]	
20 독립기념일(6.4)	20 Independence Day [ìndipéndəns dèi]	
21 핼러윈데이(10.31)	21 Halloween Day [hæ̀ləwí:n dèi]	
22 추수감사절(11월)	22 Thanksgiving Day [θæ̀ŋksgíviŋ dèi]	
23 크리스마스(12.25)	23 Christmas Day [krísməs dèi]	
24 새해전야(12.31)	24 New Year's Eve [njú: jìərz í:v]	
25 밸런타인데이(2.14)	25 Valentine's Day [vǽləntainz dèi]	

26	**수학용어들**	26	**mathematical terms**	[mæθəmǽtikəl tə́:rmz]
27	**선**	27	**line[s]**	[láin-z]
28	직선	28	straight line	[stréit làin]
29	수직선	29	perpendicular lines	[pə̀:rpəndíkjələr làinz]
30	곡선	30	curved line	[kə́:rvd làin]
31	평행선	31	parallel lines	[pǽrəlel làinz]
32	**기하학적 모양**	32	**geometrical figure[s]**	[dʒì:əmétrikəl fígjərz]
33	각도, 각	33	angle	[ǽŋgl]
34	**삼각형**	34	**triangle**	[tráiæ̀ŋgəl]
35	밑변	35	base	[beis]
36	둔각	36	obtuse angle	[əbtjú:s æ̀ŋgl]
37	예각	37	acute angle	[əkjú:t æ̀ŋgl]
38	**정사각형**	38	**square**	[skwɛər]
39	한 변	39	side	[said]
40	**직사각형**	40	**rectangle**	[réktæ̀ŋgəl]
41	꼭짓점	41	apex	[éipeks]
42	대각선, 사선	42	diagonal	[daiǽgənəl]
43	**직각 삼각형**	43	**right triangle**	[ráit tràiæ̀ŋgəl]
44	직각	44	right angle	[ráit æ̀ŋgəl]
45	빗변	45	hypotenuse	[haipάtənjù:s]
46	**원**	46	**circle**	[sə́:rkl]
47	지름, 직경	47	diameter	[daiǽmitər]
48	반지름	48	radius	[réidiəs]
49	호	49	arc	[ɑ:rk]
50	원의 단면	50	section	[sékʃən]

Tips

- diameter[daiǽmitər] '렌즈의 배율'이라는 뜻도 있다.

Unit 05 달과 미국국경일 · 수학용어들

					Tips
51	원주, 원둘레	51	circumference	[sərkʌ́mfərəns]	
52	계란형	52	oval	[óuvəl]	
53	타원형	53	ellipse	[ilíps]	
54	반원형	54	semicircle	[sémisə̀:rkl	
55	사다리꼴	55	trapezoid	[trǽpəzɔ̀id]	
56	평행사변형	56	parallelogram	[pæ̀rəléləgræ̀m]	
57	오각형	57	pentagon	[péntəgɑ̀n]	
58	육각형	58	hexagon	[héksəgɑ̀n]	
59	팔각형	59	octagon	[ɑ́ktəgɑ̀n]	
60	마름모꼴	60	lozenge	[lɑ́zindʒ]	
61	**입체도형**	61	**solid figure[s]**	[sɑ́lid figjərz]	
62	구	62	sphere	[sfiər]	
63	각뿔, 피라미드	63	pyramid	[pírəmìd]	
64	원기둥	64	cylinder	[sílindər]	
65	입방체	65	cube	[kju:b]	
66	원뿔체	66	cone	[koun]	
67	면	67	face	[feis]	
68	밑면	68	base	[beis]	
69	**정수**	69	**integer**	[íntidʒər]	
70	양의정수	70	positive integer	[pɑ́zətiv ìntidʒər]	
71	음의정수	71	negative integer	[négətiv ìntidʒər]	
72	홀수	72	odd number	[ɑ́d nʌ́mbər]	
73	짝수	73	even number	[í:vən nʌ́mbər]	
74	합	74	sum	[sʌm]	
75	차	75	difference	[dífərəns]	

76	**치수, 측정**	76	**measurement**	[méʒərmənt]
77	**크기**	77	**size**	[saiz]
78	너비, 폭	78	width	[widθ]
79	높이	79	height	[hait]
80	깊이	80	depth	[depθ]
81	길이	81	length	[leŋkθ]
82	두께	82	thickness	[θíknis]
83	용량	83	capacity	[kəpǽsəti]
84	부피	84	bulk	[bʌlk]
85	둘레	85	perimeter	[pərímitər]
86	면적	86	area	[έəriə]
87	표면적	87	surface area	[sə́:rfis ὲəriə]
88	**분수**	88	**fraction[s]**	[frǽkʃənz]
89	분자	89	numerator	[njú:mərèitər]
90	분모	90	denominator	[dinάmənèitər]
91	공통분모	91	common denominator	[kάmən dinάmənèitər]
92	전체	92	whole	[houl]
93	절반(1/2)	93	a half	[əhǽf]
94	삼분의 일(1/3)	94	a third	[əθə́:rd]
95	사분의 일(1/4)	95	a quarter	[əkwɔ́:rtər]
96	칠분의 이(2/7)	96	two seventh	[tú: sèvənθ]
97	십분의 삼(3/10)	97	three tenth	[θrí: tènθ]
98	**그래프**	98	**graph**	[græf]
99	x축, y축	99	X-axis, Y-axis	[éxæ̀ksis], [wáiæ̀ksis]
100	벤 다이어그램	100	Venn diagram	[vén dàiəgræm]

Tips

- 거리 –**distance**[dístəns]

Review Test 1

● 다음 주어진 우리말 단어 뜻을 보고 영단어를 말해 보세요.

1 날짜
2 달(1개월)
3 1월
4 2월
5 3월
6 4월
7 5월
8 6월
9 7월
10 8월
11 9월
12 10월
13 11월
14 12월
15 [미국의] 국경일
16 부활절(4월)
17 어머니날(5월)
18 현충일(5월)
19 아버지날(6월)
20 독립기념일(6.4)
21 할로윈데이(10.31)
22 추수감사절(11월)
23 크리스마스(12.25)
24 새해전야(12.31)
25 밸런타인데이(2.14)
26 수학용어들
27 선
28 직선
29 수직선
30 곡선
31 평행선
32 기하학적 모양
33 각도, 각
34 삼각형
35 밑변
36 둔각
37 예각
38 정사각형
39 한 변
40 직사각형
41 꼭짓점
42 대각선, 사선
43 직각 삼각형
44 직각
45 빗변
46 원
47 지름, 직경
48 반지름
49 호
50 원의 단면
51 원주, 원둘레
52 계란형
53 타원형
54 반원형
55 사다리꼴
56 평행사변형
57 오각형
58 육각형
59 팔각형
60 마름모꼴
61 입체도형
62 구
63 각뿔, 피라미드
64 원기둥
65 입방체
66 원뿔체
67 면
68 밑면
69 정수
70 양의정수
71 음의정수
72 홀수
73 짝수
74 합
75 차
76 치수, 측정
77 크기
78 너비, 폭
79 높이
80 깊이
81 길이
82 두께
83 용량
84 부피
85 둘레
86 면적
87 표면적
88 분수
89 분자
90 분모
91 공통분모
92 전체
93 절반(1/2)
94 삼분의 일(1/3)
95 사분의 일(1/4)
96 칠분의 이(2/7)
97 십분의 삼(3/10)
98 그래프
99 x축, y축
100 벤 다이어그램

Review Test 2

THE VOCABULARY 401 - 500

● 다음 주어진 영단어를 보고 우리말 뜻을 말해 보세요.

1	date	26	mathematical terms	51	circumference	76	measurement
2	month	27	line[s]	52	oval	77	size
3	January	28	straight line	53	ellipse	78	width
4	February	29	perpendicular lines	54	semicircle	79	height
5	March	30	curved line	55	trapezoid	80	depth
6	April	31	parallel lines	56	parallelogram	81	length
7	May	32	geometrical figure[s]	57	pentagon	82	thickness
8	June	33	angle	58	hexagon	83	capacity
9	July	34	triangle	59	octagon	84	bulk
10	August	35	base	60	lozenge	85	perimeter
11	September	36	obtuse angle	61	solid figure[s]	86	area
12	October	37	acute angle	62	sphere	87	surface area
13	November	38	square	63	pyramid	88	fraction[s]
14	December	39	side	64	cylinder	89	numerator
15	national holiday	40	rectangle	65	cube	90	denominator
16	Easter	41	apex	66	cone	91	common denominator
17	Mother's Day	42	diagonal	67	face	92	whole
18	Memorial Day	43	right triangle	68	base	93	a half
19	Father's Day	44	right angle	69	integer	94	a third
20	Independence Day	45	hypotenuse	70	positive integer	95	a quarter
21	Halloween Day	46	circle	71	negative integer	96	two seventh
22	Thanksgiving Day	47	diameter	72	odd number	97	three tenth
23	Christmas Day	48	radius	73	even number	98	graph
24	New Year's Eve	49	arc	74	sum	99	X-axis, Y-axis
25	Valentine's Day	50	section	75	difference	100	Venn diagram

Unit 06

문구점 · 서점 · 도서관 · 우체국

1	문구점	1	**stationery store**	[stéiʃənèri stɔ́:r]
2	볼펜	2	ballpoint pen	[bɔ́:lpɔint pén]
3	만년필	3	fountain pen	[fáuntin pèn]
4	잉크	4	ink	[iŋk]
5	연필	5	pencil	[pénsəl]
6	지우개	6	eraser	[iréisər]
7	샤프펜슬	7	mechanical pencil	[məkǽnikəl pènsəl]
8	샤프심	8	lead	[led]
9	사인펜	9	magic marker	[mǽdʒik mà:rkər]
10	색연필	10	colored pencil	[kʌ́lərd pènsəl]
11	수정테이프	11	correction tape	[kərékʃən tèip]
12	수정액	12	correction fluid	[kərékʃən flù:id]
13	필통	13	pencil case	[pénsəl kèis]
14	공책	14	notebook	[nóutbùk]
15	크레파스	15	crayon	[kréiən]
16	그림붓	16	paintbrush	[péintbrʌ̀ʃ]
17	수채화 물감	17	water colors	[wɑ́:tər kʌ̀lərz]
18	팔레트	18	palette	[pǽlit]
19	스케치북	19	sketchbook	[skétʃbùk]
20	복사용지	20	copying paper	[kápiŋ pèipər]
21	색종이	21	colored paper	[kʌ́lərd pèipər]
22	풀	22	paste	[peist]
23	딱풀	23	glue stick	[glú: stìk]
24	포스트잇	24	sticky notes	[stíki nòuts]
25	일기장	25	diary	[dáiəri]

Tips

- 연필깎이 pencil sharpener [pénsəl ʃɑ̀:rpənər]
- 연필꽂이 pencil holder [pénsəl hòuldər]
- '샤프펜슬'은 'automatic pencil' [ɔ̀:təmǽtik pènsəl] 이라고도 한다.

26 자	26 ruler	[rú:lər]	
27 각도기	27 protractor	[proutrǽktər]	
28 클립보드	28 clipboard	[klípbɔ̀:rd]	
29 클립	29 paper clip	[péipər klìp]	
30 압핀	30 thumbtack	[θʌ́mtæ̀k]	
31 푸시핀	31 push-pin	[púʃpìn]	
32 스테이플러	32 stapler	[stéiplər]	
33 스테이플 심	33 staples	[stéiplz]	
34 스테이플 제거기	34 staple remover	[stéipl rimù:vər]	
35 인주	35 red inkpad	[réd ìŋkpæd]	
36 스카치테이프	36 Scotch tape	[skátʃ tèip]	
37 양면테이프	37 double-sided tape	[dʌ́bəl sáidid tèip]	
38 포장용 테이프	38 packing tape	[pǽkiŋ tèip]	
39 파일폴더	39 file folder	[fáil fòuldər]	
40 컴퍼스	40 compasses	[kʌ́mpəsiz]	
41 나침반	41 compass	[kʌ́mpəs]	
42 지도/지도책	42 map/atlas	[mæp]/[ǽtləs]	
43 **서점**	43 **bookstore**	[búkstɔ̀:r]	
44 소설	44 novel	[návəl]	
45 수필	45 essay	[ései]	
46 시집	46 collection of poems	[kəlékʃən əv póuimz]	
47 잡지	47 magazine	[mæ̀gəzí:n]	
48 동화책	48 fairy tale book	[fέəri tèil búk]	
49 만화책	49 comic book	[kámik búk]	
50 교과서	50 textbook	[tékstbùk]	

Tips

- **compass**와 **compasses**
  - **compass** : 이처럼 단수로 쓰면 나침반을 의미한다.
  - **compasses** : 이처럼 복수로 쓰면 우리 흔히 원을 그릴 때 쓰는 컴퍼스라는 의미이다.

Unit 06

문구점 · 서점 · 도서관 · 우체국

			Tips
51 참고서	51 reference book	[réfərəns bùk]	
52 사전	52 dictionary	[díkʃənèri]	
53 백과사전	53 encyclopedia	[ensàikloupí:diə]	
54 역사서	54 history book	[hístəri bùk]	
55 경전	55 scripture	[skríptʃər]	
56 법전	56 code of laws	[kóud əv lɔ̀:z]	
57 전기, 위인전	57 biography	[baiágrəfi]	
58 자서전	58 autobiography	[ɔ̀:təbaiágrəfi]	
59 평전	59 critical biography	[krítikəl baiágrəfi]	
60 요리책	60 cookbook	[kúkbùk]	
61 여행안내서적	61 travel guidebook	[trǽvəl gàidbùk]	
62 회화책	62 conversation book	[kànvərséiʃən bùk]	
63 **도서관**	63 **library**	[láibrèri]	
64 도서관 사서	64 librarian	[laibréəriən]	
65 대여창구	65 checkout desk	[tʃékàut désk]	
66 도서대출 카드	66 library card	[láibreri kà:rd]	
67 안내소	67 information desk	[ìnfərméiʃən dèsk]	
68 책장	68 shelf	[ʃelf]	
69 참고서 코너	69 reference section	[réfərəns sèkʃən]	
70 정기간행물 코너	70 periodical section	[pìəriádikəl sèkʃən]	
71 아동서적 코너	71 children's section	[tʃíldrənz sèkʃən]	
72 복사기	72 photocopier	[fóutoukàpiər]	
73 [책의] 제목	73 title	[táitl]	
74 저자	74 author	[ɔ́:θər]	
75 도서신청번호	75 call number	[kɔ́:l nʌ̀mbər]	

			Tips
76 **우체국**	76 **post-office**	[póustɑ̀:fis]	
77 우편물	77 mail	[meil]	
78 편지	78 letter	[létər]	
79 편지봉투	79 envelope	[énvəlòup]	
80 항공용 봉투	80 airmail envelope	[ɛ́ərmèil énvəlòup]	
81 우표	81 stamp	[stæmp]	
82 엽서	82 postcard	[póustkɑ̀:rd]	
83 생일카드	83 birthday card	[bə́:rθdèi kɑ́:rd]	
84 소포, 택배	84 package	[pǽkidʒ]	
85 빠른우편	85 express mail	[iksprés mèil]	
86 발신인 주소	86 return address	[ritə́:rn ədrès]	
87 수취인 주소	87 recipient address	[risípiənt ədrès]	
88 우편번호	88 zip code	[zíp kòud]	
89 소인(우체국 도장)	89 postmark	[póustmɑ̀:rk]	
90 계산대, 카운터	90 counter	[káuntər]	
91 저울	91 scale	[skeil]	
92 우체국 직원	92 postal clerk	[póustəl klə̀:rk]	
93 손님	93 customer	[kʌ́stəmər]	
94 우편물 넣는 틈	94 mail slot	[méil slɑ̀t]	
95 **배달**	95 **delivery**	[dilívəri]	
96 우편배달부	96 mail carrier	[méil kæ̀riər]	
97 우편물 가방	97 mailbag	[méilbæ̀g]	
98 우체통	98 mailbox	[méilbɑ̀ks]	
99 수집	99 collection	[kəlékʃən]	
100 우편물배송차량	100 mail van	[méil væ̀n]	

Review Test 1

THE VOCABULARY 501 - 600

● 다음 주어진 우리말 단어 뜻을 보고 영단어를 말해 보세요.

1 문구점
2 볼펜
3 만년필
4 잉크
5 연필
6 지우개
7 샤프펜슬
8 샤프심
9 사인펜
10 색연필
11 수정테이프
12 수정액
13 필통
14 공책
15 크레파스
16 그림붓
17 수채화 물감
18 팔레트
19 스케치북
20 복사용지
21 색종이
22 풀
23 딱풀
24 포스트잇
25 일기장
26 자
27 각도기
28 클립보드
29 클립
30 압핀
31 푸시핀
32 스테이플러
33 스테이플 심
34 스테이플 제거기
35 인주
36 스카치테이프
37 양면테이프
38 포장용 테이프
39 파일폴더
40 컴퍼스
41 나침반
42 지도/지도책
43 서점
44 소설
45 수필
46 시집
47 잡지
48 동화책
49 만화책
50 교과서
51 참고서
52 사전
53 백과사전
54 역사서
55 경전
56 법전
57 전기, 위인전
58 자서전
59 평전
60 요리책
61 여행안내서적
62 회화책
63 도서관
64 도서관 사서
65 대여창구
66 도서대출 카드
67 안내소
68 책장
69 참고서 코너
70 정기간행물 코너
71 아동서적 코너
72 복사기
73 [책의] 제목
74 저자
75 도서신청번호
76 우체국
77 우편물
78 편지
89 편지봉투
80 항공용 봉투
81 우표
82 엽서
83 생일카드
84 소포, 택배
85 빠른우편
86 발신인 주소
87 수취인 주소
88 우편번호
89 소인(우체국 도장)
90 계산대, 카운터
91 저울
92 우체국 직원
93 손님
94 우편물 넣는 틈
95 배달
96 우편배달부
97 우편물 가방
98 우체통
99 수집
100 우편물배송차량

Review Test 2

THE VOCABULARY 501 - 600

● 다음 주어진 영단어를 보고 우리말 뜻을 말해 보세요.

1 stationery store
2 ballpoint pen
3 fountain pen
4 ink
5 pencil
6 eraser
7 mechanical pencil
8 lead
9 magic marker
10 colored pencil
11 correction tape
12 correction fluid
13 pencil case
14 notebook
15 crayon
16 paintbrush
17 water colors
18 palette
19 sketchbook
20 copying paper
21 colored paper
22 paste
23 glue stick
24 sticky notes
25 diary
26 ruler
27 protractor
28 clipboard
29 paper clip
30 thumbtack
31 push-pin
32 stapler
33 staples
34 staple remover
35 red inkpad
36 Scotch tape
37 double-sided tape
38 packing tape
39 file folder
40 compasses
41 compass
42 map/atlas
43 bookstore
44 novel
45 essay
46 collection of poems
47 magazine
48 fairy tale book
49 comic book
50 textbook
51 reference book
52 dictionary
53 encyclopedia
54 history book
55 scripture
56 code of laws
57 biography
58 autobiography
59 critical biography
60 cookbook
61 travel guidebook
62 conversation book
63 library
64 librarian
65 checkout desk
66 library card
67 information desk
68 shelf
69 reference section
70 periodical section
71 children's section
72 photocopier
73 title
74 author
75 call number
76 postoffice
77 mail
78 letter
79 envelope
80 airmail envelope
81 stamp
82 postcard
83 birthday card
84 package
85 express mail
86 return address
87 recipient address
88 zip code
89 postmark
90 counter
91 scale
92 postal clerk
93 customer
94 mail slot
95 delivery
96 mail carrier
97 mailbag
98 mailbox
99 collection
100 mail van

Unit 07 은행업무와 돈 · 질병과 부상 · 병증

			Tips
1 **은행**	1 **bank**	[bæŋk]	
2 돈, 화폐	2 money	[mʌ́ni]	
3 통장	3 bankbook	[bǽŋkbùk]	
4 계좌	4 account	[əkáunt]	
5 계좌번호	5 account number	[əkáunt nʌ̀mbər]	
6 신용카드	6 credit card	[krédit kɑ̀:rd]	
7 직불카드(=ATM~)	7 debit card	[débit kɑ̀:rd]	
8 현금자동입출금기	8 ATM machine	[èiti:ém məʃí:n]	
9 은행창구직원	9 bank teller	[bǽŋk tèlər]	
10 은행임원	10 bank officer	[bǽŋk ɔ̀:fisər]	
11 은행간부	11 banker	[bǽŋkər]	
12 손님, 고객	12 customer	[kʌ́stəmər]	
13 수표	13 check	[tʃek]	
14 여행자 수표	14 traveler's check	[trǽvlərz tʃèk]	
15 수표장	15 checkbook	[tʃékbùk]	
16 출금청구서	16 withdrawal slip	[wiðdrɔ́:əl slìp]	
17 **현금**	17 **cash**	[kæʃ]	
18 지폐	18 bill	[bil]	
19 동전	19 coin	[kɔin]	
20 1달러 동전	20 one dollar coin	[wʌ́n dɑ̀lər kɔ́in]	
21 50센트 동전	21 fifty-cent piece	[fíftisènt pí:s]	
22 25센트 동전	22 quarter	[kwɔ́:rtər]	
23 10센트 동전	23 dime	[daim]	
24 5센트 동전	24 nickel	[níkəl]	
25 1센트 동전	25 penny	[péni]	

				Tips
26 1달러 지폐	26	one dollar bill	[wʌ́n dὰlər bíl]	
27 5달러 지폐	27	five dollar bill	[fáiv dὰlər bíl]	
28 10달러 지폐	28	ten dollar bill	[tén dὰlər bíl]	
29 100달러 지폐	29	one hundred dollar bill	[wʌ́n hʌ̀ndrəd dὰlər bíl]	
30 외화, 외국돈	30	foreign currency	[fɔ́:rin kə̀:rənsi]	
31 도장	31	stamp	[stæmp]	
32 사인, 서명	32	signature	[sígnətʃər]	
33 신분증	33	identity card	[aidéntəti kὰ:rd]	
34 예금, 입금	34	deposit	[dipάzit]	
35 저축	35	savings	[séiviŋz]	
36 송금	36	remittance	[rimítəns]	
37 인출	37	withdrawal	[wiðdrɔ́:əl]	
38 환전	38	exchange	[ikstʃéindʒ]	
39 원금	39	principal	[prínsəpəl]	
40 이자	40	interest	[íntərist]	
41 세금	41	tax	[tæks]	
42 수수료	42	charge	[tʃɑ:rdʒ]	
43 잔액	43	balance	[bǽləns]	
44 이체	44	transfer	[trǽnsfər]	
45 자동이체	45	electronic transfer	[ilèktrάnik trǽnsfər]	
46 대출한도	46	credit line	[krédit làin]	
47 신용카드 결제	47	credit card payment	[krédit kὰ:rd péimənt]	
48 현금서비스	48	cash advance	[kǽʃædvæ̀ns]	
49 미납	49	default	[difɔ́:lt]	
50 연체료	50	late fee	[léit fì:]	

Unit 07 은행업무와 돈 · 질병과 부상 · 병증

51	**질병**	**disease**	[dizí:z]	
52	**통증**	**pain**	[pein]	
53	부분적인 통증	ache	[eik]	
54	갑작스런 통증	pang	[pæŋ]	
55	쑤시는 통증	twinge	[twindʒ]	
56	따끔거리는 통증	sore, prickle	[sɔ:r], [príkəl]	
57	욱신거리는 통증	smart	[smɑ:rt]	
58	두통	headache	[hédèik]	
59	치통	toothache	[tú:θèik]	
60	귀의 통증	earache	[íərèik]	
61	인후통	sore throat	[sɔ́:r θròut]	
62	복통	stomachache	[stʌ́məkèik]	
63	요통	backache	[bǽkèik]	
64	생리통	menstrual pain	[ménstruəl pèin]	
65	감기 / 독감	cold / flu	[kould] / [flu:]	
66	기침	cough	[kɔ:f]	
67	열	fever	[fí:vər]	
68	오한	chills	[tʃilz]	
69	콧물	nasal discharge	[néizəl distʃɑ̀:rdʒ]	
70	코 막힘	nasal congestion	[néizəl kəndʒèstʃən]	
71	코피	nosebleed	[nóuzblì:d]	
72	재채기	sneeze	[sni:z]	
73	구토	vomiting	[vámitiŋ]	
74	멍, 타박상	bruise	[bru:z]	
75	멍든 눈	black eye	[blǽk ái]	

Tips

- 편두통
  megrim[mí:grim]
- '생리통'을 나타내는 다른 말들
  –period pain
  [píəriəd pèin]
  –cramps[kræmps]
  –'cramps'는 '생리통'이라는 뜻 외에도 '쥐, 근육경련'이라는 뜻으로도 쓰인다.
- '요통'의 다른 표현
  lumbago[lʌmbéigou]
- flu
  influenza[ìnfluénzə]를 줄인 말.
- '구토하다'라는 뜻의 동사는 우리 흔히 쓰는 'overeat'가 아니고 다음과 같다. 이 'overeat'는 '과식하다'의 뜻.
  vomit[vámit]
  throw up[θrou ʌ́p]

			Tips
76 다래끼	76 sty	[stai]	
77 찔린 상처, 자창	77 stab wound	[stǽb wù:nd]	
78 베인 상처	78 cut	[kʌt]	
79 긁힌 상처	79 scratch	[skrætʃ]	
80 찰과상, 쓸린 상처	80 scrape	[skreip]	
81 상처의 딱지	81 scab	[skæb]	
82 흉터	82 scar	[skɑ:r]	
83 발진, 뾰루지	83 rash	[ræʃ]	
84 벌레 물림	84 insect bite	[ínsekt bàit]	
85 접질림, 삠	85 sprain	[sprein]	
86 삔 발목	86 sprained ankle	[spréind ǽŋkl]	
87 뼈의 탈구	87 dislocation	[dìsloukéiʃən]	
88 불에 덴 화상	88 burn	[bə:rn]	
89 물·증기에 덴 화상	89 scald	[skɔ:ld]	
90 햇볕 화상	90 sunburn	[sʌ́nbə̀:rn]	
91 감염	91 infection	[infékʃən]	
92 두드러기	92 hives	[haivz]	
93 가려움증	93 itch	[itʃ]	
94 부어오름	94 swell	[swel]	
95 혹, 응어리	95 lump	[lʌmp]	
96 튼 살	96 chaps	[tʃæps]	
97 사마귀	97 wart	[wɔ:rt]	
98 메스꺼움	98 nausea	[nɔ́:ziə]	
99 저림, 곱음	99 numbness	[nʌ́mnis]	
100 근육경련, 쥐	100 cramps	[kræmps]	

Review Test 1

THE VOCABULARY 601 - 700

● 다음 주어진 우리말 단어 뜻을 보고 영단어를 말해 보세요.

1 은행
2 돈, 화폐
3 통장
4 계좌
5 계좌번호
6 신용카드
7 직불카드(=ATM~)
8 현금자동입출금기
9 은행창구직원
10 은행임원
11 은행간부
12 손님, 고객
13 수표
14 여행자 수표
15 수표장
16 출금청구서
17 현금
18 지폐
19 동전
20 1달러 동전
21 50센트 동전
22 25센트 동전
23 10센트 동전
24 5센트 동전
25 1센트 동전
26 1달러 지폐
27 5달러 지폐
28 10달러 지폐
29 100달러 지폐
30 외화, 외국돈
31 도장
32 사인, 서명
33 신분증
34 예금, 입금
35 저축
36 송금
37 인출
38 환전
39 원금
40 이자
41 세금
42 수수료
43 잔액
44 이체
45 자동이체
46 대출한도
47 신용카드 결제
48 현금서비스
49 미납
50 연체료
51 질병
52 통증
53 부분적인 통증
54 갑작스런 통증
55 쑤시는 통증
56 따끔거리는 통증
57 욱신거리는 통증
58 두통
59 치통
60 귀의 통증
61 인후통
62 복통
63 요통
64 생리통
65 감기 / 독감
66 기침
67 열
68 오한
69 콧물
70 코 막힘
71 코피
72 재채기
73 구토
74 멍, 타박상
75 멍든 눈
76 다래끼
77 찔린 상처, 자창
78 베인 상처
79 긁힌 상처
80 찰과상, 쓸린 상처
81 상처의 딱지
82 흉터
83 발진, 뾰루지
84 벌레 물림
85 접질림, 삠
86 삔 발목
87 뼈의 탈구
88 불에 덴 화상
89 물·증기에 덴 화상
90 햇볕 화상
91 감염
92 두드러기
93 가려움증
94 부어오름
95 혹, 응어리
96 튼 살
97 사마귀
98 메스꺼움
99 저림, 곱음
100 근육경련, 쥐

Review Test 2

THE VOCABULARY 601 - 700

● 다음 주어진 영단어를 보고 우리말 뜻을 말해 보세요.

1 bank
2 money
3 bankbook
4 account
5 account number
6 credit card
7 debit card
8 ATM machine
9 bank teller
10 bank officer
11 banker
12 customer
13 check
14 traveler's check
15 checkbook
16 withdrawal slip
17 cash
18 bill
19 coin
20 one dollar coin
21 fifty-cent piece
22 quarter
23 dime
24 nickel
25 penny
26 one dollar bill
27 five dollar bill
28 ten dollar bill
29 one hundred dollar bill
30 foreign currency
31 stamp
32 signature
33 identity card
34 deposit
35 savings
36 remittance
37 withdrawal
38 exchange
39 principal
40 interest
41 tax
42 charge
43 balance
44 transfer
45 electronic transfer
46 credit line
47 credit card payment
48 cash advance
49 default
50 late fee
51 disease
52 pain
53 ache
54 pang
55 twinge
56 sore, prickle
57 smart
58 headache
59 toothache
60 earache
61 sore throat
62 stomachache
63 backache
64 menstrual pain
65 cold / flu
66 cough
67 fever
68 chills
69 nasal discharge
70 nasal congestion
71 nosebleed
72 sneeze
73 vomiting
74 bruise
75 black eye
76 sty
77 stab wound
78 cut
79 scratch
80 scrape
81 scab
82 scar
83 rash
84 insect bite
85 sprain
86 sprained ankle
87 dislocation
88 burn
89 scald
90 sunburn
91 infection
92 hives
93 itch
94 swell
95 lump
96 chaps
97 wart
98 nausea
99 numbness
100 cramps

Unit 08 약국 · 병원 · 전문의의 종류

1	**약국**	1	**pharmacy**	[fá:rməsi]
2	약방	2	drugstore	[drʌ́gstɔ̀:r]
3	약사	3	pharmacist	[fá:rməsist]
4	처방전	4	prescription	[priskrípʃən]
5	**약품(=medicine)**	5	**medication**	[mèdikéiʃən]
6	약품, 마약	6	drug	[drʌg]
7	처방약	7	prescription medication	[priskrípʃən mèdikéiʃən]
81	회분 복용량	8	dosage, dose	[dóusidʒ], [dous]
9	유효기한	9	expiration date	[èkspəréiʃən dèit]
10	**약품의 형태**	10	**types of medication**	[táips əv mèdikéiʃən]
11	동그란 알약	11	pill	[pil]
12	납작한 정제	12	tablet	[tǽblit]
13	캡슐	13	capsule	[kǽpsəl]
14	당의정	14	caplet	[kǽplit]
15	연고	15	ointment	[ɔ́intmənt]
16	크림	16	cream	[kri:m]
17	스프레이	17	spray	[sprei]
18	아스피린	18	aspirin	[ǽspərin]
19	감기약	19	cold tablets	[kóuld tæ̀blits]
20	기침용 시럽	20	cough syrup	[kɔ́:f sìrəp]
21	기침용 드롭스	21	cough drops	[kɔ́:f dràps]
22	인후염 트로키	22	throat lozenges	[θróut làzindʒiz]
23	제산정	23	antacid tablet	[æntǽsid tæ̀blit]
24	코막힘용 스프레이	24	nasal spray	[néizəl sprèi]
25	안약	25	eye drops	[ái dràps]

Tips

- 'pharmacy(약국)' 약사가 상주하여 처방약을 팔 수 있는 곳
- 'drugstore(약방)' 포장된 완제품약과 음료, 잡화 등을 함께 파는 곳
- drug / drugs의 뜻
  'drug': 약, 약품
  'drugs': 마약류, 치약같은 위생약품
- 마약을 나타내는 다른 말
  dope[doup]
  마약, 마약중독자
  스포츠선수들의 '도핑테스트'는 여기에서 나온 말이다.

26 소화제	26 digestive medicine	[didʒéstiv mèdəsən]	
27 진통제(=painkiller)	27 pain reliever	[péin rilì:vər]	
28 파스	28 pain relief patch	[péin rilì:f pǽtʃ]	
29 해열제	29 fever reducer	[fí:vər ridjù:sər]	
30 항생제	30 antibiotic	[æ̀ntibaiátik]	
31 소염제	31 antiphlogistic	[æ̀ntifloudʒístik]	
32 두통약	32 headache pill	[hédeik pìl]	
33 지사제	33 antidiarrheal	[æ̀ntidaiərí:əl]	
34 소독약	34 antiseptic	[æ̀ntəséptik]	
35 좌약	35 suppository	[səpázətɔ:ri]	
36 붕대	36 bandage	[bǽndidʒ]	
37 반창고	37 adhesive bandage	[ædhí:siv bæ̀ndidʒ]	
38 밴드	38 bandaid	[bǽndèid]	
39 **병원**	39 **hospital**	[háspitl]	
40 진료소	40 clinic	[klínik]	
41 의원	41 doctor's office	[dáktərz ɔ̀:fis]	
42 의사(=doctor)	42 physician	[fizíʃən]	
43 간호사	43 nurse	[nə:rs]	
44 환자	44 patient	[péiʃənt]	
45 간병인(=carer)	45 care worker	[kέər wə̀:rkər]	
46 들것	46 stretcher	[strétʃər]	
47 바퀴 달린 들것	47 gurney	[gə́:rni]	
48 진찰대	48 examination table	[igzæ̀mənéiʃən tèibəl]	
49 혈압계	49 blood pressure gauge	[blʌ́d prèʃər géidʒ]	
50 X선 검사	50 X-ray examination	[éksrèi igzæ̀mənéiʃən]	

Tips

- 진통제
painkiller[péinkìlər]
⇨구어체 표현

Unit 08

약국 · 병원 · 전문의의 종류

			Tips
51 청진기	51 stethoscope	[stéθəskòup]	
52 피검사(=~work)	52 blood test	[blʌ́d tèst]	
53 진료기록	53 medical record	[médikəl rèkərd]	
54 진단	54 diagnosis	[dàiəgnóusis]	
55 주사기	55 syringe	[səríndʒ]	
56 주사바늘	56 needle	[ní:dl]	
57 주사(=shot)	57 injection	[indʒékʃən]	
58 외과, 수술	58 surgery	[sə́:rdʒəri]	
59 수술	59 operation	[ɑ̀pəréiʃən]	
60 수술대	60 operation table	[ɑ̀pəréiʃən tèibəl]	
61 외과 의사	61 surgeon	[sə́:rdʒən]	
62 마스크	62 mask	[mæsk]	
63 수술 장갑	63 surgical gloves	[sə́:rdʒikəl glʌ̀vz]	
64 마취전문 의사	64 anesthetist	[ənésθətist]	
65 메스	65 scalpel	[skǽlpəl]	
66 꿰맨 자리	66 stitches	[stítʃiz]	
67 깁스	67 cast	[kæst]	
68 휠체어	68 wheelchair	[wí:ltʃɛ̀ər]	
69 목발	69 crutches	[krʌ́tʃiz]	
70 보행보조기	70 walker	[wɔ́:kər]	
71 지팡이	71 cane	[kein]	
72 팔걸이 붕대	72 sling	[sliŋ]	
73 목 보호대	73 surgical collar	[sə́:rdʒikəl kɑ̀lər]	
74 온열패드	74 heating pad	[hí:tiŋpæ̀d]	
75 얼음주머니	75 ice-pack	[áispæ̀k]	

			Tips
76 **병실**	76 **hospital room**	[háspitl rù:m]	
77 병원침대	77 hospital bed	[háspitl bèd]	
78 침대 조절기	78 bed control	[béd kəntròul]	
79 침대용 테이블	79 bed table	[béd tèibəl]	
80 환자복	80 hospital gown	[háspitl gàun]	
81 침대용 변기	81 bed pan	[béd pæ̀n]	
82 생명신호 모니터	82 vital sign monitor	[váitl sàin mánitər]	
83 의료차트	83 medical chart	[médikəl tʃà:rt]	
84 호출버튼	84 call button	[kɔ́:l bʌ̀tn]	
85 수액, 링거(=I.V.)	85 intravenous	[ìntrəví:nəs]	
86 **전문의**	86 **medical specialists**	[médikəl spèʃəlists]	
87 심장병 전문의	87 cardiologist	[kà:rdiálədʒist]	
88 이비인후과 전문의	88 ENT specialist	[ì:èntí: spéʃəlist]	
89 소아과 의사	89 pediatrician	[pì:diətríʃən]	
90 산과 전문의	90 obstetrician	[àbstətríʃən]	
91 부인과 의사	91 gynecologist	[gàinikálədʒist]	
92 산부인과	92 OB/GY clinic	[óubì:dʒí:wài klínik]	
93 안과 의사	93 ophthalmologist	[àfθælmálədʒist]	
94 내과 의사	94 internist	[intə́:rnist]	
95 암 전문의	95 oncologist	[ankálədʒist]	
96 방사선 전문의	96 radiologist	[rèidiálədʒist]	
97 정신병 전문의	97 psychiatrist	[saikáiətrist]	
98 접골사	98 osteopath	[ástiəpæ̀θ]	
99 물리치료사	99 physiotherapist	[fìziouθérəpist]	
100 상담사	100 counselor	[káunsələr]	

THE VOCABULARY
701 - 800

● 다음 주어진 우리말 단어 뜻을 보고 영단어를 말해 보세요.

1	약국	26	소화제	51	청진기	76	병실
2	약방	27	진통제(=painkiller)	52	피검사(=~work)	77	병원침대
3	약사	28	파스	53	진료기록	78	침대 조절기
4	처방전	29	해열제	54	진단	79	침대용 테이블
5	약품(=medicine)	30	항생제	55	주사기	80	환자복
6	약품, 마약	31	소염제	56	주사바늘	81	침대용 변기
7	처방약	32	두통약	57	주사(=shot)	82	생명신호 모니터
8	1회분 복용량	33	지사제	58	외과, 수술	83	의료차트
9	유효기한	34	소독약	59	수술	84	호출버튼
10	약품의 형태	35	좌약	60	수술대	85	수액, 링거(=I.V.)
11	동그란 알약	36	붕대	61	외과 의사	86	전문의
12	납작한 정제	37	반창고	62	마스크	87	심장병 전문의
13	캡슐	38	밴드	63	수술 장갑	88	이비인후과 전문의
14	당의정	39	병원	64	마취전문 의사	89	소아과 의사
15	연고	40	진료소	65	메스	90	산과 전문의
16	크림	41	의원	66	꿰맨 자리	91	부인과 의사
17	스프레이	42	의사(=doctor)	67	깁스	92	산부인과
18	아스피린	43	간호사	68	휠체어	93	안과 의사
19	감기약	44	환자	69	목발	94	내과 의사
20	기침용 시럽	45	간병인(=carer)	70	보행보조기	95	암 전문의
21	기침용 드롭스	46	들것	71	지팡이	96	방사선 전문의
22	인후염 트로키	47	바퀴달린 들것	72	팔걸이 붕대	97	정신병 전문의
23	제산정	48	진찰대	73	목 보호대	98	접골사
24	코막힘용 스프레이	49	혈압계	74	온열패드	99	물리치료사
25	안약	50	X선 검사	75	얼음주머니	100	상담사

Review Test 2

THE VOCABULARY 701 - 800

● 다음 주어진 영단어를 보고 우리말 뜻을 말해 보세요.

1 pharmacy
2 drugstore
3 pharmacist
4 prescription
5 medication
6 drug
7 prescription medication
8 dosage, dose
9 expiration date
10 types of medication
11 pill
12 tablet
13 capsule
14 caplet
15 ointment
16 cream
17 spray
18 aspirin
19 cold tablets
20 cough syrup
21 cough drops
22 throat lozenges
23 antacid tablet
24 nasal spray
25 eye drops
26 digestive medicine
27 pain reliever
28 pain relief patch
29 fever reducer
30 antibiotic
31 antiphlogistic
32 headache pill
33 antidiarrheal
34 antiseptic
35 suppository
36 bandage
37 adhesive bandage
38 bandaid
39 hospital
40 clinic
41 doctor's office
42 physician
43 nurse
44 patient
45 care worker
46 stretcher
47 gurney
48 examination table
49 blood pressure gauge
50 X-ray examination
51 stethoscope
52 blood test
53 medical record
54 diagnosis
55 syringe
56 needle
57 injection
58 surgery
59 operation
60 operation table
61 surgeon
62 mask
63 surgical gloves
64 anesthetist
65 scalpel
66 stitches
67 cast
68 wheelchair
69 crutches
70 walker
71 cane
72 sling
73 surgical collar
74 heating pad
75 ice-pack
76 hospital room
77 hospital bed
78 bed control
79 bed table
80 hospital gown
81 bed pan
82 vital sign monitor
83 medical chart
84 call button
85 intravenous
86 medical specialists
87 cardiologist
88 ENT specialist
89 pediatrician
90 obstetrician
91 gynecologist
92 OB/GY clinic
93 ophthalmologist
94 internist
95 oncologist
96 radiologist
97 psychiatrist
98 osteopath
99 physiotherapist
100 counselor

Unit 09 응급치료 · 분비배설물 · 생리현상 · 질병 · 안과 · 치과진료

	한국어		English	발음	Tips
1	**응급치료**	1	**first aid**	[fə́:rst èid]	
2	구급상자	2	first aid kit	[fə́:rst èid kít]	
3	응급조치 매뉴얼	3	first aid manual	[fə́:rst èid mǽnjuəl]	
4	핀셋	4	tweezers	[twí:zərz]	
5	약솜	5	cotton balls	[kátn bɔ̀:lz]	
6	살균제	6	antiseptic	[æ̀ntəséptik]	
7	과산화수소	7	hydrogen peroxide	[háidrədʒən pəráksaid]	
8	항히스타민크림	8	antihistamine cream	[æ̀ntihístəmì:n krí:m]	
9	항균연고	9	antibacterial ointment	[æ̀ntibæktíəriəl ɔ̀intmənt]	
10	거즈	10	gauze	[gɔ:z]	
11	무균 패드	11	sterile pad	[stérəl pæ̀d]	
12	무균 반창고	12	sterile tape	[stérəl tèip]	
13	탄성붕대	13	elastic bandage	[ilǽstik bǽndidʒ]	
14	부목	14	splint	[splint]	
15	구조호흡	15	rescue breathing	[réskju: brí:ðiŋ]	
16	심폐소생술	16	CPR	[sì:pì:á:r]	
17	인공호흡	17	artificial respiration	[à:rtəfíʃəl rèspəréiʃən]	
18	**분비배설물**	18	**secretion waste**	[sikrí:ʃən wèist]	
19	고름, 농	19	pus	[pʌs]	
20	고름집, 농포	20	pustule	[pʌ́stʃu:l]	
21	진물	21	ooze	[u:z]	
22	물집	22	blister	[blístər]	
23	땀	23	sweat	[swet]	
24	오줌	24	urine	[júərin]	
25	똥(=feces)	25	stool, excrement	[stu:l], [ékskrəmənt]	

26	침(=spit)	26	saliva	[səláivə]
27	가래	27	phlegm	[flem]
28	각혈	28	hemoptysis	[himάptəsis]
29	눈곱	29	eye mucus	[ái mjù:kəs]
30	귀지	30	earwax	[íərwæ̀ks]
31	맑은 콧물	31	snivel	[snívəl]
32	누런 콧물	32	snot	[snɑt]
33	코딱지	33	nose wax	[nóuz wæ̀ks]
34	치석	34	scale, tartar	[skeil], [tά:rtər]
35	치태	35	dental plaque	[déntl plæ̀k]
36	설태	36	fur	[fə:r]
37	때	37	dirt	[də:rt]
38	**생리현상**	38	**physiological phenomenon**	[fiziəlάdʒikəl finάmənàn]
39	트림	39	burp	[bə:rp]
40	딸꾹질	40	hiccup	[híkʌp]
41	하품	41	yawn	[jɔ:n]
42	재채기	42	sneeze	[sni:z]
43	방귀	43	gas, fart(속어)	[gæs], [fɑ:rt]
44	생리, 월경	44	menstruation	[mènstruéiʃən]
45	생리불순	45	menstrual irregularity	[ménstruəl irègjəlǽrəti]
46	사정	46	ejaculation	[idʒæ̀kjuléiʃən]
47	소화	47	digestion	[didʒéstʃən]
48	소화불량	48	indigestion	[ìndidʒéstʃən]
49	배뇨	49	urination	[jùərənéiʃən]
50	배변	50	evacuation	[ivæ̀kjuéiʃən]

Tips

- 기생충
  parasite[pǽrəsàit]
- 숙주
  host[houst]
- 공생(공동생활)
  symbiosis
  [sìmbióusis]

51 **다양한 질병**	51 **various diseases**	[vέəriəs dizì:ziz]	
52 위암	52 stomach cancer	[stʌ́mək kǽnsər]	
53 불면증	53 insomnia	[insɑ́mniə]	
54 빈혈	54 anemia	[əní:miə]	
55 골절	55 fracture	[frǽktʃər]	
56 장염	56 enteritis	[èntəráitis]	
57 설사	57 diarrhea	[dàiərí:ə]	
58 변비	58 constipation	[kɑ̀nstəpéiʃən]	
59 식중독	59 food poisoning	[fú:d pɔ̀izəniŋ]	
60 우울증	60 depression	[dipréʃən]	
61 홍역	61 measles	[mí:zəlz]	
62 폐렴	62 pneumonia	[njumóunjə]	
63 편도선염	63 tonsillitis	[tɑ̀nsəláitis]	
64 천식	64 asthma	[ǽzmə]	
65 암	65 cancer	[kǽnsər]	
66 심장마비	66 heart attack	[hɑ́:rt ətǽk]	
67 당뇨병	67 diabetes	[dàiəbí:tis]	
68 고혈압	68 high blood pressure	[hái blʌ́d prèʃər]	
69 저혈압	69 low blood pressure	[lóu blʌ́d prèʃər]	
70 비만	70 obesity	[oubí:səti]	
71 치매	71 dementia	[diménʃiə]	
72 **안과진료**	72 **eye care**	[ái kὲər]	
73 안경사	73 optician	[ɑptíʃən]	
74 시력검사표	74 eye chart	[ái tʃɑ̀:rt]	
75 검안(=~test)	75 eye examination	[ái igzæ̀mənéiʃən]	

Tips

- 모든 공포증 phobia
- 고소공포증 acrophobia [æ̀krəfóubiə]
- 밀실공포증 claustrophobia [klɔ̀:strəfóubiə]
- 나병, 한센병 –leprosy[léprəsi]
- 종기, 부스럼 boil[bɔil]
- 마비, 중풍 paralysis[pərǽləsis]
- 소아마비 infantile[ínfəntàil]
- 맹장염 appendicitis [əpèndəsáitis]
- 백혈병 leukemia[lu:kí:miə]
- 혈우병 bleeder's disease [blí:dərz dizì:z]
- 신장병 nephritis[nifráitis]
- 신장결석 kidney stone [kídni stòun]
- 정신병, 정신이상 psychosis[saikóusis]

76 안경	76 glasses	[glǽsiz]	
77 렌즈	77 lens	[lenz]	
78 안경테	78 frame	[freim]	
79 안경집	79 eyeglass case	[áiglæ̀s kéis]	
80 콘택트렌즈	80 contact lenses	[kάntækt lènziz]	
81 안구, 눈알	81 eyeball	[áibɔ̀:l]	
82 인공눈물	82 artificial tears	[ὰ:rtəfíʃəl tìərz]	
83 눈병	83 eye trouble	[ái trʌ̀bəl]	
84 안약	84 eye drops	[ái drὰps]	
85 각막	85 cornea	[kɔ́:rniə]	
86 홍채	86 iris	[áiris]	
87 동공	87 pupil	[pjú:pəl]	
88 수정체	88 eye lens	[ái lènz]	
89 망막	89 retina	[rétənə]	
90 **치과진료**	90 **dental care**	[déntl kὲər]	
91 치과의사	91 dentist	[déntist]	
92 치과조무사	92 dental assistant	[déntl əsìstənt]	
93 치위생사	93 dental hygienist	[déntl haidʒí:nist]	
94 치과기공사	94 dental technician	[déntl teknìʃən]	
95 **치과기구**	95 **dental instruments**	[déntl ìnstrəmənts]	
96 충치	96 cavity	[kǽvəti]	
97 치관, 금니	97 crown	[kraun]	
98 잇몸병	98 gum disease	[gʌ́m dizì:z]	
99 치열교정기	99 braces	[bréisiz]	
100 치실	100 dental floss	[déntl flὰ:s]	

Tips

- 사팔눈, 사시
  squint[skwint]
- 내사시
  cross-eye[krɔ́:sài]
- 외사시
  walleye[wɔ́:lài]
- 색맹
  color blindness
  [kʌ́lər blàindnis]
- 원시안
  –far-sighted eye
  [fά:rsàitid ài]
  –long-sighted eye
  [lɔ́:ŋsàitid ài]
- 근시안
  –near-sighted eye
  [níərsàitid ài]
  –short-sighted eye
  [ʃɔ́:rtsàitid ài]

THE VOCABULARY 801 - 900

● 다음 주어진 우리말 단어 뜻을 보고 영단어를 말해 보세요.

1 응급치료
2 구급상자
3 응급조치 매뉴얼
4 핀셋
5 약솜
6 살균제
7 과산화수소
8 항히스타민크림
9 항균연고
10 거즈
11 무균 패드
12 무균 반창고
13 탄성붕대
14 부목
15 구조호흡
16 심폐소생술
17 인공호흡
18 분비배설물
19 고름, 농
20 고름집, 농포
21 진물
22 물집
23 땀
24 오줌
25 똥(=feces)
26 침(=spit)
27 가래
28 각혈
29 눈곱
30 귀지
31 맑은 콧물
32 누런 콧물
33 코딱지
34 치석
35 치태
36 설태
37 때
38 생리현상
39 트림
40 딸꾹질
41 하품
42 재채기
43 방귀
44 생리, 월경
45 생리불순
46 사정
47 소화
48 소화불량
49 배뇨
50 배변
51 다양한 질병
52 위암
53 불면증
54 빈혈
55 골절
56 장염
57 설사
58 변비
59 식중독
60 우울증
61 홍역
62 폐렴
63 편도선염
64 천식
65 암
66 심장마비
67 당뇨병
68 고혈압
69 저혈압
70 비만
71 치매
72 안과진료
73 안경사
74 시력검사표
75 검안(=~test)
76 안경
77 렌즈
78 안경테
79 안경집
80 콘택트렌즈
81 안구, 눈알
82 인공눈물
83 눈병
84 안약
85 각막
86 홍채
87 동공
88 수정체
89 망막
90 치과진료
91 치과의사
92 치과조무사
93 치위생사
94 치과기공사
95 치과기구
96 충치
97 치관, 금니
98 잇몸병
99 치열교정기
100 치실

Review Test 2

THE VOCABULARY
801 - 900

● 다음 주어진 영단어를 보고 우리말 뜻을 말해 보세요.

1 first aid
2 first aid kit
3 first aid manual
4 tweezers
5 cotton balls
6 antiseptic
7 hydrogen peroxide
8 antihistamine cream
9 antibacterial ointment
10 gauze
11 sterile pad
12 sterile tape
13 elastic bandage
14 splint
15 rescue breathing
16 CPR
17 artificial respiration
18 secretion waste
19 pus
20 pustule
21 ooze
22 blister
23 sweat
24 urine
25 stool, excrement
26 saliva
27 phlegm
28 hemoptysis
29 eye mucus
30 earwax
31 snivel
32 snot
33 nose wax
34 scale, tartar
35 dental plaque
36 fur
37 dirt
38 physiological phenomenon
39 burp
40 hiccup
41 yawn
42 sneeze
43 gas, fart(속어)
44 menstruation
45 menstrual irregularity
46 ejaculation
47 digestion
48 indigestion
49 urination
50 evacuation
51 various diseases
52 stomach cancer
53 insomnia
54 anemia
55 fracture
56 enteritis
57 diarrhea
58 constipation
59 food poisoning
60 depression
61 measles
62 pneumonia
63 tonsillitis
64 asthma
65 cancer
66 heart attack
67 diabetes
68 high blood pressure
69 low blood pressure
70 obesity
71 dementia
72 eye care
73 optician
74 eye chart
75 eye examination
76 glasses
77 lens
78 frame
79 eyeglass case
80 contact lenses
81 eyeball
82 artificial tears
83 eye trouble
84 eye drops
85 cornea
86 iris
87 pupil
88 eye lens
89 retina
90 dental care
91 dentist
92 dental assistant
93 dental hygienist
94 dental technician
95 dental instruments
96 cavity
97 crown
98 gum disease
99 braces
100 dental floss

Unit 10

구직 · 사무실 · 직업의 종류 1

1	**직장 구하기**	1	**seeking employment**	[sí:kiŋ emplɔ̀imənt]
2	입사지원서 양식	2	application form	[æplikéiʃən fɔ̀:rm]
3	이력서	3	résumé	[rèzuméi]
4	자기소개서	4	cover letter	[kʌ́vər lètər]
5	면접	5	job interview	[dʒáb ìntərvju:]
6	입사지원자	6	job candidate	[dʒáb kændideit]
7	면접관	7	interviewer	[íntərvjù:ər]
8	구인광고	8	classifieds	[klǽsəfàidz]
9	입사	9	entering a company	[éntəriŋ ə kʌ́mpəni]
10	퇴사	10	retirement	[ritáiərmənt]
11	**직장, 일터**	11	**working place**	[wɔ́:rkiŋ plèis]
12	사무실	12	office	[ɔ́:fis]
13	사장, 고용주	13	employer, boss	[implɔ́iər], [bɔ:s]
14	사무실 관리자	14	office manager	[ɔ́:fis mǽnidʒər]
15	비서실장	15	administrative assistant	[ædmínəstrèitiv əsístənt]
16	비서	16	secretary	[sékrətèri]
17	사무보조원	17	office assistant	[ɔ́:fis əsìstənt]
18	문서정리원	18	file clerk	[fáil klə̀:rk]
19	타자수	19	typist	[táipist]
20	접수계원	20	receptionist	[risépʃənist]
21	직장상사	21	supervisor	[sú:pərvàizər]
22	사원, 종업원	22	employee	[implɔ́i:]
23	급료계원	23	payroll clerk	[péiroul klə̀:rk]
24	급료명세표	24	pay stub	[péi stʌ̀b]
25	임금, 급료	25	wages, pay	[wéidʒiz], [pei]

Tips

- 틀니, 의치
  - –artificial tooth [ɑ̀:rtəfíʃəl tù:θ]
  - –false tooth [fɔ́:ls tù:θ]
- 총의치(상하 한 벌) dentures[déntʃərz]
- '충치'의 다른 표현 decayed tooth [dikéid tù:θ]
- 면접시험 보려는 사람 interviewee [ìntərvju:í:]

26 공제액	26 deductions	[didʌ́kʃənz]	
27 월급봉투	27 pay envelope	[péi ènvəlòup]	
28 **사무용품**	28 **office supplies**	[ɔ́:fis səplàiz]	
29 데스크톱 컴퓨터	29 desktop computer	[désktɑ̀p kəmpjú:tər]	
30 탁상용 달력	30 desk calendar	[désk kǽləndər]	
31 복사기	31 copy machine	[kɑ́pi məʃí:n]	
32 인쇄출력	32 printout	[príntàut]	
33 문서 보관함	33 file cabinet	[fáil kǽbənit]	
34 소모품 보관함	34 supply cabinet	[səplái kǽbənit]	
35 물품 보관함	35 storage cabinet	[stɔ́:ridʒ kǽbənit]	
36 메모장	36 message pad	[mésidʒ pæ̀d]	
37 종이재단기	37 paper cutter	[péipər kʌ̀tər]	
38 문서파쇄기	38 paper shredder	[péipər ʃrèdər]	
39 **사무공간**	39 **office space**	[ɑ́:fis spèis]	
40 칸막이한 작은방	40 cubicle	[kjú:bikl]	
41 접수처	41 reception area	[risépʃən èəriə]	
42 게시판	42 message board	[mésidʒ bɔ̀:rd]	
43 안전수칙	43 safety regulations	[séifti règjəléiʃənz]	
44 커피자판기	44 coffee machine	[kɑ́:fi məʃí:n]	
45 음료수 자판기	45 soda machine	[sóudə məʃí:n]	
46 비품실	46 supply room	[səplái rù:m]	
47 창고, 저장고	47 storage room	[stɔ́:ridʒ rù:m]	
48 회의실	48 conference room	[kɑ́nfərəns rù:m]	
49 회의용 탁자	49 conference table	[kɑ́nfərəns tèibəl]	
50 프로젝터	50 projector	[prədʒéktər]	

Tips

- '직장'은 그냥 'work'라고도 한다.

Unit 10

구직 · 사무실 · 직업의 종류 1

			Tips
51 스크린	51 screen	[skri:n]	
52 **직업**	52 **occupation**	[àkjəpéiʃən]	
53 공무원	53 public servant	[pʌ́blik sə́:rvənt]	
54 판사	54 judge	[dʒʌdʒ]	
55 검사	55 public prosecutor	[pʌ́blik prásəkjù:tər]	
56 변호사	56 lawyer	[lɔ́:jər]	
57 세무사	57 tax accountant	[tǽks əkáuntənt]	
58 의사(=doctor)	58 physician	[fizíʃən]	
59 약사(=druggist)	59 pharmacist	[fá:rməsist]	
60 간호사	60 nurse	[nə:rs]	
61 교사	61 teacher	[tí:tʃər]	
62 교수	62 professor	[prəfésər]	
63 대학 강사	63 lecturer	[léktʃərər]	
64 학원 강사	64 academy instructor	[əkǽdəmi instrʌ́ktər]	
65 학자	65 scholar	[skálər]	
66 과학자	66 scientist	[sáiəntist]	
67 수학자	67 mathematician	[mæθəmətíʃən]	
68 언어학자	68 linguist	[líŋgwist]	
69 생물학자	69 biologist	[baiálədʒist]	
70 물리학자	70 physicist	[fízisist]	
71 화학자	71 chemist	[kémist]	
72 생태학자	72 ecologist	[iká:lədʒist]	
73 지질학자	73 geologist	[dʒì:álədʒist]	
74 고고학자	74 archeologist	[à:rkiálədʒist]	
75 경제학자	75 economist	[ikánəmist]	

76 **기사, 전문공학자**	76 **engineer**	[èndʒəníər]	
77 토목기사	77 civil engineer	[sívəl èndʒəníər]	
78 전기기사	78 electrical engineer	[iléktrikəl èndʒəníər]	
79 건축기사	79 architect	[ɑ́:rkitèkt]	
80 컴퓨터 프로그래머	80 computer programer	[kəmpjú:tər pròugræmər]	
81 **예술가**	81 **artist**	[ɑ́:rtist]	
82 화가	82 painter	[péintər]	
83 조각가	83 sculptor	[skʌ́lptər]	
84 음악가	84 musician	[mju:zíʃən]	
85 피아니스트	85 pianist	[piǽnist]	
86 바이올리니스트	86 violinist	[vàiəlínist]	
87 첼로주자	87 cellist	[tʃélist]	
88 가수	88 singer	[síŋər]	
89 작곡가	89 composer	[kəmpóuzər]	
90 지휘자	90 conductor	[kəndʌ́ktər]	
91 무용가	91 dancer	[dǽnsər]	
92 발레댄서	92 ballet dancer	[bǽlei dæ̀nsər]	
93 발레리나	93 ballerina	[bæ̀lərí:nə]	
94 연예인, 유명인사	94 celebrity	[səlébrəti]	
95 배우	95 actor	[ǽktər]	
96 여배우	96 actress	[ǽktris]	
97 영화감독	97 film director	[fílm dirèktər]	
98 극작가	98 playwriter	[pléiràitər]	
99 소설가	99 novelist	[nɑ́vəlist]	
100 비평가	100 critic	[krítik]	

Tips

- '사람'을 나타내는 어미
  –'원형동사'의 뒤에 –er, –or, –ar, –ant 등을 붙이면 '그 동사의 내용에 관련된 일을 하는 사람'이라는 뜻이 된다.
  –worker[wə́:rkər] (일하는 사람: 노동자)
  –sailor[séilər] (항해하는 사람: 선원)
  –beggar[bégər] (구걸하는 사람: 거지)
  –attendant[əténdənt] (시중드는 사람)
- 그밖에 '사람'을 나타내는 어미들
  –al: individual(개인) [ìndəvídʒuəl]
  –an: Christian(기독교인) [krístʃən]
  –ard: coward[káuərd] (겁쟁이)
  –ary: adversary [ǽdvərsèri] (적, 대항자)
  –at: acrobat[ǽkrəbæ̀t] (곡예사)
  –ate: advocate[ǽdvəkit] (옹호자, 대변자)
  –eer: volunteer [vɑ̀ləntíər] (지원자)
  –ent: client[kláiənt] (의뢰인, 고객)

Review Test 1

THE VOCABULARY 901 - 1000

● 다음 주어진 우리말 단어 뜻을 보고 영단어를 말해 보세요.

1 직장 구하기
2 입사지원서 양식
3 이력서
4 자기소개서
5 면접
6 입사지원자
7 면접관
8 구인광고
9 입사
10 퇴사
11 직장, 일터
12 사무실
13 사장, 고용주
14 사무실 관리자
15 비서실장
16 비서
17 사무보조원
18 문서정리원
19 타자수
20 접수계원
21 직장상사
22 사원, 종업원
23 급료계원
24 급료명세표
25 임금, 급료
26 공제액
27 월급봉투
28 사무용품
29 데스크톱 컴퓨터
30 탁상용 달력
31 복사기
32 인쇄출력
33 문서 보관함
34 소모품 보관함
35 물품 보관함
36 메모장
37 종이재단기
38 문서파쇄기
39 사무공간
40 칸막이한 작은방
41 접수처
42 게시판
43 안전수칙
44 커피자판기
45 음료수 자판기
46 비품실
47 창고, 저장고
48 회의실
49 회의용 탁자
50 프로젝터
51 스크린
52 직업
53 공무원
54 판사
55 검사
56 변호사
57 세무사
58 의사(=doctor)
59 약사(=druggist)
60 간호사
61 교사
62 교수
63 대학 강사
64 학원 강사
65 학자
66 과학자
67 수학자
68 언어학자
69 생물학자
70 물리학자
71 화학자
72 생태학자
73 지질학자
74 고고학자
75 경제학자
76 기사, 전문공학자
77 토목기사
78 전기기사
79 건축기사
80 컴퓨터 프로그래머
81 예술가
82 화가
83 조각가
84 음악가
85 피아니스트
86 바이올리니스트
87 첼로주자
88 가수
89 작곡가
90 지휘자
91 무용가
92 발레댄서
93 발레리나
94 연예인, 유명인사
95 배우
96 여배우
97 영화감독
98 극작가
99 소설가
100 비평가

Review Test 2

THE VOCABULARY 901 - 1000

● 다음 주어진 영단어를 보고 우리말 뜻을 말해 보세요.

1 seeking employment
2 application form
3 résumé
4 cover letter
5 job interview
6 job candidate
7 interviewer
8 classifieds
9 entering a company
10 retirement
11 working place
12 office
13 employer, boss
14 office manager
15 administrative assistant
16 secretary
17 office assistant
18 file clerk
19 typist
20 receptionist
21 supervisor
22 employee
23 payroll clerk
24 pay stub
25 wages, pay
26 deductions
27 pay envelope
28 office supplies
29 desktop computer
30 desk calendar
31 copy machine
32 printout
33 file cabinet
34 supply cabinet
35 storage cabinet
36 message pad
37 paper cutter
38 paper shredder
39 office space
40 cubicle
41 reception area
42 message board
43 safety regulations
44 coffee machine
45 soda machine
46 supply room
47 storage room
48 conference room
49 conference table
50 projector
51 screen
52 occupation
53 public servant
54 judge
55 public prosecutor
56 lawyer
57 tax accountant
58 physician
59 pharmacist
60 nurse
61 teacher
62 professor
63 lecturer
64 academy instructor
65 scholar
66 scientist
67 mathematician
68 linguist
69 biologist
70 physicist
71 chemist
72 ecologist
73 geologist
74 archeologist
75 economist
76 engineer
77 civil engineer
78 electrical engineer
79 architect
80 computer programer
81 artist
82 painter
83 sculptor
84 musician
85 pianist
86 violinist
87 cellist
88 singer
89 composer
90 conductor
91 dancer
92 ballet dancer
93 ballerina
94 celebrity
95 actor
96 actress
97 film director
98 playwriter
99 novelist
100 critic

Unit 11

직업의 종류2

1	**방송인**	1 **broadcaster**	[brɔ́:dkæ̀stər]	
2	**언론인**	2 **journalist**	[dʒə́:rnəlist]	
3	보도기자	3 reporter	[ripɔ́:rtər]	
4	편집자	4 editor	[édətər]	
5	삽화가	5 illustrator	[íləstrèitər]	
6	만화가	6 cartoonist	[kɑ:rtú:nist]	
7	그래픽 디자이너	7 graphic designer	[grǽfik dizàinər]	
8	카피라이터	8 copywriter	[kápiràitər]	
9	통역사	9 interpreter	[intə́:rprətər]	
10	번역가	10 translator	[trænsléitər]	
11	감독	11 director	[diréktər]	
12	기상캐스터	12 weather forecaster	[wéðər fɔ̀:rkæstər]	
13	**정치가**	13 **statesman**	[stéitsmən]	
14	정치꾼, 책사	14 politician	[pὰlətíʃən]	
15	상원의원	15 Senator	[sénətər]	
16	하원의원	16 Congressman	[káŋgrismən]	
17	외교관	17 diplomat	[dípləmæ̀t]	
18	대사	18 ambassador	[æmbǽsədər]	
19	**성직자, 사제**	19 **priest**	[pri:st]	
20	목사(=minister)	20 clergyman	[klə́:rdʒimən]	
21	주임목사	21 pastor	[pǽstər]	
22	신부	22 Father	[fá:ðər]	
23	수녀	23 nun	[nʌn]	
24	승려, 수사	24 monk	[mʌŋk]	
25	**디자이너**	25 **designer**	[dizáinər]	

Tips

- 그밖에 '사람'을 나타내는 어미들
  - -ic: alcoholic [æ̀lkəhɔ́:lik] (알코올중독자)
  - -ist:artist[á:rtist] (예술가)
  - -man:chairman [tʃέərmən](의장)
  - -tive:captive[kǽptiv] (포로)
  - -ess:countess [káuntis] (백작부인)
  - ⇨ '-ess'는 사람이나 동물 뒤에 붙여서 그 사람이나 동물이 여성임을 나타내는 어미이다.

26 패션디자이너	26 fashion designer	[fǽʃən dizàinər]	Tips
27 스타일리스트	27 stylist	[stáilist]	
28 **파일럿, 조종사**	28 **pilot**	[páilət]	
29 부조종사	29 copilot	[kóupàilət]	
30 기장, 선장	30 captain	[kǽptin]	
31 항법사, 항해사	31 navigator	[nǽvəgèitər]	
32 스튜어디스	32 stewardess	[stjú:ərdis]	
33 선원	33 sailor	[séilər]	
34 우주비행사	34 astronaut	[ǽstrənɔ̀:t]	
35 회계사	35 accountant	[əkáuntənt]	
36 **회사원**	36 **company worker**	[kʌ́mpəni wə̀:rkər]	
37 **사무원**	37 **office clerk**	[ɑ́:fis klə̀:rk]	
38 은행원	38 bank clerk	[bǽŋk klə̀:rk]	
39 비서	39 secretary	[sékrətèri]	
40 접수계원	40 receptionist	[risépʃənist]	
41 **가게주인**	41 **storekeeper**	[stɔ́:rkì:pər]	
42 상점판매원	42 salesclerk	[séilzklə̀:rk]	
43 웨이터(=server)	43 waiter	[wéitər]	
44 계산원	44 cashier	[kæʃíər]	
45 요리사	45 cook	[kuk]	
46 미용사	46 hairdresser	[hɛ́ərdrèsər]	
47 이발사	47 barber	[bá:rbər]	
48 양복기술자	48 tailor	[téilər]	
49 외판원	49 salesman	[séilzmən]	
50 길거리 상인	50 street vendor	[strí:t vèndər]	

Unit 11

직업의 종류2

			Tips
51 신문판매원	51 newsboy	[njú:zbɔ̀i]	
52 부동산 중개인	52 real estate agent	[rí:əl istèit éidʒənt]	
53 호텔종업원	53 hotel employee	[houtél implɔ̀i:]	
54 여행안내업자	54 travel agent	[trǽvəl èidʒənt]	
55 경찰관	55 policeman	[pəlí:smən]	
56 소방대원	56 fire fighter	[fáiər fàitər]	
57 삼림경비대원	57 forest ranger	[fɔ́:rist rèindʒər]	
58 공원관리원	58 park ranger	[pá:rk rèindʒər]	
59 경비원	59 guard	[gɑ:rd]	
60 교도소 직원	60 prison guard	[prízn gà:rd]	
61 교도소장	61 warden	[wɔ́:rdn]	
62 수위, 관리인	62 janitor	[dʒǽnətər]	
63 **역무원**	63 **station employee**	[stéiʃən implɔ́i:]	
64 차장	64 conductor	[kəndʌ́ktər]	
65 기관차운전기사	65 engineer	[èndʒəníər]	
66 버스운전기사	66 bus driver	[bʌ́s dràivər]	
67 장거리트럭운전기사	67 trucker	[trʌ́kər]	
68 우체국원	68 mail clerk	[méil klə̀:rk]	
69 우편배달원	69 mailman	[méilmæ̀n]	
70 **농부**	70 **farmer**	[fá:rmər]	
71 목동, 카우보이	71 cowboy	[káubɔ̀i]	
72 양치기	72 shepherd	[ʃépərd]	
73 원예가, 정원사	73 gardener	[gá:rdnər]	
74 목재상, 제재업자	74 lumberman	[lʌ́mbərmən]	
75 사냥꾼	75 hunter	[hʌ́ntər]	

76 어부	76 fisherman	[fíʃərmən]	
77 **기술자, 전문가**	77 **technician**	[tekníʃən]	
78 사진사	78 photographer	[fətágrəfər]	
79 전기기술자	79 electrician	[ilèktríʃən]	
80 자동차 수리공	80 auto mechanic	[ɔ́:tou məkǽnik]	
81 기계공	81 mechanic	[məkǽnik]	
82 배관공	82 plumber	[plʌ́mər]	
83 대장장이	83 blacksmith	[blǽksmìθ]	
84 목수	84 carpenter	[ká:rpəntər]	
85 건축업자	85 builder	[bíldər]	
86 배달원	86 delivery person	[dilívəri pə̀:rsən]	
87 베이비시터	87 baby sitter	[béibi sìtər]	
88 하인	88 servant	[sə́:rvənt]	
89 하녀	89 maid	[meid]	
90 가정부, 객실책임자	90 housekeeper	[háuskì:pər]	
91 공사장 인부	91 construction worker	[kənstrʌ́kʃən wə̀:rkər]	
92 **직업**(격식체)	92 **occupation**	[àkjəpéiʃən]	
93 **직업**(구어체)	93 **job**	[dʒab]	
94 지적인 직업	94 profession	[prəféʃən]	
95 직업, 천직, 소명	95 calling	[kɔ́:liŋ]	
96 직업, 천직	96 vocation	[voukéiʃən]	
97 장사, 사업	97 business	[bíznis]	
98 일, 직업	98 work	[wə:rk]	
99 부업, 시간제 일	99 part-time job	[pá:rttàim dʒáb]	
100 전업, 상근직	100 full-time job	[fú:ltàim dʒáb]	

Tips

- stewardess는 원래 '여승무원'의 뜻인데, 요즘에는 보통 중성적으로 flight attendant(접객승무원)으로 부른다.

● 다음 주어진 우리말 단어 뜻을 보고 영단어를 말해 보세요.

1	방송인	26	패션디자이너	51	신문판매원	76	어부
2	언론인	27	스타일리스트	52	부동산 중개인	77	기술자, 전문가
3	보도기자	28	파일럿, 조종사	53	호텔종업원	78	사진사
4	편집자	29	부조종사	54	여행안내업자	79	전기기술자
5	삽화가	30	기장, 선장	55	경찰관	80	자동차 수리공
6	만화가	31	항법사, 항해사	56	소방대원	81	기계공
7	그래픽 디자이너	32	스튜어디스	57	삼림경비대원	82	배관공
8	카피라이터	33	선원	58	공원관리원	83	대장장이
9	통역사	34	우주비행사	59	경비원	84	목수
10	번역가	35	회계사	60	교도소 직원	85	건축업자
11	감독	36	회사원	61	교도소장	86	배달원
12	기상캐스터	37	사무원	62	수위, 관리인	87	베이비시터
13	정치가	38	은행원	63	역무원	88	하인
14	정치꾼, 책사	39	비서	64	차장	89	하녀
15	상원의원	40	접수계원	65	기관차운전기사	90	가정부, 객실책임자
16	하원의원	41	가게주인	66	버스운전기사	91	공사장 인부
17	외교관	42	상점판매원	67	장거리트럭운전기사	92	직업(격식체)
18	대사	43	웨이터(=server)	68	우체국원	93	직업(구어체)
19	성직자, 사제	44	계산원	69	우편배달원	94	지적인 직업
20	목사(=minister)	45	요리사	70	농부	95	직업, 천직, 소명
21	주임목사	46	미용사	71	목동, 카우보이	96	직업, 천직
22	신부	47	이발사	72	양치기	97	장사, 사업
23	수녀	48	양복기술자	73	원예가, 정원사	98	일, 직업
24	승려, 수사	49	외판원	74	목재상, 제재업자	99	부업, 시간제 일
25	디자이너	50	길거리 상인	75	사냥꾼	100	전업, 상근직

THE VOCABULARY
1001 - 1100

● 다음 주어진 영단어를 보고 우리말 뜻을 말해 보세요.

1 broadcaster
2 journalist
3 reporter
4 editor
5 illustrator
6 cartoonist
7 graphic designer
8 copywriter
9 interpreter
10 translator
11 director
12 weather forecaster
13 statesman
14 politician
15 Senator
16 Congressman
17 diplomat
18 ambassador
19 priest
20 clergyman
21 pastor
22 Father
23 nun
24 monk
25 designer
26 fashion designer
27 stylist
28 pilot
29 copilot
30 captain
31 navigator
32 stewardess
33 sailor
34 astronaut
35 accountant
36 company worker
37 office clerk
38 bank clerk
39 secretary
40 receptionist
41 storekeeper
42 salesclerk
43 waiter
44 cashier
45 cook
46 hairdresser
47 barber
48 tailor
49 salesman
50 street vendor
51 newsboy
52 real estate agent
53 hotel employee
54 travel agent
55 policeman
56 fire fighter
57 forest ranger
58 park ranger
59 guard
60 prison guard
61 warden
62 janitor
63 station employee
64 conductor
65 engineer
66 bus driver
67 trucker
68 mail clerk
69 mailman
70 farmer
71 cowboy
72 shepherd
73 gardener
74 lumberman
75 hunter
76 fisherman
77 technician
78 photographer
79 electrician
80 auto mechanic
81 mechanic
82 plumber
83 blacksmith
84 carpenter
85 builder
86 delivery person
87 baby sitter
88 servant
89 maid
90 housekeeper
91 construction worker
92 occupation
93 job
94 profession
95 calling
96 vocation
97 business
98 work
99 part-time job
100 full-time job

Unit **12**

입법부 · 행정부 · 사법부 · 선거 · 외교 · 법률제도

1	**정부, 정권**	1	**Government**	[gʌ́vərnmənt]
2	**입법부**	2	**Legislative Branch**	[lédʒislèitiv brǽntʃ]
3	의회, 국회	3	Congress	[káŋgris]
4	하원의원	4	congressperson	[káŋgrispə̀:rsən]
5	상원	5	the Senate	[ðə sénət]
6	상원의원	6	Senator	[sénətər]
7	정당	7	political party	[pəlítikəl pá:rti]
8	여당	8	the Government party	[ðə gʌ́vərnmənt pɑ̀:rti]
9	야당	9	opposition party	[ɑ̀pəzíʃən pɑ̀:rti]
10	국회의사당	10	the Capitol	[ðə kǽpitl]
11	국회의장	11	the Chairman of Congress	[ðə tʃέərmən əv káŋgris]
12	한국의 국회	12	National Assembly	[nǽʃənəl əsémbli]
13	한국의 국회의원	13	member of National Assembly	[mémbər əv nǽʃənəl əsémbli]
14	대통령의 교서	14	message	[mésidʒ]
15	비준, 재가	15	ratification	[rӕtəfikéiʃən]
16	거부권 [행사]	16	veto	[ví:tou]
17	채택	17	adoption	[ədápʃən]
18	입법, 법률제정	18	legislation	[lèdʒisléiʃən]
19	**행정부**	19	**Executive Branch**	[igzékjətiv brӕ̀ntʃ]
20	백악관	20	the White House	[ðə wáit hàus]
21	청와대	21	the Blue House	[ðə blú: hàus]
22	대통령	22	the President	[ðə prézidənt]
23	부통령(=V.P.)	23	Vice President	[váis prèzidənt]
24	수상	24	Prime Minister	[práim mìnistər]
25	내각	25	cabinet	[kǽbənit]

Tips

- 정강, 정당의 강령 platform[plǽtfɔ̀:rm]
- 정책 policy[páləsi]
- '여당'의 다른 말 ruling party [rú:liŋpɑ̀:rti]
- 다수당 majority party [mədʒɔ́:rəti pɑ̀:rti]
- 소수당 minority party [mainɔ́:rəti pɑ̀:rti]
- 법안 bill[bil]
- 투표 vote[vout]
- 일치, 합의 consensus [kənsénsəs]
- 통과, 가결 passage[pǽsidʒ]
- 회기, 개회 중임 session[séʃən]
- 휴회, 휴정 recess[rí:ses]
- 대변인 spokesman [spóuksmən]
- 장관, 외교공사 minister[mínistər]
- 뇌물수수 bribery[bráibəri]

26	**사법부**	26	**Judicial Branch**	[dʒu:díʃəl brǽntʃ]
27	연방최고법원, 대법원	27	Supreme Court	[səprí:m kɔ̀:rt]
28	재판관, 판사	28	justice, judge	[dʒʌ́stis], [dʒʌdʒ]
29	재판장	29	the chief justice	[ðə tʃí:f dʒʌ̀stis]
30	[재판관의] 임명, 지명	30	appointment	[əpɔ́intmənt]
31	**대통령 선거**	31	**President Election**	[prézidənt ilèkʃən]
32	대통령 예비선거	32	Presidential Primary	[prèzədénʃəl pràimèri]
33	후보자	33	candidate	[kǽndidèit]
34	지지자	34	supporter	[səpɔ́:rtər]
35	투표자	35	voter	[vóutər]
36	투표용지	36	ballot	[bǽlət]
37	투표함	37	ballot box	[bǽlət bàks]
38	지명	38	nomination	[nàmənéiʃən]
39	지명된 사람	39	nominee	[nàməní:]
40	대의원	40	delegate	[déligit]
41	선거운동	41	campaign	[kæmpéin]
42	주 당 대회	42	state convention	[stéit kənvènʃən]
43	전국 당 대회	43	national convention	[nǽʃənəl kənvènʃən]
44	선거인단	44	electoral college	[iléktərəl kálidʒ]
45	선거인단에 의한 선거	45	electoral vote	[iléktərəl vóut]
46	일반투표	46	popular vote	[pápjələr vóut]
47	대통령 당선자	47	President-elect	[prézidənt ilékt]
48	취임식	48	inauguration	[inɔ̀:gjuréiʃən]
49	대통령 문장(紋章)	49	seal of the President	[sí:l əv ðə prézidənt]
50	낙선자	50	defeated candidate	[difí:tid kændidèit]

Tips

- 선거
  election[ilékʃən]
- 투표권, 참정권
  suffrage[sʌ́fridʒ]
- 공약
  pledge[pledʒ]
- 지지
  support[səpɔ́:rt]
- 중상, 허위선전
  slander[slǽndər]
- 추문, 스캔들
  scandal[skǽndl]
- 투표, 여론조사
  poll[poul]
- 선거의 압도적인 대승
  landslide[lǽndslàid]
  ⇨ 문자적인 뜻=산사태
- 예산, 예산안
  budget[bʌ́dʒit]
- 의장의 결정투표
  casting vote
  [kǽstiŋvòut]
- 의사진행방해
  filibuster[fíləbʌ̀stər]
- 여론조사
  public opinion poll
  [pʌ́blik əpìnjən póul]
- 개회 중, 회기
  session[séʃən]
- 동의
  motion[móuʃən]

Unit 12

입법부 · 행정부 · 사법부 · 선거 · 외교 · 법률제도

No.	한국어	No.	English	발음
51	**외교**	51	**diplomacy**	[diplóuməsi]
52	외교관	52	diplomat	[díplәmæ̀t]
53	대사, 사절	53	ambassador	[æmbǽsədər]
54	전권공사, 특사	54	envoy	[énvɔi]
55	공사	55	minister	[mínistər]
56	총영사	56	consul general	[kánsəl dʒènərəl]
57	영사	57	consul	[kánsəl]
58	대사관	58	embassy	[émbəsi]
59	공사관	59	legation	[ligéiʃən]
60	영사관	60	consulate	[kánsəlit]
61	**국제정치**	61	**international politics**	[ìntərnǽʃənəl pàlətiks]
62	국제협정	62	international agreement	[ìntərnǽʃənəl əgrí:mənt]
63	동맹	63	alliance	[əláiəns]
64	동맹국, 연합국	64	ally	[ǽlai]
65	안전보장조약	65	security pact	[sikjúəriti pæ̀kt]
66	무력외교, 권력정치	66	power politics	[páuər pàlətiks]
67	세력균형	67	balance of power	[bǽləns əv páuər]
68	긴급통신용 직통선	68	hot line	[hát làin]
69	긴장완화, 데탕트(F)	69	détente	[deitá:nt]
70	평화조약	70	peace treaty	[pí:s trì:ti]
71	평화공존	71	peaceful coexistence	[pí:sfəl kòuigzístəns]
72	아그레망(F)	72	agrement	[à:greimá:nt]
73	의정서, 의전	73	protocol	[próutəkɔ̀:l]
74	정상회담(=~talk)	74	summit meeting	[sʌ́mit mì:tiŋ]
75	무정부상태	75	anarchy	[ǽnərki]

Tips

- 조약, 협정 pact[pækt]
- 사절단 mission[míʃən] '임무, 사명'이라는 뜻도 있다.
- 대표, 사절 delegate[déligit]
- 특권, 특전 privilege[prívəlidʒ]
- 면책, 면제 immunity[imjú:nəti]

76	**법률제도**	76	**legal system**	[lí:gəl sìstəm]
77	경찰관	77	police officer	[pəlí:s ɑ̀:fisər]
78	용의자	78	suspect	[sʌ́spekt]
79	수갑	79	handcuffs	[hǽndkʌfs]
80	체포, 구류	80	arrest	[ərést]
81	구금	81	detention	[diténʃən]
82	변호사	82	lawyer, attorney	[lɔ́:jər], [ətə́:rni]
83	피고인 측 변호사	83	defense attorney	[diféns ətə̀:rni]
84	조사, 신문	84	questioning	[kwéstʃəniŋ]
85	수사	85	investigation	[invèstəgéiʃən]
86	법원	86	court	[kɔ:rt]
87	법정	87	courtroom	[kɔ́:rtrù:m]
88	피고, 피고인	88	defendant	[diféndənt]
89	형사사건 원고	89	accuser	[əkjú:zər]
90	민사사건 원고	90	plaintiff	[pléintif]
91	배심원	91	jury	[dʒúəri]
92	검사	92	prosecuting attorney	[prásəkjù:tiŋ ətə́:rni]
93	증인	93	witness	[wítnis]
94	증거	94	evidence	[évidəns]
95	법정 속기사	95	court reporter	[kɔ́:rt ripɔ̀:rtər]
96	법정경위	96	bailiff	[béilif]
97	배심원의 평결	97	verdict	[və́:rdikt]
98	기결수, 죄수	98	convict, prisoner	[kənvíkt], [príznər]
99	교도소, 구치소	99	prison, jail	[prízn], [dʒeil]
100	수감	100	imprisonment	[imprízn mənt]

Tips

- '구금'을 나타내는 다른 말들
  - –confinement [kənfáinmənt]
  - –custody [kʌ́stədi]

● 다음 주어진 우리말 단어 뜻을 보고 영단어를 말해 보세요.

1 정부, 정권
2 입법부
3 의회, 국회
4 하원의원
5 상원
6 상원의원
7 정당
8 여당
9 야당
10 국회의사당
11 국회의장
12 한국의 국회
13 한국의 국회의원
14 대통령의 교서
15 비준, 재가
16 거부권 [행사]
17 채택
18 입법, 법률제정
19 행정부
20 백악관
21 청와대
22 대통령
23 부통령(=V.P.)
24 수상
25 내각
26 사법부
27 연방최고법원, 대법원
28 재판관, 판사
29 재판장
30 [재판관의] 임명, 지명
31 대통령 선거
32 대통령 예비선거
33 후보자
34 지지자
35 투표자
36 투표용지
37 투표함
38 지명
39 지명된 사람
40 대의원
41 선거운동
42 주 당 대회
43 전국 당 대회
44 선거인단
45 선거인단에 의한 선거
46 일반투표
47 대통령 당선자
48 취임식
49 대통령 문장
50 낙선자
51 외교
52 외교관
53 대사, 사절
54 전권공사, 특사
55 공사
56 총영사
57 영사
58 대사관
59 공사관
60 영사관
61 국제정치
62 국제협정
63 동맹
64 동맹국, 연합국
65 안전보장조약
66 무력외교, 권력정치
67 세력균형
68 긴급통신용 직통선
69 긴장완화, 데탕트(F)
70 평화조약
71 평화공존
72 아그레망(F)
73 의정서, 의전
74 정상회담(=~talk)
75 무정부상태
76 법률제도
77 경찰관
78 용의자
79 수갑
80 체포, 구류
81 구금
82 변호사
83 피고인 측 변호사
84 조사, 신문
85 수사
86 법원
87 법정
88 피고, 피고인
89 형사사건 원고
90 민사사건 원고
91 배심원
92 검사
93 증인
94 증거
95 법정 속기사
96 법정경위
97 배심원의 평결
98 기결수, 죄수
99 교도소, 구치소
100 수감

Review Test 2

THE VOCABULARY 1101 - 1200

● 다음 주어진 영단어를 보고 우리말 뜻을 말해 보세요.

1 Government
2 Legislative Branch
3 Congress
4 congressperson
5 the Senate
6 Senator
7 political party
8 the Government party
9 opposition party
10 the Capitol
11 the Chairman of Congress
12 National Assembly
13 member of National Assembly
14 message
15 ratification
16 veto
17 adoption
18 legislation
19 Executive Branch
20 the White House
21 the Blue House
22 the President
23 Vice President
24 Prime Minister
25 cabinet
26 Judicial Branch
27 Supreme Court
28 justice, judge
29 the chief justice
30 appointment
31 President Election
32 Presidential Primary
33 candidate
34 supporter
35 voter
36 ballot
37 ballot box
38 nomination
39 nominee
40 delegate
41 campaign
42 state convention
43 national convention
44 electoral college
45 electoral vote
46 popular vote
47 President-elect
48 inauguration
49 seal of the President
50 defeated candidate
51 diplomacy
52 diplomat
53 ambassador
54 envoy
55 minister
56 consul general
57 consul
58 embassy
59 legation
60 consulate
61 international politics
62 international agreement
63 alliance
64 ally
65 security pact
66 power politics
67 balance of power
68 hot line
69 détente
70 peace treaty
71 peaceful coexistence
72 agrement
73 protocol
74 summit meeting
75 anarchy
76 legal system
77 police officer
78 suspect
79 handcuffs
80 arrest
81 detention
82 lawyer, attorney
83 defense attorney
84 questioning
85 investigation
86 court
87 courtroom
88 defendant
89 accuser
90 plaintiff
91 jury
92 prosecuting attorney
93 witness
94 evidence
95 court reporter
96 bailiff
97 verdict
98 convict, prisoner
99 prison
100 imprisonment

Unit 13

경찰 · 법률 · 소방서 · 재해 및 재난

1	**경찰**	1	**the police**	[ðəpəlí:s]
2	배지(경찰신분증)	2	badge, shield	[bædʒ], [ʃi:ld]
3	권총	3	gun	[gʌn]
4	실탄	4	bullet	[búlit]
5	휴대용 무전기	5	walkie-talkie	[wɔ́:kitɔ́:ki]
6	범행현장	6	the scene of the crime	[ðə sí:n əv ðə kráim]
7	순찰차(=cruiser)	7	police car	[pəlí:s kɑ̀:r]
8	가해자	8	attacker, assailant	[ətǽkər], [əséilənt]
9	피해자	9	victim	[víktim]
10	형사	10	detective	[ditéktiv]
11	검시관	11	coroner	[kɔ́:rənər]
12	검시, 부검	12	autopsy	[ɔ́:tɑ:psi]
13	탐문수사	13	legwork	[légwə̀:rk]
14	진술	14	statement	[stéitmənt]
15	유치장	15	detention cell	[diténʃən sèl]
16	감옥	16	prison, jail	[prízn], [dʒeil]
17	경찰서장	17	chief of police	[tʃí:f əv pəlí:s]
18	경찰지서장	18	captain	[kǽptin]
19	지서차장	19	lieutenant	[lu:ténənt]
20	경사	20	sergeant	[sɑ́:rdʒənt]
21	순찰경관	21	patrolman	[pətróulmən]
22	미연방수사국	22	FBI	[èfbi:ái]
23	FBI의 형사	23	G-man	[dʒí:mæ̀n]
24	불법주차단속여경	24	meter maid	[mí:tər mèid]
25	경찰관	25	cop, copper	[kɑp], [kɑ́pər]

Tips

- legwork
  원래 '발품을 팔아야 하는 일'이라는 뜻이다. 취재, 탐방, 탐문수사 등의 뜻이 있다.
- chief[tʃi:f]
  어느 단체의 '장(長), 우두머리, 지배자'라는 뜻.
- G-man
  Government-man의 뜻. (정부에 속한 사람)

26 지문	26 fingerprint	[fíŋgərprìnt]
27 족문	27 footprint	[fútprìnt]
28 몽타주 사진	28 montage	[mantá:ʒ]
29 필적감정	29 handwriting identification	[hǽndràitiŋ aidèntəfikéiʃən]
30 DNA분석	30 DNA identification	[dì:enéi aidèntəfikéiʃən]
31 거짓말탐지기	31 lie detector	[lái ditèktər]
32 주요한 범죄들	**32 major crimes**	[méidʒər kràimz]
33 살인	33 murder	[mə́:rdər]
34 과실치사	34 manslaughter	[mǽnslɔ:tər]
35 강도	35 robbery	[rábəri]
36 강간, 성폭행	36 forcible rape	[fɔ:rsəbəl reip]
37 절도	37 theft, larceny	[θeft], [lá:rsəni]
38 자동차 절도	38 auto theft	[ɔ́:tou θèft]
39 유괴	39 kidnapping	[kídnæ̀piŋ]
40 야간절도	40 burglary	[bə́:rgləri]
41 헌법	**41 constitution**	[kànstətjú:ʃən]
42 민법	42 civil law	[sívəl lɔ̀:]
43 형법	43 criminal law	[krímənl lɔ̀:]
44 증언	44 testimony	[téstəmòuni]
45 고소, 소송	45 suit	[su:t]
46 보석금	46 bail	[beil]
47 벌금	47 fine	[fain]
48 중죄	48 felony	[féləni]
49 종신형	49 life imprisonment	[láif impríznmənt]
50 사형	50 capital punishment	[kǽpitl pʌ̀niʃmənt]

Tips

- '유괴'의 다른 표현 abduction [æbdʌ́kʃən]
- 반역죄 treason[trí:zən]
- 암살 assassination [əsæ̀sənéiʃən]
- 경범죄, 비행 misdemeanor [mìsdimí:nər]
- 방화 arson[á:rsn]
- 살인(통칭) homicide[hámәsàid]
- 사기, 사기꾼 fraud[frɔ:d]
- 학대, 폭행 abuse[əbjú:z]
- 괴롭힘, 희롱 harassment [hərǽsmənt]
- 밀수 smuggling [smʌ́gliŋ]
- 간통, 불륜 adultery[ədʌ́ltəri]
- 소매치기 pickpocket [píkpàkit]
- 마약중독자 drug addict [drʌ́g ədìkt]

Unit 13

경찰 · 법률 · 소방서 · 재해 및 재난

			Tips
51 **소방서**	51 **fire station**	[fáiər stèiʃən]	
52 소방관(=fireman)	52 fire fighter	[fáiər fàitər]	
53 소방대장	53 fire chief	[fáiər tʃi:f]	
54 소방차(=~truck)	54 fire engine	[fáiər èndʒən]	
55 소방복	55 bunker gear	[bʌ́ŋkər gìər]	
56 경보 벨	56 alarm bell	[əlá:rm bèl]	
57 미끄럼 봉	57 sliding pole	[sláidiŋ pòul]	
58 화재현장	58 the scene of a fire	[ðə sí:n əv ə fáiər]	
59 소화기	59 fire extinguisher	[fáiər ikstìŋgwiʃər]	
60 불, 화재	60 fire	[fáiər]	
61 불꽃	61 flame	[fleim]	
62 큰 불꽃	62 blaze	[bleiz]	
63 연기	63 smoke	[smouk]	
64 산소통	64 oxygen cylinders	[áksidʒən sìlindərz]	
65 호스	65 hose	[houz]	
66 노즐	66 nozzle	[názəl]	
67 사다리	67 ladder	[lǽdər]	
68 소화전	68 fire hydrant	[fáiər hàidrənt]	
69 화재피난용 계단	68 fire escape	[fáiər iskèip]	
70 화재 피해자	70 fire victim	[fáiər vìktim]	
71 탐조등	71 search light	[sə́:rtʃ làit]	
72 구명망	72 life net	[láif nèt]	● '재해·재난'을 나타내는 다른 말들 calamity[kəlǽməti] 재난, 참화, 재해 catastrophe [kətǽstrəfi] 대이변, 큰 재해
73 **재해, 재난**	73 **disaster**	[dizǽstər]	
74 지진	74 earthquake	[ə́:rθkwèik]	
75 산사태(=mud~)	75 landslide	[lǽndslàid]	

76 산불	76 forest fire	[fɔ́:rist fàiər]	
77 폭발	77 explosion	[iksplóuʒən]	
78 자동차 사고	78 car accident	[kɑ́:r ǽksidənt]	
79 비행기 추락사고	79 airplane crash	[ɛ́ərplein kræʃ]	
80 가뭄	80 drought	[draut]	
81 기근, 식량부족	81 famine	[fǽmin]	
82 강한 눈보라	82 blizzard	[blízərd]	
83 폭풍, 허리케인	83 hurricane	[hə́:rəkèin]	
84 토네이도	84 tornado	[tɔ:rnéidou]	
85 화산폭발	85 volcanic eruption	[vɑlkǽnik irʌ́pʃən]	
86 해일(=tsunami)	86 tidal wave	[táidl wèiv]	
87 눈사태	87 avalanche	[ǽvəlæ̀ntʃ]	
88 홍수	88 flood	[flʌd]	
89 **재난용 키트**	89 **disaster kit**	[dizǽstər kìt]	
90 따뜻한 옷	90 warm clothes	[wɔ́:rm klòuðz]	
91 담요	91 blanket	[blǽŋkit]	
92 통조림 따개	92 can opener	[kǽn òupənər]	
93 통조림 식품	93 canned food	[kǽnd fù:d]	
94 포장된 식품	94 packaged food	[pǽkidʒd fù:d]	
95 병에 든 생수	95 bottled water	[bátld wɑ̀:tər]	
96 물티슈	96 moist towelettes	[mɔ́ist tàuəléts]	
97 화장지	97 toilet paper	[tɔ́ilit pèipər]	
98 플래시	98 flashlight	[flǽʃlàit]	
99 배터리	99 batteries	[bǽtəriz]	
100 구급키트	100 first aid kit	[fə́:rst èid kít]	

Tips

- 화산, 분화구 volcano[vɑlkéinou]
- tsunami[tsuná:mi:] 해일(=tidal wave)
- 범람, 침수 inundation [inəndéiʃən]
- 강풍, 폭풍 gale[geil]
- 호우, 억수같은 비 downpour[dáunpɔ̀:r]
- 폭설 heavy snowfall [hévi snòufɔ:l]

Review Test 1

THE VOCABULARY 1201 - 1300

● 다음 주어진 우리말 단어 뜻을 보고 영단어를 말해 보세요.

1 경찰
2 배지(경찰신분증)
3 권총
4 실탄
5 휴대용 무전기
6 범행현장
7 순찰차(=cruiser)
8 가해자
9 피해자
10 형사
11 검시관
12 검시, 부검
13 탐문수사
14 진술
15 유치장
16 감옥
17 경찰서장
18 경찰지서장
19 지서차장
20 경사
21 순찰경관
22 미연방수사국
23 FBI의 형사
24 불법주차단속여경
25 경찰관
26 지문
27 족문
28 몽타주 사진
29 필적감정
30 DNA분석
31 거짓말탐지기
32 주요한 범죄들
33 살인
34 과실치사
35 강도
36 강간, 성폭행
37 절도
38 자동차 절도
39 유괴
40 야간절도
41 헌법
42 민법
43 형법
44 증언
45 고소, 소송
46 보석금
47 벌금
48 중죄
49 종신형
50 사형
51 소방서
52 소방관(=fireman)
53 소방대장
54 소방차(=~truck)
55 소방복
56 경보 벨
57 미끄럼 봉
58 화재현장
59 소화기
60 불, 화재
61 불꽃
62 큰 불꽃
63 연기
64 산소통
65 호스
66 노즐
67 사다리
68 소화전
69 화재피난용 계단
70 화재 피해자
71 탐조등
72 구명망
73 재해, 재난
74 지진
75 산사태(=mud~)
76 산불
77 폭발
78 자동차 사고
79 비행기 추락사고
80 가뭄
81 기근, 식량부족
82 강한 눈보라
83 폭풍, 허리케인
84 토네이도
85 화산폭발
86 해일(=tsunámi)
87 눈사태
88 홍수
89 재난용 키트
90 따뜻한 옷
91 담요
92 통조림 따개
93 통조림 식품
94 포장된 식품
95 병에 든 생수
96 물티슈
97 화장지
98 플래시
99 배터리
100 구급키트

Review Test 2

THE VOCABULARY 1201 - 1300

● 다음 주어진 영단어를 보고 우리말 뜻을 말해 보세요.

1 the police
2 badge, shield
3 gun
4 bullet
5 walkie-talkie
6 the scene of the crime
7 police car
8 attacker, assailant
9 victim
10 detective
11 coroner
12 autopsy
13 legwork
14 statement
15 detention cell
16 prison, jail
17 chief of police
18 captain
19 lieutenant
20 sergeant
21 patrolman
22 FBI
23 G-man
24 meter maid
25 cop, copper
26 fingerprint
27 footprint
28 montage
29 handwriting identification
30 DNA identification
31 lie detector
32 major crimes
33 murder
34 manslaughter
35 robbery
36 forcible rape
37 theft, larceny
38 auto theft
39 kidnapping
40 burglary
41 constitution
42 civil law
43 criminal law
44 testimony
45 suit
46 bail
47 fine
48 felony
49 life imprisonment
50 capital punishment
51 fire station
52 fire fighter
53 fire chief
54 fire engine
55 bunker gear
56 alarm bell
57 sliding pole
58 the scene of a fire
59 fire extinguisher
60 fire
61 flame
62 blaze
63 smoke
64 oxygen cylinders
65 hose
66 nozzle
67 ladder
68 fire hydrant
68 fire escape
70 fire victim
71 search light
72 life net
73 disaster
74 earthquake
75 landslide
76 forest fire
77 explosion
78 car accident
79 airplane crash
80 drought
81 famine
82 blizzard
83 hurricane
84 tornado
85 volcanic eruption
86 tidal wave
87 avalanche
88 flood
89 disaster kit
90 warm clothes
91 blanket
92 can opener
93 canned food
94 packaged food
95 bottled water
96 moist towelettes
97 toilet paper
98 flashlight
99 batteries
100 first aid kit

Unit 14

대중매체(신문 · 방송) · 출판

1	**대중매체**	1	**mass media**	[mǽs mí:diə]
2	**신문(=paper)**	2	**newspaper**	[njú:zpèipər]
3	신문사	3	newspaper company	[njú:zpèipər kʌ́mpəni]
4	통신사	4	news agency	[njú:z èidʒənsi]
5	신문기자(=newsman)	5	reporter	[ripɔ́:rtər]
6	취재	6	news gathering	[njú:z gæ̀ðəriŋ]
7	보도, 보도의 규모	7	coverage	[kʌ́vəridʒ]
8	사진기자	8	photographer	[fətágrəfər]
9	편집부	9	Editorial Department	[èdətɔ́:riəl dipà:rtmənt]
10	편집장	10	chief editor	[tʃí:f èdətər]
11	원고정리 담당자	11	copy reader	[kápi rì:dər]
12	보도부장	12	news editor	[njú:z èdətər]
13	제작부	13	Mechanical Department	[məkǽnikəl dipà:rtmənt]
14	교정담당자	14	proofreader	[prú:frì:dər]
15	신문기사	15	newspaper article	[njú:zpèipər á:rtikl]
16	인쇄	16	printing	[príntiŋ]
17	윤전기	17	rotary press	[róutəri près]
18	신문 인쇄용지	18	newsprint	[njú:zprìnt]
19	표제(머리기사)	19	headline, banner	[hédlàin], [bǽnər]
20	도입부	20	lead	[li:d]
21	신문 이름	21	nameplate	[néimplèit]
22	제1면	22	front page	[frʌ́nt pèidʒ]
23	특집기사	23	feature	[fí:tʃər]
22	특종, 독점기사	24	exclusive, scoop	[iksklú:siv], [sku:p]
25	뉴스속보	25	news flash	[njú:z flæʃ]

Tips

- 구독, 기부, 예약
  subscription
  [səbskrípʃən]
- 정보, 제보
  tip[tip]
- 사설, 논설
  editorial[èdətɔ́:riəl]
- 논평, 해설
  commentary
  [kámǝntèri]
- 객관성, 객관적 타당성
  objectivity
  [àbdʒiktívəti]
- 원고 마감시간
  deadline[dédlàin]
- 광고전단
  flyer[fláiər]

26	일간지, 정기간행물	26	journal	[dʒə́:rnəl]
27	조간신문	27	morning edition	[mɔ́:rniŋ idìʃən]
28	석간신문	28	evening edition	[í:vniŋ idìʃən]
29	발행부수	29	circulation	[sə̀:rkjəléiʃən]
30	선정적 간행물	30	yellow journalism	[jélou dʒə̀:rnəlizəm]
31	만화	31	cartoon, comics	[kɑ:rtú:n], [kɑ́miks]
32	기사형식의 광고	32	editorial	[èdətɔ́:riəl]
33	특별 기고란	33	column	[kɑ́ləm]
34	특별 기고가	34	columnist	[kɑ́ləmnist]
35	신문잡지 기고가	35	journalist	[dʒə́:rnəlist]
36	특파원, 통신원	36	correspondent	[kɔ̀:rəspɑ́ndənt]
37	담당기자	37	assignment man	[əsáinmənt mæ̀n]
38	인터뷰기자	38	interviewer	[íntərvjù:ər]
39	호외	39	extra	[ékstrə]
40	광고(=ad)	40	advertisement	[æ̀dvərtáizmənt]
41	**방송**	41	**broadcasting**	[brɔ́:dkæ̀stiŋ]
42	**방송국**	42	**broadcasting station**	[brɔ́:dkæ̀stiŋ stéiʃən]
43	라디오 방송국	43	radio station	[réidiòu stéiʃən]
44	TV 방송국	44	TV station	[tí:ví: stèiʃən]
45	중앙방송국	45	key station	[kí: stèiʃən]
46	지방방송국	46	local station	[lóukəl stèiʃən]
47	라디오방송	47	radiocast	[réidioukæ̀st]
48	TV 방송	48	telecast	[téləkæ̀st]
49	생방송	49	live broadcast	[láiv brɔ̀:dkæ̀st]
50	중계방송	50	relay broadcast	[rí:lei brɔ̀:dkæ̀st]

Tips

- 신문의 난
  section
  [sékʃən]

Unit 14 대중매체(신문 · 방송) · 출판

51 라디오·TV 등 동시방송	51 simulcast	[sáiməlkæ̀st]
52 녹화방송	52 filmed TV broadcast	[filmd tí:ví: brɔ́:dkæ̀st]
53 TV 방송망	53 TV network	[tí:ví: nétwə̀:rk]
54 케이블 TV	54 cable TV	[kéibəl tí:ví:]
55 광고방송	55 commercial	[kəmə́:rʃəl]
56 광고주, 스폰서	56 sponsor	[spάnsər]
57 삽입광고	57 spot	[spαt]
58 TV 편성표	58 TV schedule	[tí:ví: skèdʒu:l]
59 프로그램	59 program	[próugræm]
60 **TV 드라마**	60 **teleplay**	[téləplèi]
61 무대장치	61 stage setting	[stéidʒ sètiŋ]
62 대도구	62 setting	[sétiŋ]
63 대도구담당	63 stagehand	[stéidʒhæ̀nd]
64 소품, 소도구	64 properties	[prάpərtiz]
65 소품담당	65 property man	[prάpərti mæ̀n]
66 TV 카메라	66 TV camera	[tí:ví: kæ̀mərə]
67 이동식 촬영대	67 dolly	[dάli]
68 촬영기사	68 cameraman	[kæ̀mərəmæ̀n]
69 탤런트(=TV star)	69 TV personality	[tí:ví: pə:rsənǽləti]
70 대본	70 script	[skript]
71 무대감독	71 floor director	[flɔ́:r dirèktər]
72 분장실	72 dress room	[drés rù:m]
73 분장사	73 makeup artist	[méikʌ̀p ά:rtist]
74 연예인 수행원	74 attendant	[əténdənt]
75 의상 코디네이터	75 wardrobe mistress	[wɔ́:rdròub místris]

Tips

- 골든타임(밤 9시 전후)
  prime time
  [práim tàim]
- 가족 시청 시간대
  family hour
  [fǽməli àuər]
- 연속극, 멜로드라마
  soap opera
  [sóup άpərə]
- 뉴스프로 사회자
  anchor[ǽŋkər]
- 해설자, 논평자
  commentator
  [kάməntèitər]
- (시리즈 프로의) 속편
  spin–off[spínɔ̀:f]
  ⇨원래는 '부산물'의 뜻
- 방송촬영용 대본
  continuity
  [kὰntənjú:əti]
  ⇨ 우리나라 촬영 현장에서 말할 때에는 이 말을 줄여서 '콘티(conti)'라고 하는데 '한국식 영어'일 뿐이다.

76 아나운서	76 announcer	[ənáunsər]
77 뉴스캐스터	77 newscaster	[njú:zkæstər]
78 사회자 (=M.C.)	78 master of ceremonies	[mæstər əv sérəmòuniz]
79 출연자	79 performer	[pərfɔ́:rmər]
80 연출가	80 director	[diréktər]
81 [영화·TV] 성우	81 dubbing artist	[dʌ́biŋà:rtist]
82 영상·음향 조정실	82 control room	[kəntróul rù:m]
83 기술감독	83 technical director	[téknikəl diréktər]
84 조명감독	84 lighting director	[láitiŋ dirèktər]
85 음향기사	85 audio engineer	[ɔ́:diòu èndʒəníər]
86 방송 송신기	86 transmitter	[trænsmítər]
87 **출판, 발행**	87 **publication**	[pʌ̀bləkéiʃən]
88 출판사	88 publishing company	[pʌ́bliʃiŋ kʌ̀mpəni]
89 출판업자, 발행인	89 publisher	[pʌ́bliʃər]
90 작가, 저자	90 author	[ɔ́:θər]
91 원고(=M.S.)	91 manuscript	[mǽnjəskrìpt]
92 삽화가	92 illustrator	[íləstrèitər]
93 삽화, 도표	93 illustration	[ìləstréiʃən]
94 글다듬기(=polish)	94 elaboration	[ilæbəréiʃən]
95 인쇄업자	95 printer	[príntər]
96 그라비아 인쇄	96 gravure printing	[grəvjúər prìntiŋ]
97 옵셋 인쇄	97 offset printing	[ɔ̀:fsét prìntiŋ]
98 컬러 인쇄	98 color printing	[kʌ́lər prìntiŋ]
99 제본	99 binding	[báindiŋ]
100 제본업자	100 binder	[báindər]

Tips

- 성우
  영화나 TV의 성우
  dubbing artist
  voiceactor (남)
  voiceactress(여)
  -라디오의 성우
  radio actor (남)
  radio actress(여)

THE VOCABULARY 1301 - 1400

● 다음 주어진 우리말 단어 뜻을 보고 영단어를 말해 보세요.

1 대중매체
2 신문(=paper)
3 신문사
4 통신사
5 신문기자(=newsman)
6 취재
7 보도, 보도의 규모
8 사진기자
9 편집부
10 편집장
11 원고정리 담당자
12 보도부장
13 제작부
14 교정담당자
15 신문기사
16 인쇄
17 윤전기
18 신문 인쇄용지
19 표제(머리기사)
20 도입부
21 신문 이름
22 제1면
23 특집기사
22 특종, 독점기사
25 뉴스속보
26 일간지, 정기간행물
27 조간신문
28 석간신문
29 발행부수
30 선정적 간행물
31 만화
32 기사형식의 광고
33 특별 기고란
34 특별 기고가
35 신문잡지 기고가
36 특파원, 통신원
37 담당기자
38 인터뷰기자
39 호외
40 광고(=ad)
41 방송
42 방송국
43 라디오 방송국
44 TV 방송국
45 중앙방송국
46 지방방송국
47 라디오방송
48 TV 방송
49 생방송
50 중계방송
51 라디오·TV 등 동시방송
52 녹화방송
53 TV 방송망
54 케이블 TV
55 광고방송
56 광고주, 스폰서
57 삽입광고
58 TV 편성표
59 프로그램
60 TV 드라마
61 무대장치
62 대도구
63 대도구담당
64 소품, 소도구
65 소품담당
66 TV 카메라
67 이동식 촬영대
68 촬영기사
69 탤런트(=TV star)
70 대본
71 무대감독
72 분장실
73 분장사
74 연예인 수행원
75 의상 코디네이터
76 아나운서
77 뉴스캐스터
78 사회자(=M.C.)
79 출연자
80 연출가
81 [영화·TV] 성우
82 영상·음향 조정실
83 기술감독
84 조명감독
85 음향기사
86 방송 송신기
87 출판, 발행
88 출판사
89 출판업자, 발행인
90 작가, 저자
91 원고(=M.S.)
92 삽화가
93 삽화, 도표
94 글다듬기(=polish)
95 인쇄업자
96 그라비아 인쇄
97 옵셋 인쇄
98 컬러 인쇄
99 제본
100 제본업자

THE VOCABULARY 1301 - 1400

● 다음 주어진 영단어를 보고 우리말 뜻을 말해 보세요.

1 mass media
2 newspaper
3 newspaper company
4 news agency
5 reporter
6 news gathering
7 coverage
8 photographer
9 Editorial Department
10 chief editor
11 copy reader
12 news editor
13 Mechanical Department
14 proofreader
15 newspaper article
16 printing
17 rotary press
18 newsprint
19 headline, banner
20 lead
21 nameplate
22 front page
23 feature
24 exclusive, scoop
25 news flash
26 journal
27 morning edition
28 evening edition
29 circulation
30 yellow journalism
31 cartoon, comics
32 editorial
33 column
34 columnist
35 journalist
36 correspondent
37 assignment man
38 interviewer
39 extra
40 advertisement
41 broadcasting
42 broadcasting station
43 radio station
44 TV station
45 key station
46 local station
47 radiocast
48 telecast
49 live broadcast
50 relay broadcast
51 simulcast
52 filmed TV broadcast
53 TV network
54 cable TV
55 commercial
56 sponsor
57 spot
58 TV schedule
59 program
60 teleplay
61 stage setting
62 setting
63 stagehand
64 properties
65 property man
66 TV camera
67 dolly
68 cameraman
69 TV personality
70 script
71 floor director
72 dress room
73 makeup artist
74 attendant
75 wardrobe mistress
76 announcer
77 newscaster
78 master of ceremonies
79 performer
80 director
81 voice actor
82 control room
83 technical director
84 lighting director
85 audio engineer
86 transmitter
87 publication
88 publishing company
89 publisher
90 author
91 manuscript
92 illustrator
93 illustration
94 elaboration
95 printer
96 gravure printing
97 offset printing
98 color printing
99 binding
100 binder

Unit 15

책의 구성 · 컴퓨터 · 미국역사 · 세계사

1	책, 단행본	1	**book**	[buk]
2	문고본, 종이커버 책	2	paperback	[péipərbæ̀k]
3	두꺼운 표지의 책	3	hardcover	[há:rdkʌ́vər]
4	가장 잘 팔리는 책	4	bestseller	[béstsèlər]
5	꾸준히 팔리는 책	5	steady seller	[stédi sèlər]
6	표지, 커버	6	cover	[kʌ́vər]
7	표지에 씌우는 커버	7	jacket	[dʒǽkit]
8	면지(책 앞뒤의 속백지)	8	flyleaf	[fláilì:f]
9	속표지	9	title page	[táitl pèidʒ]
10	표제, 제목	10	heading, title	[hédiŋ], [táitl]
11	장	11	chapter	[tʃǽptər]
12	페이지, 쪽수	12	page number	[péidʒ nʌ̀mbər]
13	위쪽 여백	13	head	[hed]
14	옆쪽 여백	14	inside margin	[ínsáid mà:rdʒin]
15	아래 여백	15	tail, edge	[teil], [edʒ]
16	책갈피, 북마크	16	bookmark	[búkmà:rk]
17	책장의 접힌 귀퉁이	17	dog-ear	[dɔ́:gìər]
18	칼럼, 단	18	column	[káləm]
19	홈, 반달색인	19	thumb index	[θʌ́m ìndeks]
20	서문, 머리말	20	preface, prologue	[préfis], [próulɔ:g]
21	목차	21	contents	[kántentz]
22	본문	22	text	[tekst]
23	각주	23	footnote	[fútnòut]
24	부록	24	appendix	[əpéndiks]
25	색인	25	index	[índeks]

Tips

- 저작권
  copyright[kápiràit]
- (초판, 재판 할 때의) 판
  edition[idíʃən]
  ex)the third edition
  (제3판)
- volume[válju:m]
  책, 시리즈로 된 책의 각 권
  ex)a novel in three volumes
  (3권으로 된 소설)
- copy[kápi]
  같은 책의 부, 권
  ex) two copies of Life magazine
  (라이프지 두 권)
- 참고, 참조
  reference[réfərəns]
- cf.[sí:éf]
  –compare[kəmpέər]
  '비교하라, 대조하라'
  –confer[kənfə́:r]
  '참조하라'
- table[téibəl]
  일람표, 목록

26 **개인컴퓨터(=PC)**	26 **personal computer**	[pə́:rsənəl kəmpjú:tər]	
27 써지전압 보호기	27 surge protector	[sə́:rdʒ prətèktər]	
28 전원 코드	28 power cord	[páuər kɔ̀:rd]	
29 컴퓨터 케이스	29 tower	[táuər]	
30 중앙처리장치(=CPU)	30 central processing unit	[séntrəl pràsesiŋ jú:nit]	
31 제어장치	31 control unit	[kəntróul jù:nit]	
32 주기억장치	32 main memory	[méin mèməri]	
33 연산장치	33 arithmetic unit	[əríθmətik jù:nit]	
34 출력장치	34 output unit	[áutput jù:nit]	
35 마더 보드	35 mother board	[mʌ́ðər bɔ̀:rd]	
36 하드 드라이브	36 hard drive	[há:rd dràiv]	
37 USB 포트	37 USB port	[jù:esbí: pɔ̀:rt]	
38 CD롬 드라이브	38 CD-ROM drive	[sí:dì:rám dràiv]	
39 모니터 스크린	39 monitor screen	[mánitər skrì:n]	
40 키보드	40 keyboard	[kí:bɔ̀:rd]	
41 마우스	41 mouse	[maus]	
42 웹 카메라	42 web camera	[wéb kǽmərə]	
43 소프트웨어	43 software	[sɔ́:ftwὲər]	
44 플로우 차트	44 flow chart	[flóu tʃà:rt]	
45 입력	45 input	[ínpùt]	
46 출력	46 output	[áutpùt]	
47 웹사이트 주소(URL)	47 website address	[wébsait ədrès]	
48 팝업 광고	48 pop-up ad	[pápʌp ǽd]	
49 검색엔진	49 search engine	[sə́:rtʃ èndʒən]	
50 조회, 질의	50 query	[kwíəri]	

Tips

- 본체
  main unit[méin jù:nit]
- 호환성
  compatibility
  [kəmpæ̀təbíləti]
- 다중처리
  multitasking
  [mʌ̀ltitǽskiŋ]
- 환경설정, 구성
  configuration
  [kənfìgjəréiʃən]
- 운영체제(OS)
  operating system
  [ápəreitiŋ sistəm]
- 고장, 장애
  malfunction
  [mælfʌ́ŋkʃən]
- 인증서, 증명서
  certificate[sərtífəkit]
- 저장, 기억장치
  storage[stɔ́:ridʒ]
- 접속, 연결
  connection
  [kənékʃən]
- 접근, 접속
  access[ǽkses]
- 방화벽
  fire wall[fáiər wɔ̀:l]

Unit 15

책의 구성 · 컴퓨터 · 미국역사 · 세계사

51 **미국역사**	51 **U.S. History**	[jú:ès hístəri]	
52 식민지	52 colony	[káləni]	
53 식민지이민자	53 colonist	[kálənist]	
54 미국원주민	54 Native Americans	[néitiv əmérikənz]	
55 노예	55 slave	[sleiv]	
56 독립선언서	56 Declaration of Independence	[dèkləréiʃən əv ìndipéndəns]	
57 창립자, 발기인	57 founder	[fáundər]	
58 독립전쟁	58 Revolutionary War	[rèvəlú:ʃəneri wɔ́:r]	
59 영국군인	59 redcoat	[rédkòut]	
60 미국민병	60 minuteman	[mínitmæ̀n]	
61 초대 대통령	61 first president	[fə́rst prèzidənt]	
62 헌법	62 Constitution	[kànstətjú:ʃən]	
63 권리장전	63 Bill of Rights	[bíl əv ráits]	
64 **세계사**	64 **World History**	[wə́:rld hìstəri]	
65 고대	65 ancient times	[éinʃənt tàimz]	
66 현대	66 modern times	[mádərn tàimz]	
67 탐험	67 exploration	[èkspləréiʃən]	
68 탐험가	68 explorer	[iksplɔ́:rər]	
69 이민(입국)	69 immigration	[ìməgréiʃən]	
70 이민 오는 사람	70 immigrant	[ímigrənt]	
71 이민(출국)	71 emigration	[èmigréiʃən]	
72 이민 가는 사람	72 emigrant	[éməgrənt]	
73 정치운동가	73 activist	[ǽktivist]	
74 정치활동	74 political movement	[pəlítikəl mù:vmənt]	
75 발명가	75 inventor	[invéntər]	

Tips

- red coat(영국군인)
  영국군의 군복색깔이 붉은색이었기 때문에 붙은 별명이다.
- minuteman(민병)
  독립전쟁당시 민병들이 즉각 출동할 수 있게 준비하고 있었기 때문에 붙은 별명이다. 우리나라의 '5분대기조'와 비슷한 뜻이다.

76 발명	76 invention	[invénʃən]
77 혁명, 변혁	77 revolution	[rèvəlú:ʃən]
78 자유, 해방	78 liberty, freedom	[líbərti], [frí:dəm]
79 정권, 정부	79 regime	[reʒí:m]
80 민주주의	80 democracy	[dimákrəsi]
81 투표, 투표권	81 vote	[vout]
82 공산주의	82 communism	[kámjunìzəm]
83 사회주의	83 socialism	[sóuʃəlìzəm]
84 봉건주의	84 feudalism	[fjú:dəlìzəm]
85 제국주의	85 imperialism	[impíəriəlizm]
86 전쟁	86 war	[wɔ:r]
87 군대, 육군	87 army	[á:rmi]
88 정복자	88 conqueror	[káŋkərər]
89 왕조	89 dynasty	[dáinəsti]
90 왕국	90 kingdom	[kíŋdəm]
91 왕좌	91 throne	[θroun]
92 성	92 castle	[kæsl]
93 문명	93 civilization	[sìvəlizéiʃən]
94 제국	94 empire	[émpaiər]
95 황제, 제왕	95 emperor	[émpərər]
96 군주	96 monarch	[mánərk]
97 독재자	97 dictator	[díkteitər]
98 성군	98 sage king	[séidʒ kìŋ]
99 기념물	99 memorial	[məmɔ́:riəl]
100 기념비	100 monument	[mánjəmənt]

Tips

- 지배, 통치
  rule[ru:l]
- 공산주의자
  communist[kámjunist]
- 군주정치, 군주제
  monarchy[mánərki]
- 계엄령
  martial law
  [má:rʃəl lɔ̀:]
- 데모, 시위
  demonstration
  [dèmənstréiʃən]
  ⇨'증명, 시범, 상품의 실물 선전'이라는 뜻도 있다.
- 혼란, 소란
  turmoil[tə́:rmɔil]
- 폭동, 소동
  riot[ráiət]
- 반체제인사
  dissident[dísədənt]
- 망명자, 국외추방
  exile[égsail]

● 다음 주어진 우리말 단어 뜻을 보고 영단어를 말해 보세요.

1 책, 단행본
2 문고본, 종이커버 책
3 두꺼운 표지의 책
4 가장 잘 팔리는 책
5 꾸준히 팔리는 책
6 표지, 커버
7 표지에 씌우는 커버
8 면지(책 앞뒤의 속백지)
9 속표지
10 표제, 제목
11 장
12 페이지, 쪽수
13 위쪽 여백
14 옆쪽 여백
15 아래 여백
16 책갈피, 북마크
17 책장의 접힌 귀퉁이
18 칼럼, 단
19 홈, 반달색인
20 서문, 머리말
21 목차
22 본문
23 각주
24 부록
25 색인
26 개인컴퓨터(=PC)
27 써지전압 보호기
28 전원 코드
29 컴퓨터 케이스
30 중앙처리장치(=CPU)
31 제어장치
32 주기억장치
33 연산장치
34 출력장치
35 마더 보드
36 하드 드라이브
37 USB 포트
38 CD롬 드라이브
39 모니터 스크린
40 키보드
41 마우스
42 웹 카메라
43 소프트웨어
44 플로우 차트
45 입력
46 출력
47 웹사이트 주소(URL)
48 팝업 광고
49 검색엔진
50 조회, 질의
51 미국역사
52 식민지
53 식민지이민자
54 미국원주민
55 노예
56 독립선언서
57 창립자, 발기인
58 독립전쟁
59 영국군인
60 미국민병
61 초대 대통령
62 헌법
63 권리장전
64 세계사
65 고대
66 현대
67 탐험
68 탐험가
69 이민(입국)
70 이민 오는 사람
71 이민(출국)
72 이민 가는 사람
73 정치운동가
74 정치활동
75 발명가
76 발명
77 혁명, 변혁
78 자유, 해방
79 정권, 정부
80 민주주의
81 투표, 투표권
82 공산주의
83 사회주의
84 봉건주의
85 제국주의
86 전쟁
87 군대, 육군
88 정복자
89 왕조
90 왕국
91 왕좌
92 성
93 문명
94 제국
95 황제, 제왕
96 군주
97 독재자
98 성군
99 기념물
100 기념비

THE VOCABULARY 1401 - 1500

● 다음 주어진 영단어를 보고 우리말 뜻을 말해 보세요.

1 book
2 paperback
3 hardcover
4 bestseller
5 steady seller
6 cover
7 jacket
8 flyleaf
9 title page
10 heading, title
11 chapter
12 page number
13 head
14 inside margin
15 tail, edge
16 bookmark
17 dog-ear
18 column
19 thumb index
20 preface, prologue
21 contents
22 text
23 footnote
24 appendix
25 index
26 personal computer
27 surge protector
28 power cord
29 tower
30 central processing unit
31 control unit
32 main memory
33 arithmetic unit
34 output unit
35 mother board
36 hard drive
37 USB port
38 CD-ROM drive
39 monitor screen
40 keyboard
41 mouse
42 web camera
43 software
44 flow chart
45 input
46 output
47 website address
48 pop-up ad
49 search engine
50 query
51 U.S. History
52 colony
53 colonist
54 Native Americans
55 slave
56 Declaration of Independence
57 founder
58 Revolutionary War
59 redcoat
60 minuteman
61 first president
62 Constitution
63 Bill of Rights
64 World History
65 ancient times
66 modern times
67 exploration
68 explorer
69 immigration
70 immigrant
71 emigration
72 emigrant
73 activist
74 political movement
75 inventor
76 invention
77 revolution
78 liberty, freedom
79 regime
80 democracy
81 vote
82 communism
83 socialism
84 feudalism
85 imperialism
86 war
87 army
88 conqueror
89 dynasty
90 kingdom
91 throne
92 castle
93 civilization
94 empire
95 emperor
96 monarch
97 dictator
98 sage king
99 memorial
100 monument

Unit 16

군사 · 부대 · 병과 · 무기, 주요 국명 및 그 언어

1	**군사(軍事)**	1	**military affair**	[míliteri əféər]
2	육군	2	Army	[á:rmi]
3	육군병사	3	soldier	[sóuldʒər]
4	해군	4	Navy	[néivi]
5	공군	5	Air Force	[éər fɔ̀:rs]
6	해병대(=Marines)	6	Marine Corps	[mərí:n kɔ̀:r]
7	신병	7	Recruit	[rikrú:t]
8	**무기, 병기**	8	**weapon, arms**	[wépən], [ɑ:rmz]
9	소총	9	rifle	[ráifəl]
10	권총	10	pistol	[pístl]
11	총탄	11	bullet	[búlit]
12	수류탄	12	[hand] grenade	[hǽnd grənèid]
13	지뢰, 기뢰	13	mine	[main]
14	탱크	14	tank	[tæŋk]
15	대포	15	artillery	[ɑ:rtíləri]
16	전투기	16	fighter [plane]	[fáitər plèin]
17	폭격기	17	bomber	[bámər]
18	폭탄	18	bomb	[bɑm]
19	수송기	19	transport plane	[trænspɔ́:rt plèin]
20	낙하산	20	parachute	[pǽrəʃù:t]
21	전함	21	battleship	[bǽtlʃip]
22	항공모함	22	aircraft carrier	[éərkræ̀ft kǽriər]
23	잠수함	23	submarine	[sʌ́bməri:n]
24	잠망경	24	periscope	[pérəskòup]
25	어뢰	25	torpedo	[tɔ:rpí:dou]

Tips

- 낙하산 parachute[pǽrəʃù:t]
- 공수부대원의 속칭 skyman[skáimən]
- Airborne Troops '공수부대'라는 뜻 외에 '공수부대원들'을 지칭하는 '집합적인 의미'로도 쓰인다.
- 사관생도 Gentleman Cadet, 줄여서 그냥 'Cadet'이라고도 부른다.

26	미사일	26 missile	[mísəl]
27	원자폭탄(A-bomb)	27 atomic bomb	[ətámik bàm]
28	수소폭탄(H-bomb)	28 hydrogen bomb	[háidrədʒən bàm]
29	**고대의 무기들**	29 **ancient weapons**	[éinʃənt wèpənz]
30	검, 긴 칼	30 sword	[sɔ:rd]
31	갑주, 갑옷과 투구	31 armor	[á:rmər]
32	보병용 단창	32 spear	[spiər]
33	기병용 장창	33 lance	[læns]
34	방패	34 shield	[ʃi:ld]
35	활	35 bow	[bou]
36	화살	36 arrow	[ærou]
37	**군복무**	37 **military service**	[míliteri sə́:rvis]
38	군번(S.N.)	38 serial number	[síəriəl nʌ̀mbər]
39	영내 매점(=PX)	39 Post Exchange	[póust ikstʃèindʒ]
40	전투	40 combat	[kámbæt]
41	매복[공격]	41 ambush	[æmbuʃ]
42	전략	42 strategy	[strætədʒi]
43	전술, 병법	43 tactics	[tæktiks]
44	공격	44 offense	[əféns]
45	방어	45 defense	[diféns]
46	퇴각	46 retreat	[ri:trí:t]
47	철수	47 withdrawal	[wiðdrɔ́:əl]
48	항복	48 surrender	[səréndər]
49	승리	49 victory, triumph	[víktəri], [tráiəmf]
50	패배	50 defeat	[difí:t]

Tips

- weapon
  '무기, 병기'라는 뜻 외에 '흉기'라는 뜻도 있다.
- 인식표(군번줄)
  –identification [aidèntəfikéiʃən]
  –dog tag [dɔ́:g tæg]
  속어로서 문자적인 뜻은 '개목걸이'이다.
- 본부
  the headquarters [ðəhédkwɔ:rtərz]
  (단수로 취급한다.)
- 지휘소(CP)
  Command Post [kəmǽnd pòust]
- '현역'의 다른 표현
  active duty [ǽktiv djú:ti]

Unit 16 군사 · 부대 · 병과 · 무기, 주요 국명 및 그 언어

			Tips
51 **오대양**	51 **the Five Oceans**	[ðə fáiv òuʃənz]	• Arctic / Antarctic –Arctic: 북극, 북극의 –Antarctic: 남극, 남극의 ⇨Ant(반대)+arctic(북극)=남극, 남극의 • UK(영국) United Kingdom [ju:náitid kìŋdəm]
52 태평양	52 the Pacific Ocean	[ðə pəsífik òuʃən]	
53 인도양	53 the Indian Ocean	[ði índiən òuʃən]	
54 대서양	54 the Atlantic Ocean	[ði ətlǽntik òuʃən]	
55 남극해	55 the Antarctic Ocean	[ði æntá:rktik òuʃən]	
56 북극해	56 the Arctic Ocean	[ði á:rktik òuʃən]	
57 **육대주**	57 **the six continents**	[ðə síks kàntənənts]	
58 아시아	58 Asia	[éiʒə]	
59 아프리카	59 Africa	[ǽfrikə]	
60 유럽	60 Europe	[júərəp]	
61 남아메리카	61 South America	[sáuθ əmèrikə]	
62 북아메리카	62 North America	[nɔ́:rθ əmèrikə]	
63 오세아니아	63 Oceania	[òuʃiǽniə]	
64 **나라들**	64 **countries**	[kʌ́ntriz]	
65 미국	65 America	[əmérikə]	
66 아라비아	66 Arabia	[əréibiə]	
67 아라비아어	67 Arabic	[ǽrəbik]	
68 호주	68 Australia	[ɔ:stréiljə]	
69 오스트리아	69 Austria	[ɔ́:striə]	
70 브라질	70 Brazil	[brəzíl]	
71 영국(=UK)	71 Britain	[brítən]	
72 캐나다	72 Canada	[kǽnədə]	
73 중국	73 China	[tʃáinə]	
74 중국어, 중국인	74 Chinese	[tʃainí:z]	
75 덴마크	75 Denmark	[dénma:rk]	

76 덴마크어	76 Danish	[déiniʃ]	
77 이집트	77 Egypt	[í:dʒipt]	
78 이집트어, 이집트인	78 Egyptian	[idʒípʃən]	
79 잉글랜드	79 England	[íŋglənd]	
80 프랑스	80 France	[fræns]	
81 프랑스어	81 French	[frentʃ]	
82 독일	82 Germany	[dʒə́:rməni]	
83 독일어, 독일인	83 German	[dʒə́:rmən]	
84 그리스	84 Greece	[gri:s]	
85 그리스어, 그리스인	85 Greek	[gri:k]	
86 네덜란드	86 Holland	[hálənd]	
87 네덜란드어, ~사람	87 Dutch	[dʌtʃ]	
88 인도	88 India	[índiə]	
89 인도어, 인도인	89 Indian	[índiən]	
90 인도네시아	90 Indonesia	[ìndəní:ʒə]	
91 인도네시아어, ~사람	91 Indonesian	[ìndəní:ʒən]	
92 이란	92 Iran	[irǽn]	
93 이란어, 이란인	93 Iranian	[iréiniən]	
94 이라크	94 Iraq	[irá:k]	
95 이라크어, 이라크인	95 Iraqi	[irá:ki]	
96 아일랜드	96 Ireland	[áiərlənd]	
97 아일랜드어	97 Irish	[áiriʃ]	
98 이스라엘	98 Israel	[ízriəl]	
99 이탈리아	99 Italy	[ítəli]	
100 이탈리아어, ~사람	100 Italian	[itǽljən]	

Tips

- ammo[ǽmou]
  탄약, 병기
  ⇨ammunition의 구어체
- ball[bɔ:l]
  탄알, 포탄=shell
- 장전, 장탄
  load[loud]
- 방아쇠
  trigger[trígər]
- '대포'를 나타내는 말들
  gun[gʌn]
  대포, 평사포/총, 권총
  cannon
  대포, 비행기의 기관포
- 발사, 발포
  fire[faiər]
- '전함, 군함'을 나타내는 다른 말들
  warship[wɔ́:rʃip]
  war vessel[wɔ́:r vèsəl]
- aircraft[ɛ́ərkræ̀ft]
  항공기(비행기·비행선·헬리콥터 등의 총칭)
- (어뢰·미사일 등의) 탄두
  warhead[wɔ́:rhèd]
- armor[á:rmər]
  장갑, 철갑

Review Test 1

THE VOCABULARY 1501 - 1600

● 다음 주어진 우리말 단어 뜻을 보고 영단어를 말해 보세요.

1 군사(軍事)
2 육군
3 육군병사
4 해군
5 공군
6 해병대(=Marines)
7 신병
8 무기, 병기
9 소총
10 권총
11 총탄
12 수류탄
13 지뢰, 기뢰
14 탱크
15 대포
16 전투기
17 폭격기
18 폭탄
19 수송기
20 낙하산
21 전함
22 항공모함
23 잠수함
24 잠망경
25 어뢰
26 미사일
27 원자폭탄(A-bomb)
28 수소폭탄(H-bomb)
29 고대의 무기들
30 검, 긴 칼
31 갑주, 갑옷과 투구
32 보병용 단창
33 기병용 장창
34 방패
35 활
36 화살
37 군복무
38 군번(S.N.)
39 영내 매점(=PX)
40 전투
41 매복[공격]
42 전략
43 전술, 병법
44 공격
45 방어
46 퇴각
47 철수
48 항복
49 승리
50 패배
51 오대양
52 태평양
53 인도양
54 대서양
55 남극해
56 북극해
57 육대주
58 아시아
59 아프리카
60 유럽
61 남아메리카
62 북아메리카
63 오세아니아
64 나라들
65 미국
66 아라비아
67 아라비아어
68 호주
69 오스트리아
70 브라질
71 영국(=UK)
72 캐나다
73 중국
74 중국어, 중국인
75 덴마크
76 덴마크어
77 이집트
78 이집트어, 이집트인
79 잉글랜드
80 프랑스
81 프랑스어
82 독일
83 독일어, 독일인
84 그리스
85 그리스어, 그리스인
86 네덜란드
87 네덜란드어, ~사람
88 인도
89 인도어, 인도인
90 인도네시아
91 인도네시아어, ~사람
92 이란
93 이란어, 이란인
94 이라크
95 이라크어, 이라크인
96 아일랜드
97 아일랜드어
98 이스라엘
99 이탈리아
100 이탈리아어, ~사람

THE VOCABULARY 1501 - 1600

● 다음 주어진 영단어를 보고 우리말 뜻을 말해 보세요.

1 military affair
2 Army
3 soldier
4 Navy
5 Air Force
6 Marine Corps
7 Recruit
8 weapon, arms
9 rifle
10 pistol
11 bullet
12 [hand] grenade
13 mine
14 tank
15 artillery
16 fighter [plane]
17 bomber
18 bomb
19 transport plane
20 parachute
21 battleship
22 aircraft carrier
23 submarine
24 periscope
25 torpedo
26 missile
27 atomic bomb
28 hydrogen bomb
29 ancient weapons
30 sword
31 armor
32 spear
33 lance
34 shield
35 bow
36 arrow
37 military service
38 serial number
39 Post Exchange
40 combat
41 ambush
42 strategy
43 tactics
44 offense
45 defense
46 retreat
47 withdrawal
48 surrender
49 victory, triumph
50 defeat
51 the Five Oceans
52 the Pacific Ocean
53 the Indian Ocean
54 the Atlantic Ocean
55 the Antarctic Ocean
56 the Arctic Ocean
57 the six continents
58 Asia
59 Africa
60 Europe
61 South America
62 North America
63 Oceania
64 countries
65 America
66 Arabia
67 Arabic
68 Australia
69 Austria
70 Brazil
71 Britain
72 Canada
73 China
74 Chinese
75 Denmark
76 Danish
77 Egypt
78 Egyptian
79 England
80 France
81 French
82 Germany
83 German
84 Greece
85 Greek
86 Holland
87 Dutch
88 India
89 Indian
90 Indonesia
91 Indonesian
92 Iran
93 Iranian
94 Iraq
95 Iraqi
96 Ireland
97 Irish
98 Israel
99 Italy
100 Italian

Unit 17

주요 국명 및 언어 · 지구—1

	한국어		English	발음	Tips
1	한국	1	Korea	[kərí:ə]	
2	한국어, 한국인	2	Korean	[kərí:ən]	
3	일본	3	Japan	[dʒəpǽn]	
4	일본어, 일본인	4	Japanese	[dʒæ̀pəní:z]	
5	멕시코	5	Mexico	[méksikòu]	
6	몽골	6	Mongolia	[maŋgóuliə]	
7	몽골어, 몽골인	7	Mongolian	[maŋgóuliən]	
8	노르웨이	8	Norway	[nɔ́:rwei]	
9	노르웨이어, ~사람	9	Norwegian	[nɔ:rwí:dʒən]	
10	포르투갈	10	Portugal	[pɔ́:rtʃugəl]	
11	포르투갈어, ~사람	11	Portuguese	[pɔ̀:rtʃugí:z]	
12	러시아	12	Russia	[rʌ́ʃə]	
13	러시아어, ~사람	13	Russian	[rʌ́ʃən]	
14	로마	14	Rome	[roum]	
15	스코틀랜드	15	Scotland	[skátlənd]	
16	스코틀랜드어, ~사람	16	Scottish	[skátiʃ]	
17	스페인	17	Spain	[spein]	
18	스페인어, ~사람	18	Spanish	[spǽniʃ]	
19	스웨덴	19	Sweden	[swí:dn]	
20	스웨덴어, ~사람	20	Swedish	[swí:diʃ]	
21	스위스	21	Switzerland	[swítsərlənd]	
22	태국	22	Thailand	[táilæ̀nd]	
23	태국어, 태국인	23	Thai	[tai]	
24	터키	24	Turkey	[tə́:rki]	
25	터키어, 터키인	25	Turkish	[tə́:rkiʃ]	

26 베트남	26 Vietnam	[viètná:m]	
27 베트남어, ~사람	27 Vietnamese	[viètnəmí:z]	
28 **지구**	28 **the earth**	[ði ɔ́:rθ]	
29 남극[지방]	29 the Antarctic	[ði æntá:rktik]	
30 남극대륙	30 Antarctica	[æntá:rktikə]	
31 북극[지방]	31 the Arctic	[ði á:rktik]	
32 위치	32 position	[pəzíʃən]	
33 방향	33 direction	[dirékʃən]	
34 동쪽	34 the east	[ði í:st]	
35 서쪽	35 the west	[ðə wést]	
36 남쪽	36 the south	[ðə sáuθ]	
37 북쪽	37 the north	[ðə nɔ́:rθ]	
38 큰 바다, 대양	38 ocean	[óuʃən]	
39 바다	39 sea	[si:]	
40 뭍, 육지	40 land	[lænd]	
41 대륙	41 continent	[kάntənənt]	
42 반도	42 peninsula	[pinínsələ]	
43 섬	43 island	[áilənd]	
44 소해협 / 대해협	44 strait/channel	[streit]/[tʃǽnl]	
45 피오르드	45 fiord(=fjord)	[fjɔ:rd]	
46 빙산	46 iceberg	[áisbə:rg]	
47 빙하	47 glacier	[gléiʃər]	
48 해안선	48 coastline	[kóustlàin]	
49 해안	49 seashore	[sí:ʃɔ́:r]	
50 모래사장	50 sand beach	[sǽnd bì:tʃ]	

Tips

- '남극, 북극'의 다른 표현
  남극: the South Pole [ðəsáuθ pòul]
  북극: the North Pole [ðənɔ:rθ pòul]

Unit 17 주요 국명 및 언어 · 지구—1

			Tips
51 모래언덕	51 sand dune	[sǽnd djù:n]	
52 벼랑, 절벽	52 cliff	[klif]	
53 대륙붕	53 continental shelf	[kàntənéntl ʃèlf]	
54 곶	54 cape	[keip]	
55 암초	55 reef	[ri:f]	
56 작은 만/큰 만	56 bay/gulf	[bei]/[gʌlf]	
57 강의 상류, 원류	57 headwaters	[hédwà:tərz]	
58 시내, 개울	58 stream, brook	[stri:m], [bruk]	
59 강	59 river	[rívər]	
60 둑, 제방	60 bank	[bæŋk]	
61 하구	61 estuary	[éstʃuèri]	
62 삼각주	62 delta	[déltə]	
63 호수	63 lake	[leik]	
64 연못	64 pond	[pɑnd]	
65 저수지	65 reservoir	[rézərvwà:r]	
66 댐	66 dam	[dæm]	
67 폭포	67 waterfall, falls	[wá:tərfɔ̀:l], [fɔ:lz]	
68 습지	68 swamp, marsh	[swɑmp], [mɑ:rʃ]	
69 언덕	69 hill	[hil]	
70 산	70 mountain	[máuntən]	
71 산맥	71 mountain range	[máuntən rèindʒ]	
72 계곡	72 valley	[vǽli]	
73 협곡	73 gorge, ravine	[gɔ:rdʒ], [rəví:n]	
74 대협곡	74 canyon	[kǽnjən]	
75 분지	75 basin	[béisən]	

76	동굴	76	cave	[keiv]
77	산등성이, 산마루	77	ridge	[ridʒ]
78	산정, 산꼭대기	78	summit, peak	[sʌ́mit], [pi:k]
79	큰 숲, 삼림	79	forest	[fɔ́:rist]
80	작은 숲	80	woods	[wudz]
81	고원(높고 평평한 땅)	81	plateau	[plætóu]
82	평야	82	plain	[plein]
83	들판, 논밭	83	field	[fi:ld]
84	목초지, 초원	84	meadow, pasture	[médou], [pǽstʃər]
85	사막	85	desert	[dézərt]
86	오아시스	86	oasis	[ouéisis]
87	신기루	87	mirage	[mirɑ́:ʒ]
88	물 마른 강	88	wadi	[wɑ́di]
89	화산	89	volcano	[vɑlkéinou]
90	활화산	90	active volcano	[ǽktiv vɑlkèinou]
91	휴화산	91	dormant volcano	[dɔ́:rmənt vɑlkèinou]
92	사화산	92	extinct volcano	[ikstíŋkt vɑlkèinou]
93	분화구	93	crater	[kréitər]
94	분화	94	eruption	[irʌ́pʃən]
95	마그마	95	magma	[mǽgmə]
96	용암	96	lava	[lɑ́:və]
97	화산재	97	volcanic ashes	[vɑlkǽnik æ̀ʃiz]
98	화산탄	98	volcanic bombs	[vɑlkǽnik bɑ̀mz]
99	지진	99	earthquake	[ɔ́:rθkwèik]
100	진앙	100	epicenter	[épisèntər]

Tips

- active[ǽktiv](형) 활동 중인
- dormant[dɔ:rmənt](형) 휴지한, 잠자는
- extinct[ikstíŋkt](형) 꺼진, 활동을 그친

Review Test 1

THE VOCABULARY
1601 - 1700

● 다음 주어진 우리말 단어 뜻을 보고 영단어를 말해 보세요.

1	한국	26	베트남	51	모래언덕	76	동굴
2	한국어, 한국인	27	베트남어, ~사람	52	벼랑, 절벽	77	산등성이, 산마루
3	일본	28	지구	53	대륙붕	78	산정, 산꼭대기
4	일본어, 일본인	29	남극[지방]	54	곶	79	큰 숲, 삼림
5	멕시코	30	남극대륙	55	암초	80	작은 숲
6	몽골	31	북극[지방]	56	작은 만/큰 만	81	고원(높고 평평한 땅)
7	몽골어, 몽골인	32	위치	57	강의 상류, 원류	82	평야
8	노르웨이	33	방향	58	시내, 개울	83	들판, 논밭
9	노르웨이어, ~사람	34	동쪽	59	강	84	목초지, 초원
10	포르투갈	35	서쪽	60	둑, 제방	85	사막
11	포르투갈어, ~사람	36	남쪽	61	하구	86	오아시스
12	러시아	37	북쪽	62	삼각주	87	신기루
13	러시아어, ~사람	38	큰 바다, 대양	63	호수	88	물 마른 강
14	로마	39	바다	64	연못	89	화산
15	스코틀랜드	40	뭍, 육지	65	저수지	90	활화산
16	스코틀랜드어, ~사람	41	대륙	66	댐	91	휴화산
17	스페인	42	반도	67	폭포	92	사화산
18	스페인어, ~사람	43	섬	68	습지	93	분화구
19	스웨덴	44	소해협 / 대해협	69	언덕	94	분화
20	스웨덴어, ~사람	45	피오르드	70	산	95	마그마
21	스위스	46	빙산	71	산맥	96	용암
22	태국	47	빙하	72	계곡	97	화산재
23	태국어, 태국인	48	해안선	73	협곡	98	화산탄
24	터키	49	해안	74	대협곡	99	지진
25	터키어, 터키인	50	모래사장	75	분지	100	진앙

Review Test 2

THE VOCABULARY 1601 - 1700

● 다음 주어진 영단어를 보고 우리말 뜻을 말해 보세요.

1 Korea
2 Korean
3 Japan
4 Japanese
5 Mexico
6 Mongolia
7 Mongolian
8 Norway
9 Norwegian
10 Portugal
11 Portuguese
12 Russia
13 Russian
14 Rome
15 Scotland
16 Scottish
17 Spain
18 Spanish
19 Sweden
20 Swedish
21 Switzerland
22 Thailand
23 Thai
24 Turkey
25 Turkish
26 Vietnam
27 Vietnamese
28 the earth
29 the Antarctic
30 Antarctica
31 the Arctic
32 position
33 direction
34 the east
35 the west
36 the south
37 the north
38 ocean
39 sea
40 land
41 continent
42 peninsula
43 island
44 strait/channel
45 fiord(=fjord)
46 iceberg
47 glacier
48 coastline
49 seashore
50 sand beach
51 sand dune
52 cliff
53 continental shelf
54 cape
55 reef
56 bay/gulf
57 headwaters
58 stream, brook
59 river
60 bank
61 estuary
62 delta
63 lake
64 pond
65 reservoir
66 dam
67 waterfall, falls
68 swamp, marsh
69 hill
70 mountain
71 mountain range
72 valley
73 gorge, ravine
74 canyon
75 basin
76 cave
77 ridge
78 summit, peak
79 forest
80 woods
81 plateau
82 plain
83 field
84 meadow, pasture
85 desert
86 oasis
87 mirage
88 wadi
89 volcano
90 active volcano
91 dormant volcano
92 extinct volcano
93 crater
94 eruption
95 magma
96 lava
97 volcanic ashes
98 volcanic bombs
99 earthquake
100 epicenter

Unit **18** 지구-2 · 주요지명 · 기후 및 날씨, 우주 · 별 · 태양계

					Tips
1	지구표면	1	surface	[sə́:rfis]	
2	지각	2	crust	[krʌst]	
3	맨틀	3	mantle	[mǽntl]	
4	지축	4	the axis	[ði ǽksis]	
5	적도	5	the equator	[ði ikwéitər]	
6	위도	6	latitude	[lǽtətjù:d]	
7	경도	7	longitude	[lάndʒətjù:d]	
8	지하수	8	ground water	[gráund wɔ̀:tər]	
9	흙, 토양	9	soil	[sɔil]	
10	진흙, 찰흙	10	clay	[klei]	
11	암석, 바위	11	rock	[rɑk]	
12	돌	12	stone	[stoun]	
13	대리석	13	marble	[mά:rbəl]	
14	화강암	14	granite	[grǽnit]	
15	현무암	15	basalt	[bəsɔ́:lt]	
16	수정	16	crystal	[krístl]	
17	밀물, 만조	17	full tide	[fúl tàid]	
18	썰물, 간조	18	ebb tide	[éb tàid]	
19	**지명**	19	**the place names**	[ðə pléis nèimz]	
20	콜로라도 강	20	the Colorado	[ðə kὰlərǽdou]	
21	미시시피 강	21	the Mississippi	[ðə mìsəsípi]	
22	아마존 강	22	the Amazon	[ði ǽməzὰn]	
23	나일 강	23	the Nile	[ðə náil]	
24	템즈 강	24	the Thames	[ðə témz]	
25	센 강	25	the Seine	[ðə séin]	

26 라인 강	26 the Rhine	[ðə ráin]
27 황하	27 the Hwang Ho	[ðə hwá:ŋ hóu]
28 양자 강	28 the Yangtze	[ðə já:ŋtsí]
29 인더스 강	29 the Indus	[ði índəs]
30 갠지스 강	30 the Ganges	[ðə gǽndʒi:z]
31 안데스산맥	31 the Andes	[ði ǽndi:z]
32 알프스산맥	32 the Alps	[ði ǽlps]
33 히말라야산맥	33 the Himalayas	[ðə hìməléiəz]
34 고비사막	34 the Gobi	[ðə góubi]
35 사하라사막	35 the Sahara	[ðə səhǽrə]
36 하와이제도	36 the Hawaiian Islands	[ðə həwáiən áiləndz]
37 필리핀군도	37 the Philippines	[ðə fíləpì:nz]
38 **기후**	38 **climate**	[kláimit]
39 **날씨**	39 **weather**	[wéðər]
40 **비**	40 **rain**	[rein]
41 이슬비	41 drizzle	[drízl]
42 가랑비	42 sprinkle	[spríŋkəl]
43 여우비	43 sun-shower	[sʌ́nʃàuər]
44 소나기	44 shower	[ʃáuər]
45 폭우	45 downpour	[dáunpɔ̀:r]
46 천둥	46 thunder	[θʌ́ndər]
47 번개	47 lightning	[láitniŋ]
48 뇌우	48 thunderstorm	[θʌ́ndərstɔ̀:rm]
49 **바람**	49 **wind**	[wind]
50 산들바람, 미풍	50 breeze	[bri:z]

Tips

- 지명 앞에 'the'가 붙은 것과 붙지 않은 것의 차이점을 '만'을 예로 들어 알아보자.
  –'HudsonBay(허드슨 만)'처럼 'the'가 붙지 않은 것은 그 모양이 비교적 단순해서 '하나의 만'처럼 그 대상이 쉽게 인식이 되는 경우이다.
  –'the Bay of Bengal(벵골 만)'처럼 'the'가 붙은 것은 그 만의 모양이 방대하거나 복잡해서 그것이 단순한 하나의 만으로 인식되지 않을 때 그것에 부속된 모든 것들을 통칭해서 'the'로 묶은 것이다.
  –'the Philippines' 같은 국명도 필리핀이 수천 개의 섬으로 된 나라라서 한 나라로 인식되기 힘들기 때문에 그 모든 섬들을 'the'로 묶어서 '한 나라의 개념'으로 표현한 것이다. 나머지의 경우도 똑같은 원리가 적용된다. 따라서 '강'은 지류나 지천을 포함해서 부르기 때문에 'the'를 붙이는 것이고, '한반도'는 '한반도와 그 부속도서'를 포함하므로 'the'를 붙인다.

Unit 18

지구–2 · 주요지명 · 기후 및 날씨, 우주 · 별 · 태양계

			Tips
51 강풍(=gale)	51 strong wind	[strɔ́:ŋ wìnd]	
52 폭풍우	52 storm	[stɔ:rm]	
53 태풍	53 typhoon	[taifú:n]	
54 **구름**	54 **cloud**	[klaud]	
55 **눈**	55 **snow**	[snou]	
56 서리	56 frost	[frɔ:st]	
57 안개	57 fog	[fɑ:g]	
58 이슬	58 dew	[dju:]	
59 **하늘**	59 **sky**	[skai]	
60 오로라	60 atmosphere	[ǽtməsfìər]	
61 고기압	61 high pressure	[hái préʃər]	
62 저기압	62 low pressure	[lóu préʃər]	
63 자전	63 rotation	[routéiʃən]	
64 공전	64 revolution	[rèvəlú:ʃən]	
65 제트기류	65 jet stream	[dʒét strì:m]	
66 온도계	66 thermometer	[θərmάmitər]	
67 섭씨(=Celsius)	67 centigrade	[séntəgrèid]	● 섭씨 Celsius[sélsiəs]
68 화씨	68 Fahrenheit	[fǽrənhàit]	
69 온도	69 temperature	[témpərətʃər]	
70 도(℃, ℉), 정도	70 degree	[digrí:]	
71 기압계	71 barometer	[bərάmitər]	● 습도계 hygrometer [haigrάmitər]
72 풍향계	72 weather vane	[wéðər vèin]	
73 황사	73 yellow dust	[jélou dʌ̀st]	● 미세먼지 fine dust [fáin dʌ̀st]
74 폭염	74 scorching heat	[skɔ́:rtʃiŋ hì:t]	
75 열대야	75 tropical night	[trάpikəl nàit]	

76 **우주, 은하계**	76 **the universe**	[ðə jú:nəvə̀:rs]	
77 은하수	77 galaxy	[gǽləksi]	
78 **별**	78 **star**	[sta:r]	
79 궤도	79 orbit	[ɔ́:rbit]	
80 행성, 혹성	80 planet	[plǽnit]	
81 위성, 인공위성	81 satellite	[sǽtəlàit]	
82 천문대	82 observatory	[əbzə́:rvətɔ̀:ri]	
83 천문학	83 astronomy	[əstrúnəmi]	
84 우주비행사	84 astronaut	[ǽstrənɔ̀:t]	
85 우주정거장	85 space station	[spéis stèiʃən]	
86 **태양계**	86 **the Solar System**	[ðə sóulər sìstəm]	
87 태양	87 the sun	[ðə sʌ́n]	
88 수성	88 Mercury	[mə́:rkjəri]	
89 금성	89 Venus	[ví:nəs]	
90 지구	90 the earth	[ði ə́:rθ]	
91 화성	91 Mars	[ma:rz]	
92 목성	92 Jupiter	[dʒú:pitər]	
93 토성	93 Saturn	[sǽtərn]	
94 천왕성	94 Uranus	[júərənəs]	
95 해왕성	95 Neptune	[néptju:n]	
96 명왕성	96 Pluto	[plú:tou]	
97 **일식**	97 **solar eclipse**	[sóulər iklíps]	
98 달	98 the moon	[ðə mú:n]	
99 보름달, 만월	99 full moon	[fúl mú:n]	
100 월식	100 lunar eclipse	[lú:nər iklíps]	

Tips

- space[speis] 우주, 공간, 장소
- cosmos[kázməs] 우주, 질서, 조화
- 탐사용 로켓, 탐색기 probe[proub]
- 중력, 인력 gravity[grǽvəti]
- 과학기술 technology [teknálədʒi]
- 과학기술자 technologist [teknálədʒist]
- 연구, 과학적 탐구 research[risə́:rtʃ]
- 연구원 researcher[risə́:rtʃər]
- 우주왕복선 space shuttle [spéis ʃʌ̀tl]
- 반달
  –half moon[hǽf mù:n]
  –quarter moon [kwɔ́:rtər mù:n]

Review Test 1

THE VOCABULARY
1701 - 1800

● 다음 주어진 우리말 단어 뜻을 보고 영단어를 말해 보세요.

1	지구표면	26	라인 강	51	강풍(=gale)	76	우주, 은하계
2	지각	27	황하	52	폭풍우	77	은하수
3	맨틀	28	양자 강	53	태풍	78	별
4	지축	29	인더스 강	54	구름	79	궤도
5	적도	30	갠지스 강	55	눈	80	행성, 혹성
6	위도	31	안데스산맥	56	서리	81	위성, 인공위성
7	경도	32	알프스산맥	57	안개	82	천문대
8	지하수	33	히말라야산맥	58	이슬	83	천문학
9	흙, 토양	34	고비사막	59	하늘	84	우주비행사
10	진흙, 찰흙	35	사하라사막	60	오로라	85	우주정거장
11	암석, 바위	36	하와이제도	61	고기압	86	태양계
12	돌	37	필리핀군도	62	저기압	87	태양
13	대리석	38	기후	63	자전	88	수성
14	화강암	39	날씨	64	공전	89	금성
15	현무암	40	비	65	제트기류	90	지구
16	수정	41	이슬비	66	온도계	91	화성
17	밀물, 만조	42	가랑비	67	섭씨(=Celsius)	92	목성
18	썰물, 간조	43	여우비	68	화씨	93	토성
19	지명	44	소나기	69	온도	94	천왕성
20	콜로라도 강	45	폭우	70	도(℃, ℉), 정도	95	해왕성
21	미시시피 강	46	천둥	71	기압계	96	명왕성
22	아마존 강	47	번개	72	풍향계	97	일식
23	나일 강	48	뇌우	73	황사	98	달
24	템즈 강	49	바람	74	폭염	99	보름달, 만월
25	센 강	50	산들바람, 미풍	75	열대야	100	월식

Review Test 2

THE VOCABULARY 1701 - 1800

● 다음 주어진 영단어를 보고 우리말 뜻을 말해 보세요.

1 surface
2 crust
3 mantle
4 the axis
5 the equator
6 latitude
7 longitude
8 ground water
9 soil
10 clay
11 rock
12 stone
13 marble
14 granite
15 basalt
16 crystal
17 full tide
18 ebb tide
19 the place names
20 the Colorado
21 the Mississippi
22 the Amazon
23 the Nile
24 the Thames
25 the Seine
26 the Rhine
27 the Hwang Ho
28 the Yangtze
29 the Indus
30 the Ganges
31 the Andes
32 the Alps
33 the Himalayas
34 the Gobi
35 the Sahara
36 the Hawaiian Islands
37 the Philippines
38 climate
39 weather
40 rain
41 drizzle
42 sprinkle
43 sun-shower
44 shower
45 downpour
46 thunder
47 lightning
48 thunderstorm
49 wind
50 breeze
51 strong wind
52 storm
53 typhoon
54 cloud
55 snow
56 frost
57 fog
58 dew
59 sky
60 atmosphere
61 high pressure
62 low pressure
63 rotation
64 revolution
65 jet stream
66 thermometer
67 centigrade
68 Fahrenheit
69 temperature
70 degree
71 barometer
72 weather vane
73 yellow dust
74 scorching heat
75 tropical night
76 the universe
77 galaxy
78 star
79 orbit
80 planet
81 satellite
82 observatory
83 astronomy
84 astronaut
85 space station
86 the Solar System
87 the sun
88 Mercury
89 Venus
90 the earth
91 Mars
92 Jupiter
93 Saturn
94 Uranus
95 Neptune
96 Pluto
97 solar eclipse
98 the moon
99 full moon
100 lunar eclipse

Unit 19 에너지 · 공해 및 환경 · 야외활동

					Tips
1	**에너지원**	1	**Energy Sources**	[énərdʒi sɔ́:rsiz]	
2	석탄	2	coal	[koul]	
3	석유 (=oil)	3	petroleum	[pitróuliəm]	
4	천연가스	4	natural gas	[nǽtʃərəl gǽs]	
5	수력발전	5	hydroelectric power	[hàidrouiléktrik páuər]	
6	원자력	6	nuclear energy	[njú:kliər ènərdʒi]	
7	핵융합에너지	7	fusion energy	[fjú:ʒən ènərdʒi]	
8	풍력	8	wind power	[wínd pàuər]	
9	지열에너지	9	geothermal energy	[dʒìouθə́:rməl ènərdʒi]	
10	조력	10	tidal energy	[táidl ènərdʒi]	
11	태양에너지	11	solar energy	[sóulər ènərdʒi]	
12	바이오에너지	12	bio-energy	[bàiouénərdʒi]	
13	**발전소**	13	**power plant**	[páuər plæ̀nt]	
14	화력발전소	14	thermal power plant	[θə́:rməl pàuər plǽnt]	
15	수력발전소	15	hydroelectric power plant	[hàidrouiléktrik pàuər plǽnt]	
16	원자력발전소	16	nuclear power plant	[njú:kliər pàuər plǽnt]	
17	풍력발전소	17	wind power plant	[wínd pàuər plǽnt]	
18	지열발전소	18	geothermal power plant	[dʒìouθə́:rməl pàuər plǽnt]	
19	조력발전소	19	tidal power plant	[táidl pàuər plǽnt]	
20	태양열발전소	20	solar power plant	[sóulər pàuər plǽnt]	
21	발전기	21	generator	[dʒénərèitər]	
22	철탑	22	pylon	[páilɑn]	
23	송전선	23	electric power line	[iléktrik páuər làin]	
24	고압선	24	high tension wire	[hái ténʃən wàiər]	
25	송전	25	power transmission	[páuər trænsmíʃən]	

					Tips
26	변전소	26	substation	[sʌ́bstèiʃən]	
27	변압기	27	transformer	[trænsfɔ́:rmər]	
28	전기	28	electricity	[ilèktrísəti]	
29	유전	29	oil field	[ɔ́il fi:ld]	
30	유정	30	oil well	[ɔ́il wèl]	
31	송유관	31	pipeline	[páiplàin]	
32	**오염, 공해**	32	**pollution**	[pəlú:ʃən]	
33	대기오염	33	air pollution	[ɛ́ər pəlù:ʃən]	
34	환경오염	34	environmental pollution	[invàiərənméntl pəlù:ʃən]	
35	수질오염	35	water pollution	[wɑ́:tər pəlù:ʃən]	
36	토양오염	36	soil pollution	[sɔ́il pəlù:ʃən]	
37	소음공해	37	noise pollution	[nɔ́iz pəlù:ʃən]	
38	열공해	38	heat pollution	[hí:t pəlù:ʃən]	
39	오염원	39	polluter	[pəlú:tər]	
40	**오염물질**	40	**pollutant**	[pəlú:tənt]	
41	수은	41	mercury	[mə́:rkjəri]	
42	카드뮴	42	cadmium	[kǽdmiəm]	
43	이산화탄소	43	carbon dioxide	[kɑ́:rbən daiɑ́ksaid]	
44	아황산가스	44	sulfurous acid gas	[sʌ́lfərəs ǽsid gæ̀s]	
45	미세먼지	45	fine dust	[fáin dʌ̀st]	
46	배기가스	46	exhaust	[igzɔ́:st]	
47	스모그	47	smog	[smɑg]	
48	산업폐기물	48	industrial waste	[indʌ́striəl wèist]	
49	환경	49	environment	[inváiərənmənt]	
50	환경보호	50	environmental conservation	[invàiərənméntl kɑ̀nsə:rvéiʃən]	

Unit 19 에너지 · 공해 및 환경 · 야외활동

					Tips
51	환경파괴	51	environmental disruption	[invàiərənméntl disrʌ̀pʃən]	
52	적조	52	red tide	[réd tàid]	
53	지구온난화	53	global warming	[glóubəl wɔ̀:rmiŋ]	
54	기상이변	54	unusual weather	[ʌnjú:ʒuəl wèðər]	
55	상수도	55	water supply	[wá:tər səplài]	
56	수돗물	56	tap water	[tǽp wà:tər]	
57	하수도	57	sewer	[sú:ər]	
58	하수관	58	drainpipe	[dréinpàip]	
59	하수, 오수	59	sewage	[sú:idʒ]	
60	하수처리장	60	sewage treatment plant	[sú:idʒ trì:tmənt plǽnt]	
61	**야외활동**	61	**outdoor activity**	[áutdɔ̀:r æktívəti]	
62	**유원지**	62	**amusement park**	[əmjú:zmənt pà:rk]	
63	매표소	63	ticket office	[tíkit à:fis]	
64	입장료	64	admission fee	[ædmíʃən fì:]	
65	롤러코스터	65	roller coaster	[róulər kòustər]	
66	회전목마	66	merry-go-round	[mérigouràund]	
67	놀이기구(탈 것)	67	rides	[raidz]	
68	사격연습장	68	shooting gallery	[ʃú:tiŋ gǽləri]	
69	범퍼 카	69	bumper car	[bʌ́mpər kà:r]	
70	분수	70	fountain	[fáuntin]	
71	바이킹	71	pirate ship	[páiərət ʃip]	
72	**캠핑**	72	**camping**	[kǽmpiŋ]	
73	배낭	73	knapsack	[nǽpsæ̀k]	
74	로프	74	rope	[roup]	
75	침낭	75	sleeping bag	[slí:piŋ bæ̀g]	

			Tips
76 슬리핑 패드	76 sleeping pad	[slí:piŋ pæ̀d]	
77 천막, 텐트	77 tent	[tent]	
78 하이킹 스틱	78 hiking stick	[háikiŋ stìk]	
79 판초우의	79 poncho	[pántʃou]	
80 캠핑용 취사도구	80 mess kit	[més kìt]	
81 지도책	81 atlas	[ǽtləs]	
82 호루라기	82 whistle	[wísəl]	
83 랜턴	83 lantern	[lǽntərn]	
84 가스레인지	84 gas burner	[gǽs bə̀:nər]	
85 비상식량	85 emergency food	[imə́:rdʒənsi fù:d]	
86 야전삽	86 entrenching shovel	[entréntʃiŋ ʃʌ̀vəl]	
87 야전침대, 접침대	87 camp bed	[kǽmp bèd]	
88 야전의자, 접의자	88 camp chair	[kǽmp tʃɛ̀ər]	
89 **등산**	89 **mountain climbing**	[máuntən klàimiŋ]	
90 암벽등반	90 rock - climbing	[rák klàimiŋ]	
91 등산용 배낭	91 rucksack	[rʌ́ksæ̀k]	
92 등산화	92 hiking boots	[háikiŋ bù:ts]	
93 로프, 자일	93 rope, Seil	[roup], [zail]	
94 바람막이	94 windbreak	[wíndbrèik]	
95 피켈(쇄빙도끼)	95 pickel, ice - ax	[píkəl], [áisæ̀ks]	
96 하켄(로프 거는 못)	96 Haken, piton	[há:kən], [pí:tɑn]	
97 산장	97 cabin	[kǽbin]	
98 산의 대피소	98 mountain shelter	[máuntən ʃèltər]	
99 산길	99 mountain path	[máuntən pæ̀θ]	
100 산속 오솔길	100 trail	[treil]	

● 다음 주어진 우리말 단어 뜻을 보고 영단어를 말해 보세요.

1 에너지원
2 석탄
3 석유(=oil)
4 천연가스
5 수력발전
6 원자력
7 핵융합에너지
8 풍력
9 지열에너지
10 조력
11 태양에너지
12 바이오에너지
13 발전소
14 화력발전소
15 수력발전소
16 원자력발전소
17 풍력발전소
18 지열발전소
19 조력발전소
20 태양열발전소
21 발전기
22 철탑
23 송전선
24 고압선
25 송전
26 변전소
27 변압기
28 전기
29 유전
30 유정
31 송유관
32 오염, 공해
33 대기오염
34 환경오염
35 수질오염
36 토양오염
37 소음공해
38 열공해
39 오염원
40 오염물질
41 수은
42 카드뮴
43 이산화탄소
44 아황산가스
45 미세먼지
46 배기가스
47 스모그
48 산업폐기물
49 환경
50 환경보호
51 환경파괴
52 적조
53 지구온난화
54 기상이변
55 상수도
56 수돗물
57 하수도
58 하수관
59 하수, 오수
60 하수처리장
61 야외활동
62 유원지
63 매표소
64 입장료
65 롤러코스터
66 회전목마
67 놀이기구(탈 것)
68 사격연습장
69 범퍼 카
70 분수
71 바이킹
72 캠핑
73 배낭
74 로프
75 침낭
76 슬리핑 패드
77 천막, 텐트
78 하이킹 스틱
79 판초우의
80 캠핑용 취사도구
81 지도책
82 호루라기
83 랜턴
84 가스레인지
85 비상식량
86 야전삽
87 야전침대, 접침대
88 야전의자, 접의자
89 등산
90 암벽등반
91 등산용 배낭
92 등산화
93 로프, 자일
94 바람막이
95 피켈(쇄빙도끼)
96 하켄(로프 거는 못)
97 산장
98 산의 대피소
99 산길
100 산속 오솔길

Review Test 2

● 다음 주어진 영단어를 보고 우리말 뜻을 말해 보세요.

1 Energy Sources
2 coal
3 petroleum
4 natural gas
5 hydroelectric power
6 nuclear energy
7 fusion energy
8 wind power
9 geothermal energy
10 tidal energy
11 solar energy
12 bio-energy
13 power plant
14 thermal power plant
15 hydroelectric power plant
16 nuclear power plant
17 wind power plant
18 geothermal power plant
19 tidal power plant
20 solar power plant
21 generator
22 pylon
23 electric power line
24 high tension wire
25 power transmission
26 substation
27 transformer
28 electricity
29 oil field
30 oil well
31 pipeline
32 pollution
33 air pollution
34 environmental pollution
35 water pollution
36 soil pollution
37 noise pollution
38 heat pollution
39 polluter
40 pollutant
41 mercury
42 cadmium
43 carbon dioxide
44 sulfurous acid gas
45 fine dust
46 exhaust
47 smog
48 industrial waste
49 environment
50 environmental conservation
51 environmental disruption
52 red tide
53 global warming
54 unusual weather
55 water supply
56 tap water
57 sewer
58 drainpipe
59 sewage
60 sewage treatment plant
61 outdoor activity
62 amusement park
63 ticket office
64 admission fee
65 roller coaster
66 merry-go-round
67 rides
68 shooting gallery
69 bumper car
70 fountain
71 pirate ship
72 camping
73 knapsack
74 rope
75 sleeping bag
76 sleeping pad
77 tent
78 hiking stick
79 poncho
80 mess kit
81 atlas
82 whistle
83 lantern
84 gas burner
85 emergency food
86 entrenching shovel
87 camp bed
88 camp chair
89 mountain climbing
90 rock-climbing
91 rucksack
92 hiking boots
93 rope, Seil
94 windbreak
95 pickel, ice-ax
96 Haken, piton
97 cabin
98 mountain shelter
99 mountain path
100 trail

Chapter 03

예술·스포츠·취미·동물 관련 명사 1000

Unit 01

취미 · 음악 · 음악의 장르

				Tips
1	**취미**	1 **hobby, interest**	[hábi], [íntərist]	
2	독서하기	2 reading	[rí:diŋ]	
3	여행하기	3 traveling	[trǽvəliŋ]	
4	낚시하기	4 fishing	[fíʃiŋ]	
5	등산하기	5 climbing	[kláimiŋ]	
6	바둑	6 go	[gou]	
7	체스	7 chess	[tʃes]	
8	노래하기	8 singing [songs]	[síŋiŋ sɔ̀:ŋz]	
9	춤추기	9 dancing	[dǽnsiŋ]	
10	사진촬영	10 taking photos	[téikiŋ fòutouz]	
11	음악감상	11 listening to music	[lísniŋ tu mjú:zik]	
12	영화감상	12 watching movies	[wátʃiŋ mù:viz]	
13	컴퓨터게임	13 computer games	[kəmpjú:tər gèimz]	
14	스포츠	14 sports	[spɔ:rts]	
15	인라인 스케이팅	15 inline skating	[ínlain skèitiŋ]	
16	스케이트보딩	16 skateboarding	[skéitbɔ̀:rdiŋ]	
17	행글라이딩	17 hang-gliding	[hǽŋglàidiŋ]	
18	요리하기	18 cooking	[kúkiŋ]	
19	피규어 수집	19 collecting figures	[kəléktiŋ figjərz]	
20	서예, 붓글씨	20 calligraphy	[kəlígrəfi]	
21	그림 그리기	21 drawing pictures	[drɔ́:iŋ pìktʃərz]	
22	조각	22 sculpture	[skʌ́lptʃər]	
23	꽃꽂이	23 flower arrangement	[fláuər ərèindʒmənt]	
24	시	24 poems	[póuimz]	
25	도예	25 ceramic art	[sərǽmik à:rt]	

26	**음악**	26	**music**	[mjú:zik]
27	악보	27	music, score	[mjú:zik], [skɔ:r]
28	멜로디, 선율	28	melody	[mélədi]
29	가사	29	lyrics	[líriks]
30	화음	30	accord	[əkɔ́:rd]
31	리듬	31	rhythm	[ríðəm]
32	박자	32	beat	[bi:t]
33	작사	33	lyric making	[lírik mèikiŋ]
34	작사가	34	lyricist	[lírisist]
35	작곡	35	composition	[kàmpəzíʃən]
36	클래식 작곡가	36	composer	[kəmpóuzər]
37	대중음악 작곡가	37	songwriter	[sɔ́:ŋràitər]
38	편곡	38	arrangement	[əréindʒmənt]
39	노래	39	song	[sɔ:ŋ]
40	노래자랑	40	singing contest	[síŋiŋ kántest]
41	인기가수	41	pop singer	[páp síŋər]
42	가장 잘 하는 노래	42	one's favorite song	[wʌnz féivərit sɔ́:ŋ]
43	콧노래	43	humming	[hʌ́miŋ]
44	음치	44	tone-deafness	[tóundèfnis]
45	휘파람	45	whistle	[wísəl]
46	공연	46	performance	[pərfɔ́:rməns]
47	연주회, 콘서트	47	concert	[ká:nsərt]
48	기립박수	48	standing ovation	[stǽndiŋ ouvèiʃən]
49	앙코르, 재청	49	encore	[á:ŋkɔ:r]
50	밴드, 악단	50	band	[bænd]

Tips

			Tips
51 음반, 레코드	51 album, record	[ǽlbəm], [rékərd]	
52 명곡	52 masterpiece	[mǽstərpìːs]	
53 타이틀곡	53 the title track	[ðə táitl trǽk]	
54 히트곡	54 hit song	[hít sɔ́ːŋ]	
55 영화음악	55 film music	[fílm mjùːzik]	
56 립싱크	56 lip sync	[líp síŋk]	
57 뮤직비디오	57 music video	[mjúːzik vìdiou]	
58 음악가	58 musician	[mjuːzíʃən]	
59 리드보컬(=~singer)	59 lead vocal	[líːd vòukəl]	
60 기타연주자	60 guitarist	[gitáːrist]	
61 베이스기타 연주자	61 base guitarist	[béis gitàːrist]	
62 키보드 연주자	62 keyboard player	[kíːbɔ̀ːrd pléiər]	
63 드럼 연주자	63 drummer	[drʌ́mər]	
64 오케스트라, 관현악단	64 orchestra	[ɔ́ːrkəstrə]	
65 합주(=concert)	65 ensemble	[ɑːnsɑ́ːmbəl]	
66 이중주	66 duet	[djuét]	
67 삼중주	67 trio	[tríːou]	
68 사중주	68 quartet	[kwɔːrtét]	
69 오중주	69 quintet	[kwintét]	
70 행진곡	70 march	[mɑːrtʃ]	
71 교향곡, 심포니	71 symphony	[símfəni]	
72 주명곡, 소나타	72 sonata	[sənɑ́ːtə]	
73 성악	73 vocal music	[vóukəl mjùːzik]	
74 합창, 합창단	74 chorus	[kɔ́ːrəs]	
75 독창	75 solo	[sóulou]	

			Tips
76 소프라노	76 soprano	[səprǽnou]	
77 메조 소프라노	77 mezzo-soprano	[mèdzou səprάnou]	
78 알토	78 alto	[ǽltou]	
79 테너	79 tenor	[ténər]	
80 바리톤	80 baritone	[bǽrətòun]	
81 베이스	81 bass	[beis]	
82 **음악장르**	82 **music genre**	[mjú:zik ʒὰ:nrə]	
83 클래식	83 classical music	[klǽsikəl mjú:zik]	
84 오페라	84 opera	[άpərə]	
85 재즈	85 jazz	[dʒæz]	
86 모던 재즈	86 modern jazz	[mάdərn dʒæ̀z]	
87 팝 음악	87 pop music	[pάp mjù:zik]	
88 포크 송	88 folk song	[fóuk sɔ̀:ŋ]	
89 샹송	89 chanson	[ʃǽnsən]	
90 댄스뮤직	90 dance music	[dǽns mjù:zik]	
91 로큰 롤	91 rock and roll	[rάk ən ròul]	
92 하드 락	92 hard rock	[hά:rd ràk]	
93 헤비메탈	93 heavy metal	[hévi métl]	
94 힙합	94 hiphop	[híphὰp]	
95 랩	95 rap	[ræp]	
96 블루스	96 blues	[blu:z]	
97 리듬앤블루스	97 rhythm and blues	[ríðəm ən blú:z]	
98 발라드	98 ballade	[bəlά:d]	
99 라틴음악	99 Latin music	[lǽtin mjù:zik]	
100 레게음악	100 reggae music	[régei mjù:zik]	

THE VOCABULARY 1 - 100

● 다음 주어진 우리말 단어 뜻을 보고 영단어를 말해 보세요.

1 취미
2 독서하기
3 여행하기
4 낚시하기
5 등산하기
6 바둑
7 체스
8 노래하기
9 춤추기
10 사진촬영
11 음악감상
12 영화감상
13 컴퓨터게임
14 스포츠
15 인라인 스케이팅
16 스케이트보딩
17 행글라이딩
18 요리하기
19 피규어 수집
20 서예, 붓글씨
21 그림 그리기
22 조각
23 꽃꽂이
24 시
25 도예
26 음악
27 악보
28 멜로디, 선율
29 가사
30 화음
31 리듬
32 박자
33 작사
34 작사가
35 작곡
36 클래식 작곡가
37 대중음악 작곡가
38 편곡
39 노래
40 노래자랑
41 인기가수
42 가장 잘 하는 노래
43 콧노래
44 음치
45 휘파람
46 공연
47 연주회, 콘서트
48 기립박수
49 앙코르, 재청
50 밴드, 악단
51 음반, 레코드
52 명곡
53 타이틀곡
54 히트곡
55 영화음악
56 립싱크
57 뮤직비디오
58 음악가
59 리드보컬(=~singer)
60 기타연주자
61 베이스기타 연주자
62 키보드 연주자
63 드럼 연주자
64 오케스트라, 관현악단
65 합주(=concert)
66 이중주
67 삼중주
68 사중주
69 오중주
70 행진곡
71 교향곡, 심포니
72 주명곡, 소나타
73 성악
74 합창, 합창단
75 독창
76 소프라노
77 메조소프라노
78 알토
79 테너
80 바리톤
81 베이스
82 음악장르
83 클래식
84 오페라
85 재즈
86 모던 재즈
87 팝 음악
88 포크 송
89 샹송
90 댄스뮤직
91 로큰롤
92 하드락
93 헤비메탈
94 힙합
95 랩
96 블루스
97 리듬앤블루스
98 발라드
99 라틴음악
100 레게음악

Review Test 2

THE VOCABULARY 1 - 100

● 다음 주어진 영단어를 보고 우리말 뜻을 말해 보세요.

1	hobby, interest	26	music	51	album, record	76	soprano
2	reading	27	music, score	52	masterpiece	77	mezzo-soprano
3	traveling	28	melody	53	the title track	78	alto
4	fishing	29	lyrics	54	hit song	79	tenor
5	climbing	30	accord	55	film music	80	baritone
6	go	31	rhythm	56	lip sync	81	bass
7	chess	32	beat	57	music video	82	music genre
8	singing songs	33	lyric making	58	musician	83	classical music
9	dancing	34	lyricist	59	lead vocal	84	opera
10	taking photos	35	composition	60	guitarist	85	jazz
11	listening to music	36	composer	61	base guitarist	86	modern jazz
12	watching movies	37	songwriter	62	keyboard player	87	pop music
13	computer games	38	arrangement	63	drummer	88	folk song
14	sports	39	song	64	orchestra	89	chanson
15	inline skating	40	singing contest	65	ensemble	90	dance music
16	skateboarding	41	pop singer	66	duet	91	rock and roll
17	hang-gliding	42	one's favorite song	67	trio	92	hard rock
18	cooking	43	humming	68	quartet	93	heavymetal
19	collecting figures	44	tone-deafness	69	quintet	94	hiphop
20	calligraphy	45	whistle	70	march	95	rap
21	drawing pictures	46	performance	71	symphony	96	blues
22	sculpture	47	concert	72	sonata	97	rhythm and blues
23	flower arrangement	48	standing ovation	73	vocal music	98	ballade
24	poems	49	encore	74	chorus	99	Latin music
25	ceramic art	50	band	75	solo	100	reggae music

Unit 02 악기의 종류 · 미술 · 사진

					Tips
1	**현악기(=strings)**	1	**stringed instruments**	[stríŋd ìnstrəmənts]	
2	현, 현악기의 줄	2	string	[striŋ]	
3	현악기의 줄 받침	3	bridge	[bridʒ]	
4	기타	4	guitar	[gitáːr]	
5	픽(기타줄 뜯는 채)	5	pick	[pik]	
6	만돌린	6	mandolin	[mǽndəlin]	
7	우쿨렐레	7	ukulele	[jùːkəléili]	
8	밴조	8	banjo	[bǽndʒou]	
9	하프	9	harp	[hɑːrp]	
10	바이올린	10	violin	[vàiəlín]	
11	[현악기용] 활	11	bow	[bou]	
12	비올라	12	viola	[vióulə]	
13	첼로	13	cello	[tʃélou]	
14	베이스	14	bass	[beis]	
15	피아노	15	piano	[piǽnou]	
16	건반, 키보드	16	keyboard	[kíːbɔ̀ːrd]	
17	**목관악기**	17	**the woodwind**	[ðə wúdwìnd]	
18	피콜로	18	piccolo	[píkəlòu]	
19	플루트	19	flute	[fluːt]	
20	오보에	20	oboe	[óubou]	
21	클라리넷	21	clarinet	[klǽrənèt]	
22	바순	22	bassoon	[bəsúːn]	
23	리코더	23	recorder	[rikɔ́ːrdər]	
24	**타악기**	24	**percussion**	[pərkʌ́ʃən]	
25	탬버린	25	tambourine	[tæ̀mbəríːn]	

26	심벌즈	26	cymbals	[símbəlz]
27	드럼	27	drum	[drʌm]
28	드럼 채	28	drum sticks	[drʌ́m stìks]
29	콩가	29	conga	[káŋgə]
30	케틀드럼(솥 모양)	30	kettledrum	[kétldrʌ̀m]
31	봉고드럼	31	bongos	[báŋgouz]
32	실로폰	32	xylophone	[záiləfòun]
33	**금관악기**	33	**brass**	[bræs]
34	트럼펫	34	trumpet	[trʌ́mpit]
35	트롬본	35	trombone	[trɑmbóun]
36	튜바	36	tuba	[tjú:bə]
37	색소폰	37	saxophone	[sǽksəfòun]
38	호른	38	horn	[hɔ:rn]
39	금관악기의 부는 부분	39	mouthpiece	[máuθpì:s]
40	**기타 악기들**	40	**other instruments**	[ʌ́ðər ìnstrəmənts]
41	아코디언	41	accordion	[əkɔ́:rdiən]
42	파이프오르간	42	pipe organ	[páip ɔ̀:rgən]
43	풍금	43	reed organ	[rí:d ɔ̀:rgən]
44	전자키보드	44	electric keyboard	[iléktrik kì:bɔ:rd]
45	캐스터네츠	45	castanets	[kæ̀stənéts]
46	하모니카	46	harmonica	[hɑ:rmánikə]
47	장조	47	major	[méidʒər]
48	단조	48	minor	[máinər]
49	지휘자	49	conductor	[kəndʌ́ktər]
50	지휘봉	50	baton	[bətán]

Tips

Unit 02

악기의 종류 · 미술 · 사진

			Tips
51 **미술, 예술**	51 **art**	[ɑ:rt]	
52 화가, 예술가	52 artist	[á:rtist]	
53 화실, 아틀리에	53 studio, atelier	[stjú:diòu], [ǽtəljèi]	
54 이젤	54 easel	[í:zəl]	
55 캔버스, 화포	55 canvas	[kǽnvəs]	
56 그림도구	56 color box	[kʌ́lər bɑ̀ks]	
57 유화물감	57 oil paint	[ɔ́il pèint]	
58 그림붓	58 paint brush	[péint brʌ̀ʃ]	
59 평붓	59 flat brush	[flǽt brʌ̀ʃ]	
60 둥근붓	60 round brush	[ráund brʌ̀ʃ]	
61 물감 녹이는 기름	61 medium	[mí:diəm]	
62 붓 세척기	62 brush washer	[brʌ́ʃ wɑ̀ʃər]	
63 기름통(=dipper)	63 pallet cup	[pǽlit kʌ̀p]	
64 나이프	64 knife	[naif]	
65 초상화	65 portrait	[pɔ́:rtrit]	
66 자화상	66 self-portrait	[sélf pɔ̀:rtrit]	
67 옆얼굴 그림	67 profile	[próufail]	
68 실루엣(그림자 그림)	68 silhouette	[sìluét]	
69 정물화	69 still life	[stíl láif]	
70 풍경화	70 landscape	[lǽndskèip]	
71 목탄, 숯	71 charcoal	[tʃá:rkòul]	
72 크로키, 속사	72 rough draft	[rʌ́f drǽft]	
73 파스텔	73 pastel	[pæstél]	
74 에칭	74 etching	[étʃiŋ]	
75 목판화	75 woodcut	[wúdkʌ̀t]	

				Tips
76 **조각, 조소**	76 **sculpture**	[skʌ́lptʃər]		
77 조각가	77 sculptor	[skʌ́lptər]		
78 석고상	78 plaster cast	[plǽstər kæ̀st]		
79 끌	79 chisel	[tʃízəl]		
80 둥근 끌	80 gouge	[gaudʒ]		
81 망치	81 hammer	[hǽmər]		
82 주걱	82 spatula	[spǽtʃulə]		
83 흉상, 상반신상	83 bust	[bʌst]		
84 [몸통뿐인] 나체흉상	84 torso	[tɔ́:rsou]		
85 마스크, 두상	85 mask	[mæsk]		
86 부조, 돋을새김	86 relief	[rilí:f]		
87 **사진(=picture)**	87 **photograph**	[fóutəgræ̀f]		
88 사진가	88 photographer	[fətágrəfər]		
89 사진기	89 camera	[kǽmərə]		
90 필름	90 film	[film]		
91 렌즈	91 lens	[lenz]		
92 삼각대	92 tripod	[tráipɑd]		
93 플래시	93 flash	[flæʃ]		
94 촬영	94 photographing	[fóutəgræ̀fiŋ]		
95 현상	95 development	[divéləpmənt]		
96 인화	96 printing	[príntiŋ]		
97 노출	97 exposure	[ikspóuʒər]		
98 초점	98 focus	[fóukəs]		
99 화소	99 pixel	[píksəl]		
100 선예도	100 sharpness	[ʃá:rpnis]		

Review Test 1

THE VOCABULARY 101 - 200

● 다음 주어진 우리말 단어 뜻을 보고 영단어를 말해 보세요.

1 현악기(=strings)
2 현, 현악기의 줄
3 현악기의 줄 받침
4 기타
5 픽(기타줄 뜯는 채)
6 만돌린
7 우쿨렐레
8 밴조
9 하프
10 바이올린
11 [현악기용] 활
12 비올라
13 첼로
14 베이스
15 피아노
16 건반, 키보드
17 목관악기
18 피콜로
19 플루트
20 오보에
21 클라리넷
22 바순
23 리코더
24 타악기
25 탬버린
26 심벌즈
27 드럼
28 드럼 채
29 콩가
30 케틀드럼(솥 모양)
31 봉고드럼
32 실로폰
33 금관악기
34 트럼펫
35 트롬본
36 튜바
37 색소폰
38 호른
39 금관악기의 부는 부분
40 기타 악기들
41 아코디언
42 파이프오르간
43 풍금
44 전자키보드
45 캐스터네츠
46 하모니카
47 장조
48 단조
49 지휘자
50 지휘봉
51 미술, 예술
52 화가, 예술가
53 화실, 아틀리에
54 이젤
55 캔버스, 화포
56 그림도구
57 유화물감
58 그림붓
59 평붓
60 둥근붓
61 물감 녹이는 기름
62 붓 세척기
63 기름통(=dipper)
64 나이프
65 초상화
66 자화상
67 옆얼굴 그림
68 실루엣(그림자 그림)
69 정물화
70 풍경화
71 목탄, 숯
72 크로키, 속사
73 파스텔
74 에칭
75 목판화
76 조각, 조소
77 조각가
78 석고상
79 끌
80 둥근 끌
81 망치
82 주걱
83 흉상, 상반신상
84 [몸통뿐인] 나체흉상
85 마스크, 두상
86 부조, 돋을새김
87 사진(=picture)
88 사진가
89 사진기
90 필름
91 렌즈
92 삼각대
93 플래시
94 촬영
95 현상
96 인화
97 노출
98 초점
99 화소
100 선예도

THE VOCABULARY 101 - 200

● 다음 주어진 영단어를 보고 우리말 뜻을 말해 보세요.

1	stringed instruments	26	cymbals	51	art	76	sculpture
2	string	27	drum	52	artist	77	sculptor
3	bridge	28	drum sticks	53	studio, atelier	78	plaster cast
4	guitar	29	conga	54	easel	79	chisel
5	pick	30	kettledrum	55	canvas	80	gouge
6	mandolin	31	bongos	56	color box	81	hammer
7	ukulele	32	xylophone	57	oil paint	82	spatulas
8	banjo	33	brass	58	paint brush	83	bust
9	harp	34	trumpet	59	flat brush	84	torso
10	violin	35	trombone	60	round brush	85	mask
11	bow	36	tuba	61	medium	86	relief
12	viola	37	saxophone	62	brush washer	87	photograph
13	cello	38	horn	63	pallet cup	88	photographer
14	bass	39	mouthpiece	64	knife	89	camera
15	piano	40	other instruments	65	portrait	90	film
16	keyboard	41	accordion	66	self-portrait	91	lens
17	the woodwind	42	pipe organ	67	profile	92	tripod
18	piccolo	43	reed organ	68	silhouette	93	flash
19	flute	44	electric keyboard	69	still life	94	photographing
20	oboe	45	castanets	70	landscape	95	development
21	clarinet	46	harmonica	71	charcoal	96	printing
22	bassoon	47	major	72	rough draft	97	exposure
23	recorder	48	minor	73	pastel	98	focus
24	percussion	49	conductor	74	etching	99	pixel
25	tambourine	50	baton	75	woodcut	100	sharpness

Unit 03

종교와 신앙 · 영화

					Tips
1	종교	1	**religion**	[rilídʒən]	
2	신앙, 믿음	2	belief	[bilíːf]	
3	신념, 확신, 믿음	3	faith	[feiθ]	
4	교의, 신조	4	creed	[kriːd]	
5	신, 하나님	5	God	[gɑd]	
6	기도	6	prayer	[prεər]	
7	예배	7	worship	[wə́ːrʃip]	
8	경배	8	respectful bow	[rispéktfəl bàu]	
9	찬양	9	praise	[preiz]	
10	기독교	10	Christianity	[krìstʃiǽnəti]	
11	천주교	11	Roman Catholicism	[róumən kəθɑ̀ləsizəm]	
12	유대교	12	Judaism	[dʒúːdiəzəm]	
13	이슬람교, 회교	13	Islam	[íslɑːm]	
14	불교	14	Buddhism	[búːdizəm]	
15	라마교	15	Lamaism	[lɑ́ːməizəm]	
16	힌두교	16	Hinduism	[híndu:ìzəm]	
17	도교	17	Taoism	[tɑ́ːuizəm]	
18	이단	18	heresy	[hérəsi]	
19	교회, 예배당	19	church	[tʃəːrtʃ]	
20	절, 사찰	20	temple	[témpəl]	
21	유대교회당	21	synagogue	[sínəgɔ̀ːg]	
22	이슬람사원	22	mosque	[mɑsk]	
23	사당	23	shrine	[ʃrain]	
24	유신론자	24	theist	[θíːist]	
25	무신론자	25	atheist	[éiθiist]	

Tips

26 예수 그리스도	26 Jesus Christ	[dʒí:zəs kráist]	
27 여호와	27 Jehovah	[dʒihóuvə]	
28 마호메트	28 Mahomet	[məhάmət]	
29 알라	29 Allah	[ǽlə]	
30 부처	30 Buddha	[bú:də]	
31 공자	31 Confucius	[kənfjú:ʃəs]	
32 목사	32 pastor	[pǽstər]	
33 장로(=elder)	33 presbyter	[prézbitər]	
34 전도사	34 evangelist	[ivǽndʒəlist]	
35 집사/여자집사	35 deacon/deaconess	[dí:kən]/[dí:kənis]	
36 교황	36 the Pope	[ðə poup]	
37 주교	37 bishop	[bíʃəp]	
38 신부	38 Father	[fá:ðər]	
39 수녀	39 nun, sister	[nʌn], [sístər]	
40 사제, 제사장	40 priest	[pri:st]	
41 승려, 수도사	41 monk	[mʌŋk]	
42 여승, 비구니	42 Buddhist nun	[bú:dist nʌn]	
43 성경	43 the Bible	[ðə báibəl]	
44 불경(=Sútra)	44 Buddhist scriptures	[bú;dist skríptʃərz]	
45 코란	45 the Koran	[ðə kərǽn]	
46 유교경전	46 Confucian scriptures	[kənfjú:ʃən skríptʃərz]	
47 천사	47 angel	[éindʒəl]	
48 악마(=사탄), 마왕	48 the Devil	[ðə dévl]	
49 사탄	49 Satan	[séitən]	
50 귀신(타락한 천사)	50 demon	[dí:mən]	

Unit 03

종교와 신앙 · 영화

			Tips
51 악령, 귀신	51 evil spirit	[í:vəl spírit]	
52 유령, 혼령	52 ghost	[goust]	
53 사람의 영	53 spirit	[spírit]	
54 사람의 혼, 영혼	54 soul	[soul]	
55 심판	55 judgment	[dʒʌ́dʒmənt]	
56 부활	56 resurrection	[rèzərékʃən]	
57 축복, 복	57 blessing	[blésiŋ]	
58 저주, 천벌	58 curse	[kə:rs]	
59 십자가	59 cross	[krɔ:s]	
60 구원	60 salvation	[sælvéiʃən]	
61 천국	61 Heaven	[hévən]	
62 지옥	62 hell	[hel]	
63 **신도, 신자**	63 **believer**	[bilí:vər]	
64 회중	64 the congregation	[ðə kàŋgrigéiʃən]	
65 기독교 신자	65 Christian	[krístʃən]	
66 천주교 신자	66 Catholic	[kǽθəlik]	
67 유대교 신자	67 Jew, Judaist	[dʒu:], [dʒú:deist]	
68 이슬람교 신자	68 Islam	[ísla:m]	
69 불교 신자	69 Buddhist	[bú:dist]	
70 라마교 신자	70 Lamaist	[lá:məist]	
71 힌두교 신자	71 Hindu	[híndu:]	
72 도교 신자	72 Taoist	[táuist]	
73 광신자	73 fanatic	[fənǽtik]	
74 사이비 신자	74 pseudo-believer	[sú:dou bilì:vər]	
75 개종	75 conversion	[kənvə́:rʒən]	

76 영화(=picture)	76 **movie, film**	[mú:vi], [film]	
77 영화관	77 movie theater	[mú:vi θì:ətər]	
78 매표소, 히트작	78 box office	[báks à:fis]	
79 영화 포스터	79 movie poster	[mú:vi pòustər]	
80 상영시간	80 running time	[rʌ́niŋ tàim]	
81 매진	81 selling out	[séliŋ àut]	
82 암표	82 scalper's ticket	[skǽlpərz tíkit]	
83 흥행대작	83 blockbuster	[blákbʌstər]	
84 줄거리	84 plot	[plɑt]	
85 연기	85 performance	[pərfɔ́:rməns]	
86 대사	86 line	[lain]	
87 번역자막	87 subtitles	[sʌ́btàitlz]	
88 더빙, 재녹음	88 dubbing	[dʌ́biŋ]	
89 화면, 스크린	89 screen	[skri:n]	
90 컴퓨터그래픽(CG)	90 computer graphic	[kəmpjú:tər grǽfik]	
91 특수효과	91 special effects	[spéʃəl ifékts]	
92 영화 배경음악(BGM)	92 background music	[bǽkgràund mjú:zik]	
93 영화 삽입곡(OST)	93 Original Sound Track	[ərídʒənəl sàund trǽk]	
94 하이라이트	94 highlight	[háilàit]	
95 클라이맥스, 절정	95 the climax	[ðə kláimæks]	
96 스포트라이트	96 spotlight	[spátlàit]	
97 실화	97 true story	[trú: stɔ̀:ri]	
98 러브 씬	98 love scene	[lʌ́v sì:n]	
99 액션 씬	99 action scene	[ǽkʃən sì:n]	
100 라스트 씬	100 the last scene	[ðə lǽst sì:n]	

Tips

- 매표소
  - 영화관 매표소 box office
  - 그 밖의 매표소 ticket office

Review Test 1

● 다음 주어진 우리말 단어 뜻을 보고 영단어를 말해 보세요.

1 종교
2 신앙, 믿음
3 신념, 확신, 믿음
4 교의, 신조
5 신, 하나님
6 기도
7 예배
8 경배
9 찬양
10 기독교
11 천주교
12 유대교
13 이슬람교, 회교
14 불교
15 라마교
16 힌두교
17 도교
18 이단
19 교회, 예배당
20 절, 사찰
21 유대교회당
22 이슬람사원
23 사당
24 유신론자
25 무신론자
26 예수 그리스도
27 여호와
28 마호메트
29 알라
30 부처
31 공자
32 목사
33 장로(=elder)
34 전도사
35 집사/여자집사
36 교황
37 주교
38 신부
39 수녀
40 사제, 제사장
41 승려, 수도사
42 여승, 비구니
43 성경
44 불경(=Sútra)
45 코란
46 유교경전
47 천사
48 악마(=사탄), 마왕
49 사탄
50 귀신(타락한 천사)
51 악령, 귀신
52 유령, 혼령
53 사람의 영
54 사람의 혼, 영혼
55 심판
56 부활
57 축복, 복
58 저주, 천벌
59 십자가
60 구원
61 천국
62 지옥
63 신도, 신자
64 회중
65 기독교 신자
66 천주교 신자
67 유대교 신자
68 이슬람교 신자
69 불교 신자
70 라마교 신자
71 힌두교 신자
72 도교 신자
73 광신자
74 사이비 신자
75 개종
76 영화(=picture)
77 영화관
78 매표소, 히트작
79 영화 포스터
80 상영시간
81 매진
82 암표
83 흥행대작
84 줄거리
85 연기
86 대사
87 번역자막
88 더빙, 재녹음
89 화면, 스크린
90 컴퓨터그래픽(CG)
91 특수효과
92 영화 배경음악(BGM)
93 영화 삽입곡(OST)
94 하이라이트
95 클라이맥스, 절정
96 스포트라이트
97 실화
98 러브 씬
99 액션 씬
100 라스트 씬

Review Test 2

THE VOCABULARY 201 - 300

● 다음 주어진 영단어를 보고 우리말 뜻을 말해 보세요.

1 religion
2 belief
3 faith
4 creed
5 God
6 prayer
7 worship
8 respectful bow
9 praise
10 Christianity
11 Roman Catholicism
12 Judaism
13 Islam
14 Buddhism
15 Lamaism
16 Hinduism
17 Taoism
18 heresy
19 church
20 temple
21 synagogue
22 mosque
23 shrine
24 theist
25 atheist
26 Jesus Christ
27 Jehovah
28 Mahomet
29 Allah
30 Buddha
31 Confucius
32 pastor
33 presbyter
34 evangelist
35 deacon/deaconess
36 the Pope
37 bishop
38 Father
39 nun, sister
40 priest
41 monk
42 Buddhist nun
43 the Bible
44 Buddhist scriptures
45 the Koran
46 Confucian scriptures
47 angel
48 the Devil
49 Satan
50 demon
51 evil spirit
52 ghost
53 spirit
54 soul
55 judgment
56 resurrection
57 blessing
58 curse
59 cross
60 salvation
61 Heaven
62 hell
63 believer
64 the congregation
65 Christian
66 Catholic
67 Jew, Judaist
68 Islam
69 Buddhist
70 Lamaist
71 Hindu
72 Taoist
73 fanatic
74 pseudo-believer
75 conversion
76 movie, film
77 movie theater
78 box office
79 movie poster
80 running time
81 selling out
82 scalper's ticket
83 blockbuster
84 plot
85 performance
86 line
87 subtitles
88 dubbing
89 screen
90 computer graphic
91 special effects
92 background music
93 Original Sound Track
94 highlight
95 the climax
96 spotlight
97 true story
98 love scene
99 action scene
100 the last scene

Unit 04

영화 · 취미생활

1	영화제	1 film festival	[fílm fèstəvəl]	
2	아카데미영화상	2 Academy Film Award	[əkǽdəmi film əwɔ́:rd]	
3	오스카영화상	3 Oscar Film Award	[áskər fìlm əwɔ́:rd]	
4	스튜디오(촬영소)	4 studio	[stjú:diòu]	
5	야외촬영	5 location	[loukéiʃən]	
6	리허설(예행연습)	6 rehearsal	[rihə́:rsəl]	
7	연예계(show ~)	7 entertainment business	[èntərtéinmənt bìznis]	
8	연예인	8 entertainer	[èntərtéinər]	
9	영화배우	9 movie actor	[mú:vi ǽktər]	
10	남배우	10 actor	[ǽktər]	
11	여배우	11 actress	[ǽktris]	
12	남주인공	12 hero	[hí:rou]	
13	여주인공	13 heroine	[hérouin]	
14	엑스트라(보조출연자)	14 extra	[ékstrə]	
15	스턴트 맨	15 stunt man	[stʌ́nt mæ̀n]	
16	대역	16 stand-in	[stǽndìn]	
17	클래퍼보드	17 clapper boards	[klǽpər bɔ̀:rdz]	
18	영화감독	18 movie director	[mú:vi dirèktər]	
19	제작자	19 film producer	[fílm prədjù:sər]	
20	스태프(현장직원)	20 the staff	[ðə stǽf]	
21	배역, 캐스팅	21 the cast	[ðə kǽst]	
22	등장인물	22 character	[kǽriktər]	
23	카메오(깜짝 출연)	23 cameo	[kǽmiòu]	
24	영화팬	24 movie fan	[mú:vi fæ̀n]	
25	열혈팬, 광팬	25 big fan	[bíg fæ̀n]	

Tips

- clapper boards
  영화촬영을 할 때 촬영의 개시·종료를 알리는 '신호용 딱딱이'를 뜻하는데, 'clapstick'이라고도 한다. 보통 한국식외래어로는 '슬레이트(slate)'라고도 부른다.

- 헤로인[hérouin]
  발음만 따지자면 '여주인공'이라는 뜻의 영단어와 '모르핀으로 만든 마약의 일종'을 뜻하는 '헤로인'이 똑같고 스펠링도 비슷해서 혼동이 된다. 그러나 '여배우'를 뜻할 때에는 스펠링이 끝에 'e'가 하나 추가되므로 이 부분을 유의하면 된다.
  –heroin (마약 헤로인)
  –heroine (여배우)

26	개봉	26	first showing	[fə́:rst ʃòuiŋ]
27	다큐멘터리(기록영화)	27	documentary film	[dàkjəméntəri film]
28	옴니버스	28	omnibus	[ámnəbÀs]
29	장편영화	29	feature film	[fí:tʃər film]
30	서부영화	30	Western	[wéstərn]
31	이탈리아식 서부영화	31	spaghetti western	[spəgéti wèstərn]
32	전쟁영화	32	war film	[wɔ́:r film]
33	스릴러	33	thriller	[θrílər]
34	추리영화	34	whodunit	[hu:dʌ́nit]
35	뮤지컬영화	35	musical	[mjú:zikəl]
36	눈물을 짜내는 영화	36	tearjerker	[tíərdʒə̀:rkər]
37	멜로영화	37	romantic movie	[roumǽntik mù:vi]
38	액션영화	38	action movie	[ǽkʃən mù:vi]
39	판타지영화	39	fantasy movie	[fǽntəsi mù:vi]
40	어드벤처영화	40	adventure movie	[ædvéntʃər mù:vi]
41	SF영화	41	SF movie	[éséf mù:vi]
42	공포영화	42	horror movie	[hɔ́:rər mù:vi]
43	코믹영화	43	comic movie	[kámik mù:vi]
44	로맨틱 코미디	44	romantic comedy	[roumǽntik kàmədi]
45	성인영화	45	adult movie	[ədʌ́lt mù:vi]
46	에로영화	46	erotic movie	[irátik mù:vi]
47	포르노영화	47	porno movie	[pɔ́:rnou mù:vi]
48	흑백영화	48	monochrome film	[mánəkròum film]
49	무성영화	49	silent film	[sáilənt film]
50	발성영화(=talkie)	50	talking film	[tɔ́:kiŋ film]

Tips

- 옴니버스(omnibus)
  몇 개의 독립된 이야기를 전체적으로 일관된 분위기를 나타내도록 한편의 영화로 만든 것을 말한다.
- spaghetti western
  '이탈리아에서 만든 서부영화'를 뜻하는 말인데 속어로는 '마카로니 웨스턴'이라고도 부른다.
- whodunit
  'Who done it?'을 줄여서 만든 말이다. 그러나 바른 영어로 쓰면, 'Who did it?'이 된다. 결국 "누가 그 짓을 했는가?", 또는 "누가 범인인가?"라는 뜻이기 때문에 '추리영화'라는 뜻이 되었다.

한국어	English	발음	Tips
51 **낚시**	51 **fishing, angling**	[fíʃiŋ], [ǽŋgliŋ]	
52 낚시꾼	52 fisherman, angler	[fíʃərmən], [ǽŋglər]	
53 낚시도구	53 fishing tackle	[fíʃiŋ tæ̀kəl]	
54 낚싯대	54 fishing rod	[fíʃiŋ ràd]	
55 릴	55 reel	[ri:l]	
56 낚싯줄	56 line	[lain]	
57 낚싯봉, 추	57 sinker	[síŋkər]	
58 낚시찌	58 float	[flout]	
59 목줄	59 snell	[snel]	
60 낚싯바늘	60 hook	[huk]	
61 뜰채	61 landing net	[lǽndiŋ nèt]	
62 어롱(물고기 바구니)	62 creel	[kri:l]	
63 미끼	63 bait	[beit]	
64 루어(가짜 미끼)	64 lure	[luər]	
65 낚싯배	65 fishing boat	[fíʃiŋ bòut]	
66 얼음낚시	66 ice fishing	[áis fìʃiŋ]	
67 **바둑**	67 **go**	[gou]	
68 바둑판	68 go board	[góu bɔ̀:rd]	
69 바둑알(~ stone)	69 go piece	[góu pì:s]	
70 흰 돌(~ piece)	70 white stone	[wáit stòun]	
71 검은 돌 (~ piece)	71 black stone	[blǽk stòun]	
72 정석	72 standard procedure	[stǽndərd prəsí:dʒər]	
73 포석	73 groundwork	[gráundwə̀:rk]	
74 대국	74 match	[mætʃ]	
75 바둑선수	75 go player	[góu plèiər]	

76 **체스**	76 **chess**	[tʃes]	
77 체스판	77 chessboard	[tʃésbɔ̀:rd]	
78 가로줄	78 rank	[ræŋk]	
79 세로줄	79 file	[fail]	
80 대각선	80 diagonal	[daiǽgənəl]	
81 체스의 말	81 chessman	[tʃésmæ̀n]	
82 나이트(기사)	82 knight	[nait]	
83 비숍(주교)	83 bishop	[bíʃəp]	
84 폰(보병, 졸)	84 pawn	[pɔ:n]	
85 루크(성장=장기의 차)	85 rook	[ruk]	
86 킹(왕)	86 king	[kiŋ]	
87 퀸(여왕)	87 queen	[kwi:n]	
88 체스시합	88 chess match	[tʃés mæ̀tʃ]	
89 체스선수	89 chess player	[tʃés plèiər]	
90 **아이들의 놀이들**	90 **children's plays**	[tʃíldrənz plèiz]	
91 소꿉놀이	91 playing house	[pléiŋ hàus]	
92 수수께끼	92 riddle	[rídl]	
93 팔랑개비	93 pinwheel	[pínwì:l]	
94 팽이	94 top	[tɑp]	
95 연	95 kite	[kait]	
96 보드게임	96 board game	[bɔ́:rd gèim]	
97 도미노	97 dominoes	[dɑ́mənòuz]	
98 숨바꼭질	98 hide-and-seek	[háidənsí:k]	
99 눈싸움	99 snowball fight	[sóubɔ̀:l fáit]	
100 눈사람	100 snowman	[snóumæ̀n]	

Tips

- 술래잡기
  –tag[tæg]
- 술래
  –tagger[tǽgər]
  –it
  ⇨Tag, you're it.
  (잡았다. 네가 술래다.)

Review Test 1

THE VOCABULARY 301 - 400

● 다음 주어진 우리말 단어 뜻을 보고 영단어를 말해 보세요.

1 영화제
2 아카데미영화상
3 오스카영화상
4 스튜디오(촬영소)
5 야외촬영
6 리허설(예행연습)
7 연예계(show ~)
8 연예인
9 영화배우
10 남배우
11 여배우
12 남주인공
13 여주인공
14 엑스트라(보조출연자)
15 스턴트 맨
16 대역
17 클래퍼보드
18 영화감독
19 제작자
20 스태프(현장직원)
21 배역, 캐스팅
22 등장인물
23 카메오(깜짝 출연)
24 영화팬
25 열혈팬, 광팬
26 개봉
27 다큐멘터리(기록영화)
28 옴니버스
29 장편영화
30 서부영화
31 이탈리아식 서부영화
32 전쟁영화
33 스릴러
34 추리영화
35 뮤지컬영화
36 눈물을 짜내는 영화
37 멜로영화
38 액션영화
39 판타지영화
40 어드벤처영화
41 SF영화
42 공포영화
43 코믹영화
44 로맨틱 코미디
45 성인영화
46 에로영화
47 포르노영화
48 흑백영화
49 무성영화
50 발성영화(=talkie)
51 낚시
52 낚시꾼
53 낚시도구
54 낚싯대
55 릴
56 낚싯줄
57 낚싯봉, 추
58 낚시찌
59 목줄
60 낚싯바늘
61 뜰채
62 어롱(물고기 바구니)
63 미끼
64 루어(가짜 미끼)
65 낚싯배
66 얼음낚시
67 바둑
68 바둑판
69 바둑알(~ stone)
70 흰 돌(~ piece)
71 검은 돌 (~ piece)
72 정석
73 포석
74 대국
75 바둑선수
76 체스
77 체스판
78 가로줄
79 세로줄
80 대각선
81 체스의 말
82 나이트(기사)
83 비숍(주교)
84 폰(보병, 졸)
85 루크(성장=장기의 차)
86 킹(왕)
87 퀸(여왕)
88 체스시합
89 체스선수
90 아이들의 놀이들
91 소꿉놀이
92 수수께끼
93 팔랑개비
94 팽이
95 연
96 보드게임
97 도미노
98 숨바꼭질
99 눈싸움
100 눈사람

Review Test 2

THE VOCABULARY 301 - 400

● 다음 주어진 영단어를 보고 우리말 뜻을 말해 보세요.

1 film festival
2 Academy Film Award
3 Oscar Film Award
4 studio
5 location
6 rehearsal
7 entertainment business
8 entertainer
9 movie actor
10 actor
11 actress
12 hero
13 heroine
14 extra
15 stunt man
16 stand-in
17 clapper boards
18 movie director
19 film producer
20 the staff
21 the cast
22 character
23 cameo
24 movie fan
25 big fan
26 first showing
27 documentary film
28 omnibus
29 feature film
30 Western
31 spaghetti western
32 war film
33 thriller
34 whodunit
35 musical
36 tearjerker
37 romantic movie
38 action movie
39 fantasy movie
40 adventure movie
41 SF movie
42 horror movie
43 comic movie
44 romantic comedy
45 adult movie
46 erotic movie
47 porno movie
48 monochrome film
49 silent film
50 talking film
51 fishing, angling
52 fisherman, angler
53 fishing tackle
54 fishing rod
55 reel
56 line
57 sinker
58 float
59 snell
60 hook
61 landing net
62 creel
63 bait
64 lure
65 fishing boat
66 ice fishing
67 go
68 go board
69 go piece
70 white stone
71 black stone
72 standard procedure
73 groundwork
74 match
75 go player
76 chess
77 chessboard
78 rank
79 file
80 diagonal
81 chessman
82 knight
83 bishop
84 pawn
85 rook
86 king
87 queen
88 chess match
89 chess player
90 children's plays
91 playing house
92 riddle
93 pinwheel
94 top
95 kite
96 board game
97 dominoes
98 hide-and-seek
99 snowball fight
100 snowman

Unit 05

스포츠(구기)

					Tips
1	**미식축구**	1	**American football**	[əmérikən fútbɔ̀:l]	
2	풋볼경기장	2	football field	[fútbɔ̀:l fí:ld]	
3	골대	3	goalpost	[góulpòust]	
4	미식축구선수	4	football player	[fútbɔ̀:l pléiər]	
5	미식축구팀	5	football team	[fútbɔ̀:l tí:m]	
6	실책(공을 헛잡음)	6	fumble	[fʌ́mbəl]	
7	공격	7	attack	[ətǽk]	
8	방어	8	defense	[diféns]	
9	득점	9	score	[skɔ:r]	
10	터치다운	10	touchdown	[tʌ́tʃdàun]	
11	치어리더	11	cheerleader	[tʃíərlì:dər]	
12	**럭비**	12	**rugby**	[rʌ́gbi]	
13	럭비경기장	13	rugby field	[rʌ́gbi fì:ld]	
14	**축구**	14	**soccer**	[sákər]	
15	축구공	15	soccer ball	[sákər bɔ̀:l]	
16	축구유니폼	16	soccer uniform	[sákər jù:nəfɔ̀:rm]	
17	축구선수	17	soccer player	[sákər plèiər]	
18	골키퍼	18	goalkeeper	[góulkì:pər]	
19	**축구장**	19	**soccer field**	[sákər fì:ld]	
20	센터 서클	20	center circle	[séntər sə̀:rkl]	
21	골라인	21	goal line	[góul làin]	
22	골대기둥	22	goalpost	[góulpòust]	
23	골대 위쪽 가로대	23	crossbar	[krɔ́:sbà:r]	
24	심판	24	referee	[rèfərí:]	
25	파울(반칙)	25	foul	[faul]	

26 페널티(반칙의 벌)	26 penalty	[pénəlti]	
27 오프사이드 반칙	27 offside	[ɔ́:fsàid]	
28 코너킥	28 corner kick	[kɔ́:rnər kìk]	
29 옐로카드	29 yellow card	[jélou kà:rd]	
30 레드카드	30 red card	[réd kà:rd]	
31 퇴장	31 sending-off	[séndiŋɔ̀:f]	
32 연장시간	32 extra time	[ékstrə tàim]	
33 **아이스하키**	33 **ice hockey**	[áis hɑ̀ki]	
34 골대	34 goal	[goul]	
35 아이스하키 선수	35 ice hockey player	[áis hɑ̀ki pléiər]	
36 아이스 스케이트	36 ice skates	[áis skèits]	
37 아이스하키 채	37 hockey stick	[hɑ́ki stìk]	
38 아이스하키 공(원반)	38 puck	[pʌk]	
39 **필드하키**	39 **field hockey**	[fí:ld hɑ̀ki]	
40 필드하키 채	40 hockey stick	[hɑ́ki stìk]	
41 필드하키 공	41 ball	[bɔ:l]	
42 **농구**	42 **basketball**	[bǽskitbɔ̀:l]	
43 **농구장**	43 **basketball court**	[bǽskitbɔ̀:l kɔ́:rt]	
44 골대 링	44 hoop	[hu:p]	
45 농구선수	45 basketball player	[bǽskitbɔ̀:l pléiər]	
46 **배구**	46 **volleyball**	[vɑ́libɔ̀:l]	
47 배구장	47 volleyball court	[vɑ́libɔ̀:l kɔ́:rt]	
48 **야구**	48 **baseball**	[béisbɔ̀:l]	
49 **야구장**	49 **ball park, field**	[bɔ́:l pɑ̀:rk], [fi:ld]	
50 본루	50 home plate	[hóum plèit]	

Tips

- 발리(volley)
  공이 땅에 떨어지기 전에 치거나 차 보내는 것을 의미하며, 이 때문에 'volleyball', 즉 '배구'는 공이 자기 진영의 땅에 떨어지지 않도록 손으로 쳐서 상대방 진영으로 넘기는 게임이고, 축구에서 날아온 공이 땅에 닿기 전에 차는 것을 나타내는 말인 '발리슛'도 여기에서 나온 말이다.

Unit 05

스포츠(구기)

51	득점게시판	score board	[skɔ́:r bɔ̀:rd]
52	조명	lighting	[láitiŋ]
53	**야구선수**	**baseball player**	[béisbɔ̀:l pléiər]
54	투수	pitcher	[pítʃər]
55	포수	catcher	[kǽtʃər]
56	타자	batter	[bǽtər]
57	야구주심(=head~)	chief umpire	[tʃí:f ʌ̀mpaiər]
58	누심(=base ~)	field umpire	[fí:ld ʌ̀mpaiər]
59	선심	line umpire	[láin ʌ̀mpaiər]
60	코치	coach	[koutʃ]
61	홈팀	home team	[hóum tì:m]
62	외래팀	visiting team	[vízitiŋtì:m]
63	안타	hit	[hit]
64	에러, 범실	error	[érər]
65	득점	run	[rʌn]
66	타율	batting average	[bǽtiŋ ǽvəridʒ]
67	스트라이크	strike	[straik]
68	아웃	out	[aut]
69	볼	ball	[bɔ:l]
70	글러브	glove	[glʌv]
71	배트	bat	[bæt]
72	**테니스(정구)**	**tennis**	[ténis]
73	테니스장	tennis court	[ténis kɔ̀:rt]
74	테니스 공	tennis ball	[ténis bɔ̀:l]
75	테니스 라켓	tennis racket	[ténis rǽkit]

Tips

- 마운드(mound)
  투수가 서서 공을 던지는 곳인데 주변 평지보다 살짝 높은 형태이기 때문에 이렇게 부른다.
- key stone=second base
  '야구의 2루'를 나타내는 말인데 문자적인 뜻은 '아치 꼭대기의 이맛돌'이라는 뜻이며 '가장 중요한 역할을 하는 것'을 의미한다. 이는 야구에서 '2루'가 전략상 가장 중요한 자리이기 때문에 붙여진 별명이다.
- 심판
  –umpire[ʌ́mpaiər] (야구 · 테니스 등)
  –referee[rèfərí:] (축구 · 권투 등)
- 더그아웃(dugout)
  경기가 진행되는 동안 감독, 선수, 코치들이 대기하는 장소이다.
- 유격수(short stop)
  보통 수비에서 가장 중요한 부분인 2, 3루 사이에 자리 잡고 수비를 하는 수비수. 간단하게 'short'라고도 한다.

76 라켓 손잡이	76 handle	[hǽndl]	
77 라켓 머리	77 head	[hed]	
78 라켓 망줄	78 string	[striŋ]	
79 심판	79 umpire	[ʌ́mpaiər]	
80 네트	80 net	[net]	
81 테니스 화	81 tennis shoes	[ténis ʃù:z]	
82 **배드민턴**	82 **badminton**	[bǽdmintən]	
83 배드민턴 공	83 shuttlecock	[ʃʌ́tlkɑ̀:k]	
84 **탁구**	84 **table tennis**	[téibəl tènis]	
85 탁구 채	85 bat	[bæt]	
86 **스쿼시**	86 **squash**	[skwaʃ]	
87 **라켓볼**	87 **racquetball**	[rǽkitbɔ̀:l]	
88 **골프**	88 **golf**	[gɑ:lf]	
89 골프장	89 golf course	[gɑ:lf kɔ̀:rs]	
90 클럽회관(선수라커룸)	90 club house	[klʌ́b hàus]	
91 골퍼	91 golfer	[gɑ:lfər]	
92 캐디	92 caddie	[kǽdi]	
93 관중	93 spectators	[spékteitərz]	
94 **볼링**	94 **bowling**	[bóuliŋ]	
95 볼링선수	95 bowler	[bóulər]	
96 볼링공	96 bowling ball	[bóuliŋ bɔ̀:l]	
97 볼링핀	97 bowling pins	[bóuliŋ pìnz]	
98 **당구**	98 **billiards**	[bíljərdz]	
99 당구치는 사람	99 billiard player	[bíljərd plèiər]	
100 당구대	100 billiard table	[bíljərd tèibəl]	

Tips

- 셔틀콕(shuttlecock)
  마치 새처럼 날아다니므로 구어체로는 어린아이들이 작은 새를 나타내는 말인 'birdie'라고도 한다.

- **탁구**
  구어체로는 'ping-pong'도 자주 쓴다.

- fluke[flu:k]
  요행, 즉 당구에서 실력에 의해서가 아닌 어쩌다 보니 들어맞은 경우를 나타내는 말이다. 우리가 가끔씩 쓰는 일본식 발음의 외래어 '후루꾸'나 '뽀록'의 원래 말이다.

- 골프의 기본규칙
  골프는 가능한 한 타수를 적게 치고서 공을 홀인 시켜야 더 높은 점수를 얻게 되는 경기이다. 기본 타수가 4회인데, 이를 par라 하고, 이때 over par는 5회 이상을 쳐서 공이 들어가는 경우를 말하며, 5회 만에 들어가면 bogey, 반대로 3회 이하를 쳐서 들어가면 under par라고 하며, 이때 하나 적은 타수인 3회로 들어가는 것을 birdie라 하고, 둘 적은 타수인 2회로 들어가는 것을 eagle, 셋 적은 타수, 즉 단 1회의 샷으로 홀에 들어가는 것을 일반적으로 hall in one, 또는 double eagle이나 albatross라 한다.

Review Test 1

THE VOCABULARY 401 - 500

● 다음 주어진 우리말 단어 뜻을 보고 영단어를 말해 보세요.

1 미식축구
2 풋볼경기장
3 골대
4 미식축구선수
5 미식축구팀
6 실책(공을 헛잡음)
7 공격
8 방어
9 득점
10 터치다운
11 치어리더
12 럭비
13 럭비경기장
14 축구
15 축구공
16 축구유니폼
17 축구선수
18 골키퍼
19 축구장
20 센터 서클
21 골라인
22 골대기둥
23 골대 위쪽 가로대
24 심판
25 파울(반칙)
26 페널티(반칙의 벌)
27 오프사이드 반칙
28 코너킥
29 옐로카드
30 레드카드
31 퇴장
32 연장시간
33 아이스하키
34 골대
35 아이스하키 선수
36 아이스 스케이트
37 아이스하키 채
38 아이스하키 공(원반)
39 필드하키
40 필드하키 채
41 필드하키 공
42 농구
43 농구장
44 골대 링
45 농구선수
46 배구
47 배구장
48 야구
49 야구장
50 본루
51 득점게시판
52 조명
53 야구선수
54 투수
55 포수
56 타자
57 야구주심(=head~)
58 누심(=base ~)
59 선심
60 코치
61 홈팀
62 외래팀
63 안타
64 에러, 범실
65 득점
66 타율
67 스트라이크
68 아웃
69 볼
70 글러브
71 배트
72 테니스(정구)
73 테니스장
74 테니스 공
75 테니스 라켓
76 라켓 손잡이
77 라켓 머리
78 라켓 망줄
79 심판
80 네트
81 테니스 화
82 배드민턴
83 배드민턴 공
84 탁구
85 탁구 채
86 스쿼시
87 라켓볼
88 골프
89 골프장
90 클럽회관(선수라커룸)
91 골퍼
92 캐디
93 관중
94 볼링
95 볼링선수
96 볼링공
97 볼링핀
98 당구
99 당구치는 사람
100 당구대

THE VOCABULARY 401 - 500

● 다음 주어진 영단어를 보고 우리말 뜻을 말해 보세요.

1 American football
2 football field
3 goalpost
4 football player
5 football team
6 fumble
7 attack
8 defense
9 score
10 touchdown
11 cheerleader
12 rugby
13 rugby field
14 soccer
15 soccer ball
16 soccer uniform
17 soccer player
18 goalkeeper
19 soccer field
20 center circle
21 goal line
22 goalpost
23 crossbar
24 referee
25 foul
26 penalty
27 offside
28 corner kick
29 yellow card
30 red card
31 sending-off
32 extra time
33 ice hockey
34 goal
35 ice hockey player
36 ice skates
37 hockey stick
38 puck
39 field hockey
40 hockey stick
41 ball*
42 basketball
43 basketball court
44 hoop
45 basketball player
46 volleyball
47 volleyball court
48 baseball
49 ball park, field
50 home plate
51 score board
52 lighting
53 baseball player
54 pitcher
55 catcher
56 batter
57 chief umpire
58 field umpire
59 line umpire
60 coach
61 home team
62 visiting team
63 hit
64 error
65 run
66 batting average
67 strike
68 out
69 ball
70 glove
71 bat
72 tennis
73 tennis court
74 tennis ball
75 tennis racket
76 handle
77 head
78 string
79 umpire
80 net
81 tennis shoes
82 badminton
83 shuttlecock
84 table tennis
85 bat
86 squash
87 racquetball
88 golf
89 golf course
90 club house
91 golfer
92 caddie
93 spectators
94 bowling
95 bowler
96 bowling ball
97 bowling pins
98 billiards
99 billiard player
100 billiard table

Unit 06 육상경기 · 격투기 · 수영 · 스쿠버다이빙 · 승마

	한국어		English	발음	Tips
1	**육상경기**	1	**athletic sports**	[æθlétik spɔ̀:rts]	
2	육상경기장	2	field	[fi:ld]	
3	트랙(경주로 전체)	3	track	[træk]	
4	출발선	4	starting line	[stá:rtiŋ làin]	
5	레인(각 선수의 주로)	5	lane	[lein]	
6	결승선	6	finishing line	[fíniʃiŋ làin]	
7	육상경기자	7	athlete	[ǽθli:t]	
8	원반던지기	8	the discus	[ðə dískəs]	
9	포환던지기	9	the shotput	[ðə ʃátpùt]	
10	창던지기	10	the javelin	[ðə dʒǽvəlin]	
11	릴레이 경주	11	relay race	[rí:lei rèis]	
12	높이뛰기	12	high jump	[hái dʒʌ̀mp]	
13	장대높이뛰기	13	pole jump	[póul dʒʌ̀mp]	
14	도움닫기멀리뛰기	14	long jump	[lɔ́:ŋdʒʌ̀mp]	
15	장애물경주	15	hurdles	[hɔ́:rdlz]	
16	마라톤	16	marathon	[mǽrəθàn]	
17	리듬체조	17	rhythmic gymnastics	[ríðmik dʒimnǽstiks]	
18	마루운동	18	floor exercises	[flɔ́:r éksərsàiziz]	
19	옆으로 돌기	19	tumble	[tʌ́mbəl]	
20	평균대	20	beam	[bi:m]	
21	철봉	21	horizontal bar	[hɔ̀:rəzántl bà:r]	
22	평행봉	22	parallel bars	[pǽrəlel bà:rz]	
23	이단평행봉	23	asymmetric bars	[èisimétrik bà:rz]	
24	안마	24	pommel horse	[pʌ́məl hɔ̀:rs]	
25	도마	25	vault	[vɔ:lt]	

				Tips
26 시상대	26	podium	[póudiəm]	
27 메달	27	medals	[médlz]	
28 금메달	28	gold medal	[góuld médl]	
29 은메달	29	silver medal	[sílvər médl]	
30 동메달	30	bronze medal	[bránz médl]	
31 격투기	31	**combat sports**	[kámbæt spɔ̀:rts]	
32 태권도	32	tae-kown-do	[táikwɔndou]	
33 보호구	33	protective gear	[prətéktiv gìər]	
34 보호헬멧	34	headgear	[hédgìər]	
35 도복	35	uniform	[jú:nəfɔ̀:rm]	
36 띠	36	belt	[belt]	
37 적수, 상대선수	37	opponent	[əpóunənt]	
38 공수도, 가라데	38	karate	[kərá:ti]	
39 합기도	39	aikido	[aikí:dou]	
40 유도	40	judo	[dʒú:dou]	
41 쿵푸	41	kung fu	[kʌ́ŋ fù:]	
42 검도	42	kendo	[kéndou]	
43 권투, 복싱	43	boxing	[bá:ksiŋ]	
44 킥복싱	44	kick boxing	[kík bà:ksiŋ]	
45 레슬링	45	wrestling	[résəliŋ]	
46 권투장, 링	46	ring	[riŋ]	
47 권투장갑	47	gloves	[glʌvz]	
48 마우스피스	48	mouth guard	[máuθ gà:rd]	
49 한 회, 라운드	49	round	[raund]	
50 시합, 한판 승부	50	bout	[baut]	

			Tips
51 연습시합	51 sparring	[spá:riŋ]	
52 주먹	52 fist	[fist]	
53 녹아웃(KO)	53 knockout	[nákàut]	
54 펀치 백	54 punch bag	[pʌ́ntʃ bæ̀g]	
55 호신술	55 self-defense martial art	[sélfdifens má:rʃəl á:rt]	
56 스모	56 sumo wrestling	[sú:mou rèsəliŋ]	
57 태극권	57 t'ai chi ch'uan	[tái tʃí: tʃwá:n]	
58 카포에이라	58 capoeira	[kà:pouéirə]	
59 **수영, 경영**	59 **swimming**	[swímiŋ]	
60 장비	60 equipments	[ikwípmənts]	
61 남자수영팬츠	61 trunks	[trʌŋks]	
62 물안경	62 goggles	[gágəlz]	
63 노즈클립(코 집게)	63 nose clip	[nóuz klìp]	
64 수영복	64 swimsuit	[swímsù:t]	
65 수영보드	65 float	[flout]	
66 수영모	66 cap	[kæp]	
67 수영장	67 swimming pool	[swímiŋ pù:l]	
68 다이버	68 diver	[dáivər]	
69 다이빙대	69 spring board	[spríŋ bɔ̀:rd]	
70 수영경기용 수로	70 swimming lane	[swímiŋ lèin]	
71 가이드 로프	71 guide rope	[gáid ròup]	
72 크롤	72 front crawl	[frʌ́nt krɔ̀:l]	
73 평영(개구리헤엄)	73 breaststroke	[bréststròuk]	
74 배영	74 backstroke	[bǽkstròuk]	
75 접영(버터플라이)	75 butterfly	[bʌ́tərflài]	

				Tips
76	**스쿠버 다이빙**	76	**scuba diving**	[skú:bə dàiviŋ]
77	잠수복	77	wetsuit	[wétsù:t]
78	물갈퀴(오리발)	78	fin	[fin]
79	웨이트 벨트	79	weight belt	[wéit bèlt]
80	공기탱크	80	air tank	[ɛ́ər tæ̀nk]
81	스노클(호흡관)	81	snorkel	[snɔ́:rkəl]
82	공기조절기	82	regulator	[régjəlèitər]
83	수중 총, 작살	83	spear gun	[spíər gʌ̀n]
84	**승마**	84	**horseback riding**	[hɔ́:rsbæk ràidiŋ]
85	말	85	horse	[hɔ́:rs]
86	갈기털	86	mane	[mein]
87	말발굽	87	hoof	[hu:f]
88	편자(말발굽 쇠)	88	horseshoe	[hɔ́:rsʃù:]
89	안장	89	saddle	[sǽdl]
90	고삐	90	reins	[reinz]
91	복대(배띠)	91	girth	[gə:rθ]
92	등자(발걸이)	92	stirrup	[stə́:rəp]
93	말채찍	93	riding crop	[ráidiŋ kràp]
94	기수/경마기수	94	rider/jockey	[ráidər]/[dʒáki]
95	승마모자	95	riding hat	[ráidiŋ hæ̀t]
96	승마복	96	riding coat	[ráidiŋ kòut]
97	승마구두	97	riding boots	[ráidiŋ bù:ts]
98	박차	98	spur	[spə:r]
99	경마	99	horse race	[hɔ́:rs rèis]
100	마장마술	100	dressage	[drəsá:ʒ]

● 다음 주어진 우리말 단어 뜻을 보고 영단어를 말해 보세요.

1 육상경기
2 육상경기장
3 트랙(경주로 전체)
4 출발선
5 레인(각 선수의 주로)
6 결승선
7 육상경기자
8 원반던지기
9 포환던지기
10 창던지기
11 릴레이 경주
12 높이뛰기
13 장대높이뛰기
14 도움닫기멀리뛰기
15 장애물경주
16 마라톤
17 리듬체조
18 마루운동
19 옆으로 돌기
20 평균대
21 철봉
22 평행봉
23 이단평행봉
24 안마
25 도마
26 시상대
27 메달
28 금메달
29 은메달
30 동메달
31 격투기
32 태권도
33 보호구
34 보호헬멧
35 도복
36 띠
37 적수, 상대선수
38 공수도, 가라데
39 합기도
40 유도
41 쿵푸
42 검도
43 권투, 복싱
44 킥복싱
45 레슬링
46 권투장, 링
47 권투장갑
48 마우스피스
49 한 회, 라운드
50 시합, 한판 승부
51 연습시합
52 주먹
53 녹아웃(KO)
54 펀치 백
55 호신술
56 스모
57 태극권
58 카포에이라
59 수영, 경영
60 장비
61 남자수영팬츠
62 물안경
63 노즈클립(코 집게)
64 수영복
65 수영보드
66 수영모
67 수영장
68 다이버
69 다이빙대
70 수영경기용 수로
71 가이드 로프
72 크롤
73 평영(개구리헤엄)
74 배영
75 접영(버터플라이)
76 스쿠버 다이빙
77 잠수복
78 물갈퀴(오리발)
79 웨이트 벨트
80 공기탱크
81 스노클(호흡관)
82 공기조절기
83 수중 총, 작살
84 승마
85 말
86 갈기털
87 말발굽
88 편자(말발굽 쇠)
89 안장
90 고삐
91 복대(배띠)
92 등자(발걸이)
93 말채찍
94 기수/경마기수
95 승마모자
96 승마복
97 승마구두
98 박차
99 경마
100 마장마술

THE VOCABULARY **501 - 600**

● 다음 주어진 영단어를 보고 우리말 뜻을 말해 보세요.

1 athletic sports
2 field
3 track
4 starting line
5 lane
6 finishing line
7 athlete
8 the discus
9 the shotput
10 the javelin
11 relay race
12 high jump
13 pole jump
14 long jump
15 hurdles
16 marathon
17 rhythmic gymnastics
18 floor exercises
19 tumble
20 beam
21 horizontal bar
22 parallel bars
23 asymmetric bars
24 pommel horse
25 vault
26 podium
27 medals
28 gold medal
29 silver medal
30 bronze medal
31 combat sports
32 tae-kown-do
33 protective gear
34 headgear
35 uniform
36 belt
37 opponent
38 karate
39 aikido
40 judo
41 kung fu
42 kendo
43 boxing
44 kick boxing
45 wrestling
46 ring
47 gloves
48 mouth guard
49 round
50 bout
51 sparring
52 fist
53 knockout
54 punch bag
55 self-defense martial art
56 sumo wrestling
57 t'ai chi ch'uan
58 capoeira
59 swimming
60 equipments
61 trunks
62 goggles
63 nose clip
64 swimsuit
65 float
66 cap
67 swimming pool
68 diver
69 spring board
70 swimming lane
71 guide rope
72 front crawl
73 breaststroke
74 backstroke
75 butterfly
76 scuba diving
77 wetsuit
78 fin
79 weight belt
80 air tank
81 snorkel
82 regulator
83 spear gun
84 horseback riding
85 horse
86 mane
87 hoof
88 horseshoe
89 saddle
90 reins
91 girth
92 stirrup
93 riding crop
94 rider/jockey
95 riding hat
96 riding coat
97 riding boots
98 spur
99 horse race
100 dressage

해수욕장 · 겨울스포츠 · 다른 스포츠들 · 헬스클럽

1	**해수욕장**	1	**bathing beach**	[béiðiŋ bìːtʃ]
2	해변	2	beach	[biːtʃ]
3	파도	3	wave	[weiv]
4	비치파라솔	4	beach umbrella	[bíːtʃ ʌmbrélə]
5	응달, 그늘	5	shade	[ʃeid]
6	비키니	6	bikini	[bikíːni]
7	방풍막	7	windbreak	[wíndbrèik]
8	판자로 된 산책로	8	boardwalk	[bɔ́ːrdwɔ̀ːk]
9	접이식 의자(=deck~)	9	beach chair	[bíːtʃ tʃɛ̀ər]
10	선탠로션	10	suntan lotion	[sʌ́ntæn lòuʃən]
11	선크림	11	sun block	[sʌ́n blɑ̀k]
12	일광욕	12	sunbath	[sʌ́nbæ̀θ]
13	일광욕하는 사람	13	sunbather	[sʌ́nbèiðər]
14	모래성	14	sand castle	[sǽnd kæ̀sl]
15	비치타올	15	beach towel	[bíːtʃ tàuəl]
16	수영튜브	16	rubber ring	[rʌ́bər ríŋ]
17	비치볼	17	beach ball	[bíːtʃ bɔ̀ːl]
18	물안경	18	diving mask	[dáiviŋ mæ̀sk]
19	아이스박스	19	cooler	[kúːlər]
20	수영하는 사람	20	swimmer	[swímər]
21	익사사고	21	drowning accident	[dráuniŋ ǽksidənt]
22	구조원	22	lifeguard	[láifgɑ̀ːrd]
23	구조원 감시탑	23	lifeguard tower	[láifgɑːrd tàuər]
24	구명정	24	lifeboat	[láifbòut]
25	구명용 부환	25	life preserver	[láif prizɔ́ːrvər]

Tips

- beach / bitch
  이 두 단어는 발음이 매우 유사해서 실수하기 쉬운데 문제는 그 뜻이 서로 매우 다르다는 것이다.
  beach[biːtʃ]
  (해변, 물가, 바닷가)
  bitch[bitʃ]
  (암캐, 심술궂고 음란한 여자: 주로 욕으로 쓰이는 말)
  만약에 '해변'을 나타내는 말인 'beach'를 '[bitʃ]'처럼 짧게 발음하면 욕하는 것처럼 들려서 듣는 상대방이 여자일 경우 매우 듣기 거북해할 수 있으니 주의해야 한다.

- life preserver=life ring
  보통 배 같은 곳에 달려있는 물놀이 할 때 쓰는 튜브같이 생긴 붉은색 둥근 고리모양의 물에 뜨는 물건에 밧줄이 달린 구명용구를 의미한다. 다른 말로 '구명고리', 또는 '구명환'이라고도 부른다.

			Tips
26 **겨울스포츠**	26 **winter sports**	[wíntər spɔ̀:rts]	
27 **스키타기**	27 **skiing**	[skí:iŋ]	
28 스키장(=ski slope)	28 ski resort	[skí: rizɔ̀:rt]	
29 스키활주로	29 ski run	[skí: rʌ̀n]	
30 체어리프트	30 chairlift	[tʃéərlìft]	
31 케이블 카	31 cable car	[kéibəl kɑ̀:r]	
32 스키 타는 사람	32 skier	[skí:ər]	
33 스키복	33 ski suit	[skí: sù:t]	
34 스키	34 ski	[ski:]	
35 스키 날(각진 부분)	35 edge	[edʒ]	
36 스키선단(휜 부분)	36 tip	[tip]	
37 스키 스틱	37 ski pole	[skí: pòul]	
38 스키화	38 ski boots	[skí: bù:ts]	
39 활강	39 downhill skiing	[dáunhìl skí:iŋ]	
40 직활강	40 straight descent	[stréit disènt]	
41 회전활강	41 slalom	[slɑ́:ləm]	
42 지그재그 활강	42 traverse	[trǽvə:rs]	
43 스키점프	43 ski jump	[skí: dʒʌ̀mp]	
44 크로스컨트리	44 cross country skiing	[krɔ́:s kʌ̀ntri skí:iŋ]	
45 옆으로 걷기	45 side step	[sáid stèp]	
46 알파인 종목	46 Alpine events	[ǽlpain ivènts]	
47 노르딕 종목	47 Nordic events	[nɔ́:rdik ivènts]	
48 바이애슬론(스키+사격)	48 biathlon	[baiǽθlɑn]	
49 봅슬레이	49 bobsled	[bɑ́bslèd]	
50 스위스식 1인용 경기썰매	50 luge	[lu:ʒ]	

			Tips
51 **스케이트 타기**	51 **ice skating**	[áis skèitiŋ]	
52 스피드용 스케이트	52 racing skate	[réisiŋ skèit]	
53 피겨용 스케이트	53 figure skate	[fígjər skèit]	
54 하키용 스케이트	54 hockey skate	[háki skèit]	
55 설상차	55 snowmobile	[snóuməbì:l]	
56 스핀, 회전	56 spin	[spin]	
57 스프린트(전력질주)	57 sprint	[sprint]	
58 스피드 스케이트 경기	58 speed skating	[spí:d skèitiŋ]	
59 피겨 스케이트 경기	59 figure skating	[fígjər skèitiŋ]	
60 설상차 경기	60 snowmobiling	[snóuməbì:liŋ]	
61 스노보드 타기	61 snowboarding	[snóubɔ̀:rdiŋ]	
62 개썰매 타기	62 dog sledding	[dɔ́:g slèdiŋ]	
63 **다른 스포츠들**	63 **other sports**	[ʌ́ðər spɔ̀:rts]	
64 글라이딩	64 gliding	[gláidiŋ]	
65 글라이더	65 glider	[gláidər]	
66 행글라이딩	66 hang-gliding	[hǽŋglàidiŋ]	
67 행글라이더	67 hang-glider	[hǽŋglàidər]	
68 패러글라이딩	68 paragliding	[pǽrəglàidiŋ]	
69 패러슈팅	69 parachuting	[pǽrəʃù:tiŋ]	
70 낙하산	70 parachute	[pǽrəʃù:t]	
71 스카이다이빙	71 skydiving	[skáidàiviŋ]	
72 암벽등반	72 rock climbing	[rák klàimiŋ]	
73 라펠타기	73 rappelling	[ræpéliŋ]	
74 번지점프	74 bungee jumping	[bʌ́ndʒ dʒʌ̀mpiŋ]	
75 랠리 드라이빙	75 rally driving	[rǽli dràiviŋ]	

			Tips
76 자동차 경주	76 auto racing	[ɔ́:tou rèisiŋ]	
77 경주용 자동차 운전자	77 racing driver	[réisiŋ dràivər]	
78 오토바이 경주	78 motorcycle racing	[móutərsaikl rèisiŋ]	
79 스케이트보드 타기	79 skateboarding	[skéitbɔ̀:rdiŋ]	
80 롤러스케이트 타기	80 roller skating	[róulər skèitiŋ]	
81 펜싱, 검술	81 fencing	[fénsiŋ]	
82 양궁, 궁술	82 archery	[á:rtʃəri]	
83 사격	83 target shooting	[tá:rgit ʃù:tiŋ]	
84 **헬스클럽**	84 **fitness club**	[fítnəs klʌ̀b]	
85 체육관	85 sports gym	[spɔ́:rts dʒìm]	
86 역기	86 barbell, weight	[bá:rbel], [weit]	
87 역기봉	87 bar	[bɑ:r]	
88 러닝머신	88 treadmill	[trédmìl]	
89 스텝머신	89 step machine	[stép məʃì:n]	
90 노 젓기 운동기구	90 rowing machine	[róuiŋ məʃì:n]	
91 개인 트레이너	91 personal trainer	[pə́:rsənəl tréinər]	
92 스트레치, 뻗기	92 stretch	[stretʃ]	
93 팔굽혀펴기	93 push-up	[púʃʌ̀p]	
94 웅크리기	94 squat	[skwɑt]	
95 윗몸 일으키기	95 sit-up	[sítʌ̀p]	
96 역기·아령 들기	96 weight training	[wéit trèiniŋ]	
97 체스트 프레스	97 chest press	[tʃést près]	
98 레그 프레스	98 leg press	[lég près]	
99 조깅	99 jogging	[dʒɑ́giŋ]	
100 에어로빅	100 aerobics	[ɛəróubiks]	

THE VOCABULARY 601 - 700

● 다음 주어진 우리말 단어 뜻을 보고 영단어를 말해 보세요.

1 해수욕장
2 해변
3 파도
4 비치파라솔
5 응달, 그늘
6 비키니
7 방풍막
8 판자로 된 산책로
9 접이식 의자(=deck~)
10 선탠로션
11 선크림
12 일광욕
13 일광욕하는 사람
14 모래성
15 비치타올
16 수영튜브
17 비치볼
18 물안경
19 아이스박스
20 수영하는 사람
21 익사사고
22 구조원
23 구조원 감시탑
24 구명정
25 구명용 부환
26 겨울스포츠
27 스키타기
28 스키장(=ski slope)
29 스키활주로
30 체어리프트
31 케이블 카
32 스키 타는 사람
33 스키복
34 스키
35 스키 날(각진 부분)
36 스키선단(휜 부분)
37 스키 스틱
38 스키화
39 활강
40 직활강
41 회전활강
42 지그재그 활강
43 스키점프
44 크로스컨트리
45 옆으로 걷기
46 알파인 종목
47 노르딕 종목
48 바이애슬론(스키+사격)
49 봅슬레이
50 스위스식 1인용 경기썰매
51 스케이트 타기
52 스피드용 스케이트
53 피겨용 스케이트
54 하키용 스케이트
55 설상차
56 스핀, 회전
57 스프린트(전력질주)
58 스피드 스케이트 경기
59 피겨 스케이트 경기
60 설상차 경기
61 스노보드 타기
62 개썰매 타기
63 다른 스포츠들
64 글라이딩
65 글라이더
66 행글라이딩
67 행글라이더
68 패러글라이딩
69 패러슈팅
70 낙하산
71 스카이다이빙
72 암벽등반
73 라펠타기
74 번지점프
75 랠리 드라이빙
76 자동차 경주
77 경주용 자동차 운전자
78 오토바이 경주
79 스케이트보드 타기
80 롤러스케이트 타기
81 펜싱, 검술
82 양궁, 궁술
83 사격
84 헬스클럽
85 체육관
86 역기
87 역기봉
88 러닝머신
89 스텝머신
90 노 젓기 운동기구
91 개인 트레이너
92 스트레치, 뻗기
93 팔굽혀펴기
94 웅크리기
95 윗몸 일으키기
96 역기·아령 들기
97 체스트 프레스
98 레그 프레스
99 조깅
100 에어로빅

Review Test 2

THE VOCABULARY 601 - 700

● 다음 주어진 영단어를 보고 우리말 뜻을 말해 보세요.

1 bathing beach
2 beach
3 wave
4 beach umbrella
5 shade
6 bikini
7 windbreak
8 boardwalk
9 beach chair
10 suntan lotion
11 sun block
12 sunbath
13 sunbather
14 sand castle
15 beach towel
16 rubber ring
17 beach ball
18 diving mask
19 cooler
20 swimmer
21 drowning accident
22 lifeguard
23 lifeguard tower
24 lifeboat
25 life preserver
26 winter sports
27 skiing
28 ski resort
29 ski run
30 chairlift
31 cable car
32 skier
33 ski suit
34 ski
35 edge
36 tip
37 ski pole
38 ski boots
39 downhill skiing
40 straight descent
41 slalom
42 traverse
43 ski jump
44 cross country skiing
45 side step
46 Alpine events
47 Nordic events
48 biathlon
49 bobsled
50 luge
51 ice skating
52 racing skate
53 figure skate
54 hockey skate
55 snowmobile
56 spin
57 sprint
58 speed skating
59 figure skating
60 snowmobiling
61 snowboarding
62 dog sledding
63 other sports
64 gliding
65 glider
66 hang-gliding
67 hang-glider
68 paragliding
69 parachuting
70 parachute
71 skydiving
72 rock climbing
73 rappelling
74 bungee jumping
75 rally driving
76 auto racing
77 racing driver
78 motorcycle racing
79 skateboarding
80 roller skating
81 fencing
82 archery
83 target shooting
84 fitness club
85 sports gym
86 barbell, weight
87 bar
88 treadmill
89 step machine
90 rowing machine
91 personal trainer
92 stretch
93 push-up
94 squat
95 sit-up
96 weight training
97 chest press
98 leg press
99 jogging
100 aerobics

Unit 08 동물-1(가축 및 가금)

1	**동물(통칭)**	1	**animal**	[ǽnəməl]
2	네발짐승	2	beast	[bi:st]
3	야수(잔인한 짐승)	3	brute	[bru:t]
4	생물	4	creature	[krí:tʃər]
5	**가축류**	5	**livestock**	[láivstɑ̀k]
6	**개 / 암캐**	6	**dog / bitch**	[dɔ:g] / [bitʃ]
7	[발톱 있는 짐승의] 발	7	paw	[pɔ:]
8	[짐승·매의] 발톱	8	claw	[klɔ:]
9	[짐승의] 꼬리	9	tail	[teil]
10	군용견	10	army(military) dog	[ɑ́:rmi(mílitèri) dɔ̀:g]
11	경찰견	11	police dog	[pəlí:s dɔ̀:g]
12	수렵견, 사냥개	12	hunting dog	[hʌ́ntiŋ dɔ̀:g]
13	조렵견	13	bird dog	[bə́:rd dɔ̀:g]
14	맹도견	14	guide dog	[gáid dɔ̀:g]
15	양치기개	15	sheep dog	[ʃí:p dɔ̀:g]
16	집지키는 개	16	watch dog	[wɑ́tʃ dɔ̀:g]
17	집에서 기르는 개	17	family dog	[fǽməli dɔ̀:g]
18	소형애완견	18	lap dog	[lǽp dɔ̀:g]
19	강아지	19	puppy, pup	[pʌ́pi], [pʌp]
20	잡종견, 똥개	20	mongrel, cur	[mʌ́ŋgrəl], [kə:r]
21	맹견, 사나운 개	21	fierce dog	[fíərs dɔ̀:g]
22	미친개, 광견	22	mad dog	[mǽd dɔ̀:g]
23	길 잃은 개	23	stray dog	[stréi dɔ̀:g]
24	들개, 유기견	24	homeless dog	[hóumləs dɔ̀:g]
25	개과의 동물	25	canine	[kéinain]

Tips

- **animal**[ǽnəməl]
움직이는 동물 전체를 통틀어서 식물의 반대말로서의 동물임을 나타내는 말이다.

- **bitch**[bitʃ]
문자적으로는 '암캐'라는 뜻이지만 실제로는 '심술궂고 음란한 여자, 나쁜 년'이라는 뜻의 욕으로 더 많이 쓰이기 때문에 보통은 암캐를 말할 때는 'she-dog'이라고 한다.

- **livestock**[láivstɑ̀k]
집합적으로 '가축류'를 의미하며, 불가산명사로서 집합명사이므로 '-s'를 붙이지 않는다.

- **맹도견**
맹인을 인도하는 개라는 뜻이며, 'Seeing Eye dog'이라고도 한다.

- **canine**[kéinain]
'개과의 동물'이라는 뜻 외에 '개의 송곳니'라는 의미도 있다.

- **male**[meil]
수컷, 수컷의

- **female**[fí:meil]
암컷, 암컷의

26	**고양이**	26	**cat**	[kæt]
27	고양이수염	27	whiskers	[wískərz]
28	새끼고양이	28	kitten, kitty	[kítn], [kíti]
29	암코양이	29	she-cat	[ʃí:kæ̀t]
30	수코양이	30	he-cat, tomcat	[hí:kæ̀t], [tá:mkæ̀t]
31	범 무늬 고양이	31	tabby	[tæ̀bi]
32	**말**	32	**horse**	[hɔ:rs]
33	조랑말	33	pony	[póuni]
34	소	34	cow	[kau]
35	수소, 종우	35	bull	[bul]
36	거세한 수소	36	ox / oxen(복수)	[áks], [áksən]
37	송아지	37	calf	[kæf]
38	염소	38	goat	[gout]
39	**돼지(집합명사)**	39	**swine**	[swain]
40	종돈	40	boar	[bɔ:r]
41	암돼지	41	sow	[sau]*
42	돼지새끼	42	pig, piglet	[pig], [píglit]
43	거세돼지	43	hog	[hɔ:g]
44	식용돼지, 비육돈	44	porker	[pɔ́:rkər]
45	돼지고기	45	pork	[pɔ:rk]
46	당나귀	46	donkey	[dáŋki]
47	노새	47	mule	[mju:l]
48	**가금**	48	**poultry, fowl**	[póultri], [faul]
49	닭, 암탉	49	hen	[hen]
50	수탉	50	rooster	[rú:stər]

Tips

- 고양이 새끼
  어린이들이 주로 쓰는 표현으로 'puss'나 'pussy'도 있다.
- 동물의 암·수 표현
  각 동물마다 부르는 이름이 따로 있는 것이 보통이지만, 구어체에서는 주로 그 동물의 대표 명칭 앞에 'he–'나 'she–'를 붙여서 표현한다.
- 말굴레(bridle)
  재갈이나 고삐 등을 부착하여 말의 머리와 목 부분에 씌워서 말을 제어할 수 있도록 해주는 끈으로 만든 도구이다.
- pig
  영국영어에서는 이 말을 일반적으로 '돼지'라는 뜻으로 두루 쓴다. 미국영어에서는 집합명사로는 'swine'을 쓰고, 'pig'는 '돼지의 새끼'라는 뜻으로 쓰며, 성돈, 즉 성장한 돼지는 'hog'라고 부른다.
- hog(돼지의 일반명사)
  미국식 영어에서는 '거세돼지'라는 뜻 외에 '다 자란 식용돼지'라는 뜻도 있다.
- poultry
  집합명사이며 복수로 취급한다.

Unit 08

동물-1(가축 및 가금)

51 병아리	51 chicken	[tʃíkin]	
52 오리, 암오리	52 duck	[dʌk]	
53 숫오리	53 drake	[dreik]	
54 거위, 암거위	54 goose	[gu:s]	
55 타조	55 ostrich	[á:stritʃ]	
56 조류의 알, 계란	56 egg	[eg]	
57 알 껍질	57 shell	[ʃel]	
58 흰자위	58 albumen	[ælbjú:mən]	
59 노른자위	59 yolk	[jouk]	
60 부화	60 hatching	[hǽtʃiŋ]	
61 양계장	61 chicken run	[tʃíkin rʌ̀n]	
62 **양, 면양**	62 **sheep**	[ʃi:p]	
63 암양	63 ewe	[ju:]	
64 수컷 종양	64 ram	[ræm]	
65 거세한 숫양	65 wether	[wéðər]	
66 그해에 난 양	66 shearling	[ʃíərliŋ]	
67 어린양, 어린양고기	67 lamb	[læm]	
68 양고기	68 mutton	[mʌ́tn]	
69 뿔	69 horn	[hɔ:rn]	
70 양떼, 짐승의 무리	70 flock	[flɑk]	
71 소떼	71 herd	[hə:rd]	
72 늑대·사냥개의 무리	72 pack	[pæk]	
73 **동물의 분류**	73 **classification of animals**	[klæ̀səfikéiʃən əf ǽnəməlz]	
74 포유류 동물	74 mammal	[mǽməl]	
75 파충류 동물	75 reptile	[réptail]	

Tips

- 일반적으로 '가축'은 새끼나 알을 낳는 등의 이유로 암컷을 주로 기르기 때문에 암컷을 부르는 말이 그 동물의 대표적인 명칭인 경우가 대부분이다.
- 수탉
  미국식은 'rooster' 영국식은 'cock'이지만, 'cock'은 남성 성기에 대한 비속어로도 쓰이므로 피하고 'rooster'로 쓴다.
- (소형) 닭장
  hen house[hén hàus]
  hencoop[hénkù:p]
- sheep
  단수와 복수가 동형이다. 따라서 'sheeps'처럼 쓰면 안 된다.
- shearling
  'shear'이 '털을 깎다'라는 뜻의 동사인데 이 'shearling'은 '털을 한 번 깎은 양'이라는 뜻이므로, 결국 '생후 1년생'이라는 뜻이 된다. 2년생 양은 'teg'라고 한다.

76 야행성 동물	76 nocturnal animal	[naktə́:rnl ǽnəməl]
77 **다양한 포유동물**	77 **various mammals**	[vέəriəs mǽməlz]
78 **발굽 있는 포유동물**	78 **hoofed mammals**	[hú:ft mǽməlz]
79 하마(구어 hippo)	79 hippopotamus	[hìpəpátəməs]
80 코뿔소(구어 rhino)	80 rhinoceros	[rainásərəs]
81 코끼리	81 elephant	[éləfənt]
82 코끼리의 코	82 trunk	[trʌŋk]
83 얼룩말	83 zebra	[zí:brə]
84 들소	84 bison	[báisən]
85 기린	85 giraffe	[dʒərǽf]
86 멧돼지	86 wild boar	[wáild bɔ̀:r]
87 사슴	87 deer	[diər]
88 엘크(가장 큰사슴)	88 elk	[elk]
89 순록	89 reindeer	[réindìər]
90 **기타 포유동물**	90 **other mammals**	[ʌ́ðər mǽməlz]
91 호랑이	91 tiger	[táigər]
92 사자	92 lion	[láiən]
93 치타	93 cheetah	[tʃí:tə]
94 퓨마(=쿠거)	94 puma, cougar	[pjú:mə], [kú:gər]
95 표범	95 leopard	[lépərd]
96 재규어	96 jaguar	[dʒǽgwa:r]
97 늑대, 이리	97 wolf	[wulf]
98 여우	98 fox	[faks]
99 북극여우(흰여우)	99 arctic fox	[á:rktik fàks]
100 재칼	100 jackal	[dʒǽkɔ:l]

Tips

- horn
  소·양·염소·코뿔소 등의 동물이나 악마의 뿔을 뜻한다. '사슴의 뿔'처럼 가지가 있는 뿔은 horn이 아닌 antler[ǽntlər]라고 한다.
- –vorous[vərəs]
  '~을 먹이로 하는'이란 뜻의 결합사.
  carn(육체, 고기)+vorous
  =고기를 먹이로 하는
  ('i'는 결합을 위해 추가)
  ⇨carnivorous(육식의)
- herb(풀)+vorous
  =풀을 먹이로 하는
  ⇨herbivorous(채식의)
- insect(곤충)+vorous
  insectivorous(식충의)
- omni(총, 모든)+vore
  omnivore(잡식동물)

Review Test 1

THE VOCABULARY 701 - 800

● 다음 주어진 우리말 단어 뜻을 보고 영단어를 말해 보세요.

1 동물(통칭)
2 네발짐승
3 야수(잔인한 짐승)
4 생물
5 가축류
6 개 / 암캐
7 [발톱 있는 짐승의] 발
8 [짐승·매의] 발톱
9 [짐승의] 꼬리
10 군용견
11 경찰견
12 수렵견, 사냥개
13 조렵견
14 맹도견
15 양치기개
16 집지키는 개
17 집에서 기르는 개
18 소형애완견
19 강아지
20 잡종견, 똥개
21 맹견, 사나운 개
22 미친개, 광견
23 길 잃은 개
24 들개, 유기견
25 개과의 동물
26 고양이
27 고양이수염
28 새끼고양이
29 암코양이
30 수코양이
31 범 무늬 고양이
32 말
33 조랑말
34 소
35 수소, 종우
36 거세한 수소
37 송아지
38 염소
39 돼지(집합명사)
40 종돈
41 암돼지
42 돼지새끼
43 거세돼지
44 식용돼지, 비육돈
45 돼지고기
46 당나귀
47 노새
48 가금
49 닭, 암탉
50 수탉
51 병아리
52 오리, 암오리
53 숫오리
54 거위, 암거위
55 타조
56 조류의 알, 계란
57 알 껍질
58 흰자위
59 노른자위
60 부화
61 양계장
62 양, 면양
63 암양
64 수컷 종양
65 거세한 숫양
66 그해에 난 양
67 어린양, 어린양고기
68 양고기
69 뿔
70 양떼, 짐승의 무리
71 소떼
72 늑대·사냥개의 무리
73 동물의 분류
74 포유류 동물
75 파충류 동물
76 야행성 동물
77 다양한 포유동물
78 발굽 있는 포유동물
79 하마(구어 hippo)
80 코뿔소(구어 rhino)
81 코끼리
82 코끼리의 코
83 얼룩말
84 들소
85 기린
86 멧돼지
87 사슴
88 엘크(가장 큰사슴)
89 순록
90 기타 포유동물
91 호랑이
92 사자
93 치타
94 퓨마(=쿠거)
95 표범
96 재규어
97 늑대, 이리
98 여우
99 북극여우(흰여우)
100 재칼

Review Test 2

THE VOCABULARY 701 - 800

● 다음 주어진 영단어를 보고 우리말 뜻을 말해 보세요.

1 animal
2 beast
3 brute
4 creature
5 livestock
6 dog / bitch
7 paw
8 claw
9 tail
10 army(military) dog
11 police dog
12 hunting dog
13 bird dog
14 guide dog
15 sheep dog
16 watch dog
17 family dog
18 lap dog
19 puppy, pup
20 mongrel, cur
21 fierce dog
22 mad dog
23 stray dog
24 homeless dog
25 canine
26 cat
27 whiskers
28 kitten, kitty
29 she-cat
30 he-cat, tomcat
31 tabby
32 horse
33 pony
34 cow
35 bull
36 ox / oxen(복수)
37 calf
38 goat
39 swine
40 boar
41 sow
42 pig, piglet
43 hog
44 porker
45 pork
46 donkey
47 mule
48 poultry, fowl
49 hen
50 rooster
51 chicken
52 duck
53 drake
54 goose
55 ostrich
56 egg
57 shell
58 albumen
59 yolk
60 hatching
61 chicken run
62 sheep
63 ewe
64 ram
65 wether
66 shearling
67 lamb
68 mutton
69 horn
70 flock
71 herd
72 pack
73 classification of animals
74 mammal
75 reptile
76 nocturnal animal
77 various mammals
78 hoofed mammals
79 hippopotamus
80 rhinoceros
81 elephant
82 trunk
83 zebra
84 bison
85 giraffe
86 wild boar
87 deer
88 elk
89 reindeer
90 other mammals
91 tiger
92 lion
93 cheetah
94 puma, cougar
95 leopard
96 jaguar
97 wolf
98 fox
99 arctic fox
100 jackal

Unit 09

동물-2(가축 · 야생동물 · 조류 · 바다생물 · 곤충)

1	코요테	1	coyote	[kaióuti]
2	하이에나	2	hyena	[haií:nə]
3	너구리	3	raccoon	[rækú:n]
4	스컹크	4	skunk	[skʌŋk]
5	수달	5	otter	[átər]
6	곰	6	bear	[bɛər]
7	북극곰(흰곰)	7	polar bear	[póulər bɛ̀ər]
8	회색곰	8	grizzly bear	[grízli bɛ̀ər]
9	불곰, 큰곰	9	brown bear	[bráun bɛ̀ər]
10	흑곰	10	black bear	[blǽk bɛ̀ər]
11	판다	11	panda	[pǽndə]
12	원숭이	12	monkey	[mʌ́ŋki]
13	유인원(꼬리 없음)	13	ape	[eip]
14	침팬지(구어 chimp)	14	chimpanzee	[tʃìmpænzí:]
15	고릴라	15	gorilla	[gərílə]
16	오랑우탄(성성이)	16	orangutan	[ɔrǽŋutæ̀n]
17	시궁쥐, 집쥐	17	rat	[ræt]
18	생쥐	18	mouse	[maus]
19	다람쥐	19	squirrel	[skwɔ́:rəl]
20	두더지	20	mole	[moul]
21	박쥐	21	bat	[bæt]
22	집토끼	22	rabbit	[rǽbit]
23	산토끼, 야생토끼	23	hare	[hɛər]
24	사향노루	24	musk deer	[mʌ́sk dìər]
25	사향고양이	25	civet	[sívit]

Tips

- 야생동물의 암·수
  가축과 달리 야생동물들은 수컷이 더 강하고 활동적이라서 그 개체를 대표하기 때문에 보통 수컷의 이름이 그 동물의 일반적인 이름이 된다. 따라서 암컷의 이름이 보통 따로 있다.
  -tiger는 수호랑이
  암호랑이는 tigress
  -lion은 수사자
  암사자는 lioness
  -암표범은 leopardess
  암여우는 vixen
  -이들의 새끼는
  cub, whelp
- 사자의 갈기털
  mane[mein] :
  말의 갈기털도 이와 똑같이 쓰인다.

26 누(소와 비슷한 동물)	26 gnu	[nju:]	
27 영양	27 antelope	[ǽntəlòup]	
28 나무늘보	28 sloth	[slɔ:θ]	
29 개미핥기	29 anteater	[ǽntì:tər]	
30 코알라	30 koala	[kouá:lə]	
31 캥거루	31 kangaroo	[kæ̀ŋgərú:]	
32 비버, 해리	32 beaver	[bí:vər]	
33 뱀	33 snake	[sneik]	
34 구렁이, 큰 독사	34 serpent	[sə́:rpənt]	
35 독사	35 viper	[váipər]	
36 뱀의 독니	36 fang	[fæŋ]	
37 뱀의 독	37 venom	[vénəm]	
38 미국악어	38 alligator	[ǽligèitər]	
39 아프리카악어	39 crocodile	[krákədàil]	
40 도마뱀	40 lizard	[lízərd]	
41 카멜레온	41 chameleon	[kəmí:liən]	
42 이구아나	42 iguana	[igwá:nə]	
43 두꺼비	43 toad	[toud]	
44 개구리	44 frog	[frɔ:g]	
45 **새 / 조류**	45 **bird / birds**	[bə:rd] / [bə:rdz]	
46 참새	46 sparrow	[spǽrou]	
47 제비	47 swallow	[swálou]	
48 까마귀	48 crow	[krou]	
49 큰 까마귀	49 raven	[réivən]	
50 집비둘기	50 pigeon	[pídʒən]	

Tips

- hippo [hípou]
  하마의 구어체표현
- rhino [ráinou]
  코뿔소의 구어체표현
- fang
  뱀의 독니라는 뜻 외에도 모든 육식동물의 엄니·송곳니를 뜻한다.
- duckbill(오리너구리)
  문자적인 뜻은 '오리의 부리주둥이'라는 의미이다. 오리너구리의 주둥이의 모양이 오리주둥이를 닮았기 때문에 붙여진 이름이다.
- rattlesnake(방울뱀)
  rattle(딸랑이·방울) + snake(뱀)
- 닭의 볏
  =comb[koum]
- 맹금류
  =raptores[rǽptərz]
  독수리, 수리부엉이 등의 크고 강한 육식조를 말한다.

51 산비둘기	51 dove	[dʌv]	
52 뻐꾸기	52 cuckoo	[kúku:]	
53 딱따구리	53 woodpecker	[wúdpèkər]	
54 두루미, 학	54 crane	[krein]	
55 백조	55 swan	[swɑn]	
56 갈매기	56 sea gull, gull	[sí: gʌ̀l], [gʌl]	
57 독수리	57 eagle, vulture	[í:gəl], [vʌ́ltʃər]	
58 매	58 hawk	[hɔ:k]	
59 부엉이, 올빼미	59 owl	[aul]	
60 플라밍고	60 flamingo	[fləmíŋgou]	
61 펭귄	61 penguin	[péŋgwin]	
62 앵무새	62 parrot	[pǽrət]	
63 일반 새의 부리	63 bill	[bil]	
64 육식조의 부리	64 beak	[bi:k]	
65 일반 새의 발톱	65 claw	[klɔ:]	
66 새둥지	66 nest	[nest]	
67 [새의] 떼	67 flock	[flɑk]	
68 **바다생물**	68 **sea creatures**	[sí: krì:tʃərz]	
69 고래	69 whale	[weil]	
70 고래 수컷	70 bull whale	[búl wèil]	
71 고래 암컷	71 cow whale	[káu wèil]	
72 고래새끼	72 calf	[kæf]	
73 흰긴수염고래	73 blue whale	[blú: wèil]	
74 향유고래	74 sperm whale	[spə́:rm wèil]	
75 돌고래	75 dolphin	[dálfin]	

Tips

- 용과 공룡
  dragon[drǽgən]
  dinosaur[dáinəsɔ̀:r]
- 청개구리와 무당개구리
  –청개구리
  green frog[grí:n frɔ̀:g]
  무당개구리
  red–bellied frog
  [rédbèlid frɔ̀:g]
- wild duck=mallard
  [mǽlərd] 청둥오리
- 백조(swan)
  –수컷은 cob[kɑb]
  –암컷은 pen[pen]
  –새끼는 cygnet[sígnit]
- 뇌조
  ptarmigan
  [tá:rmigən]
  =grouse[grous]
- 뱁새
  crow–tit[króutìt]
- 불사조
  phoenix[fí:niks]

76 상어	76 shark	[ʃɑːrk]	
77 바다표범	77 seal	[siːl]	
78 산호	78 coral	[kɔ́ːrəl]	
79 비늘	79 scale	[skeil]	
80 **곤충, 벌레**	80 **insects**	[ínsekts]	
81 나비	81 butterfly	[bʌ́tərflài]	
82 애벌레	82 caterpillar	[kǽtərpìlər]	
83 누에	83 silkworm	[sílkwə̀ːrm]	
84 누에고치	84 cocoon	[kəkúːn]	
85 나방	85 moth	[mɔːθ]	
86 잠자리	86 dragonfly	[drǽgənflài]	
87 파리	87 fly	[flai]	
88 모기	88 mosquito	[məskíːtou]	
89 빈대	89 bedbug	[bédbʌ̀g]	
90 벼룩	90 flea	[fliː]	
91 바퀴벌레	91 cockroach	[kákròutʃ]	
92 딱정벌레	92 beetle	[bíːtl]	
93 무당벌레	93 ladybug	[léidibʌ̀g]	
94 반딧불	94 firefly	[fáiərflài]	
95 귀뚜라미	95 cricket	[kríkit]	
96 거미	96 spider	[spáidər]	
97 거미줄	97 web	[web]	
98 전갈	98 scorpion	[skɔ́ːrpiən]	
99 개미	99 ant	[ænt]	
100 벌(암컷)	100 bee	[biː]	

Tips

- 공작
  'peafowl'은 공작의 암·수 모두를 일컫는 말.
  –수컷 peacock[píːkɑ̀k]
  –암컷 peahen[píːhèn]
- 좀
  silverfish
  =bookworm
  [búkwɔ̀ːrm]
- 풍뎅이
  scarab[skǽrəb]
- 진딧물
  plant louse
  [plǽnt làus]
- 송충이
  pine caterpillar
  [páin kǽtərpilər]
- 달팽이
  snail[sneil]
- dung[dʌŋ]
  몸집이 큰 동물의 똥
- poison fang
  =stinger[stíŋər]
- 불개미
  –red ant[réd ǽnt]
  –fire ant[fáiər ǽnt]

● 다음 주어진 우리말 단어 뜻을 보고 영단어를 말해 보세요.

1 코요테
2 하이에나
3 너구리
4 스컹크
5 수달
6 곰
7 북극곰(흰곰)
8 회색곰
9 불곰, 큰곰
10 흑곰
11 판다
12 원숭이
13 유인원(꼬리없음)
14 침팬지(구어 chimp)
15 고릴라
16 오랑우탄(성성이)
17 시궁쥐, 집쥐
18 생쥐
19 다람쥐
20 두더지
21 박쥐
22 집토끼
23 산토끼, 야생토끼
24 사향노루
25 사향고양이
26 누(소와 비슷한 동물)
27 영양
28 나무늘보
29 개미핥기
30 코알라
31 캥거루
32 비버, 해리
33 뱀
34 구렁이, 큰 독사
35 독사
36 뱀의 독니
37 뱀의 독
38 미국악어
39 아프리카악어
40 도마뱀
41 카멜레온
42 이구아나
43 두꺼비
44 개구리
45 새 / 조류
46 참새
47 제비
48 까마귀
49 큰 까마귀
50 집비둘기
51 산비둘기
52 뻐꾸기
53 딱따구리
54 두루미, 학
55 백조
56 갈매기
57 독수리
58 매
59 부엉이, 올빼미
60 플라밍고
61 펭귄
62 앵무새
63 일반 새의 부리
64 육식조의 부리
65 일반 새의 발톱
66 새둥지
67 [새의] 떼
68 바다생물
69 고래
70 고래 수컷
71 고래 암컷
72 고래새끼
73 흰긴수염고래
74 향유고래
75 돌고래
76 상어
77 바다표범
78 산호
79 비늘
80 곤충, 벌레
81 나비
82 애벌레
83 누에
84 누에고치
85 나방
86 잠자리
87 파리
88 모기
89 빈대
90 벼룩
91 바퀴벌레
92 딱정벌레
93 무당벌레
94 반딧불
95 귀뚜라미
96 거미
97 거미줄
98 전갈
99 개미
100 벌(암컷)

Review Test 2

THE VOCABULARY **801 - 900**

● 다음 주어진 영단어를 보고 우리말 뜻을 말해 보세요.

1 coyote
2 hyena
3 raccoon
4 skunk
5 otter
6 bear
7 polar bear
8 grizzly bear
9 brown bear
10 black bear
11 panda
12 monkey
13 ape
14 chimpanzee
15 gorilla
16 orangutan
17 rat
18 mouse
19 squirrel
20 mole
21 bat
22 rabbit
23 hare
24 musk deer
25 civet
26 gnu
27 antelope
28 sloth
29 anteater
30 koala
31 kangaroo
32 beaver
33 snake
34 serpent
35 viper
36 fang
37 venom
38 alligator
39 crocodile
40 lizard
41 chameleon
42 iguana
43 toad
44 frog
45 bird / birds
46 sparrow
47 swallow
48 crow
49 raven
50 pigeon
51 dove
52 cuckoo
53 woodpecker
54 crane
55 swan
56 sea gull, gull
57 eagle, vulture
58 hawk
59 owl
60 flamingo
61 penguin
62 parrot
63 bill
64 beak
65 claw
66 nest
67 flock
68 sea creatures
69 whale
70 bull whale
71 cow whale
72 calf
73 blue whale
74 sperm whale
75 dolphin
76 shark
77 seal
78 coral
79 scale
80 insects
81 butterfly
82 caterpillar
83 silkworm
84 cocoon
85 moth
86 dragonfly
87 fly
88 mosquito
89 bedbug
90 flea
91 cockroach
92 beetle
93 ladybug
94 firefly
95 cricket
96 spider
97 web
98 scorpion
99 ant
100 bee

Unit 10 식물(꽃 · 꽃나무 · 과일 · 나무)

1	**식물, 초목**	1	**plant**	[plænt]
2	식물, 채소	2	vegetable	[védʒətəbəl]
3	식물(집합적)	3	vegetation	[vèdʒətéiʃən]
4	**꽃, 화초**	4	**flower[s]**	[fláuər-z]
5	장미	5	rose	[rouz]
6	꽃봉오리	6	bud	[bʌd]
7	꽃잎	7	petal	[pétl]
8	가시	8	thorn	[θɔ:rn]
9	백합	9	lily	[líli]
10	튤립	10	tulip	[tjú:lip]
11	꽃줄기	11	stem	[stem]
12	나팔수선화	12	daffodil	[dǽfədìl]
13	구근	13	bulb	[bʌlb]
14	데이지	14	daisy	[déizi]
15	히아신스	15	hyacinth	[háiəsìnθ]
16	국화(구어 mum)	16	chrysanthemum	[krisǽnθəməm]
17	금잔화	17	marigold	[mǽrəgòuld]
18	붓꽃	18	iris	[áiris]
19	크로커스	19	crocus	[króukəs]
20	난초꽃	20	orchid	[ɔ́:rkid]
21	백일홍	21	zinnia	[zíniə]
22	카네이션	22	carnation	[kɑ:rnéiʃən]
23	화초양귀비	23	poppy	[pápi]
24	봉선화	24	touch-me-not	[tʌ́tʃminàt]
25	코스모스	25	cosmos	[kázməs]

Tips

- plant
  식물을 나타내는 가장 일반적인 말.
- vegetable=plant
  동물에 대해서 식물이라는 뜻. 좁은 뜻으로는 '채소'라는 뜻으로도 쓴다.
- vegetation
  집합적으로 식물을 통칭하며 불가산명사이다.
- 꽃받침
  calyx[kéiliks]
- 꽃향기
  floral scent
  [flɔ́:rəl sènt]
- 암술과 수술
  –암술 pistil[pístəl]
  –수술
  stamen[stéimən]
- 잎사귀(나뭇잎 · 풀잎 등)
  leaf[li:f]–복수형
  leaves
- 낙엽
  fallen leaves[fɔ̀:lən lì:vz]
- 씨, 종자
  seed[si:d]
- 홀씨, 포자
  spore[spɔ:r]
- 봉선화
  'balsam[bɔ́:lsəm]'이라고도 한다.

26	팬지	26 pansy	[pǽnzi]
27	나팔꽃	27 morning glory	[mɔ́:rniŋ glɔ̀:ri]
28	해바라기	28 sunflower	[sʌ́nflàuər]
29	칸나	29 canna	[kǽnə]
30	제라늄	30 geranium	[dʒəréiniəm]
31	채송화	31 rose moss	[róuz mɔ̀:s]
32	**꽃나무**	32 **flowering tree[s]**	[fláuəriŋ trì:-z]
33	목련	33 magnolia	[mægnóuliə]
34	개나리	34 forsythia	[fərsíθiə]
35	진달래	35 azalea	[əzéiljə]
36	치자나무	36 gardenia	[gɑ:rdí:niə]
37	라일락	37 lilac	[láilək]
38	**야생화, 야생초**	38 **wild flower[s]**	[wáild flàuər-z]
39	민들레	39 dandelion	[dǽndəlàiən]
40	엉겅퀴	40 thistle	[θísl]
41	선인장	41 cactus	[kǽktəs]
42	제비꽃	42 violet	[váiəlit]
43	갈대	43 reed	[ri:d]
44	억새	44 silver grass	[sílvər grǽs]
45	수초	45 water plant	[wɑ́:tər plǽnt]
46	수련	46 water lily	[wɑ́:tər lìli]
47	연꽃	47 lotus	[lóutəs]
48	클로버, 토끼풀	48 clover	[klóuvər]
49	괭이밥	49 sorrel	[sɔ́:rəl]
50	잡초	50 weed	[wi:d]

Tips

- poppy[pápi]
  화초양귀비
  마약인 아편을 얻는 양귀비는 'opium poppy [óupiəm pɑ̀pi]'라 한다. 'opium'은 '아편'이라는 뜻이다.

Unit 10 식물(꽃 · 꽃나무 · 과일 · 나무)

51 이끼	51 moss	[mɔ:s]
52 잔디, 풀	52 grass	[græs]
53 손질한 잔디[밭]	53 lawn	[lɔ:n]
54 목초지, 풀밭	54 meadow	[médou]
55 평원	55 plain	[plein]
56 황야, 황무지	56 wilderness	[wíldərnis]
57 모래사막	57 sandy desert	[sǽndi dèzərt]
58 **향신료**	58 **spice**	[spais]
59 식용(약용)식물, 초본	59 herb	[hə:rb]
60 박하	60 mint	[mint]
61 육계, 계피	61 cinnamon	[sínəmən]
62 코카	62 coca	[kóukə]
63 바질	63 basil	[béizəl]
64 인삼	64 ginseng	[dʒínseŋ]
65 알로에	65 aloe	[ǽlou]
66 목화, 면화	66 cotton	[kátn]
67 로즈마리	67 rosemary	[róuzmèri]
68 라벤더	68 lavender	[lǽvəndər]
69 **큰 숲, 삼림**	69 **forest**	[fɔ́:rist]
70 밀림	70 jungle	[dʒʌ́ŋgl]
71 보통 숲, 수풀	71 wood[s]	[wud-z]
72 작은 숲	72 grove	[grouv]
73 관목 숲	73 bush	[buʃ]
74 목재용 삼림지	74 timberland	[tímbərlæ̀nd]
75 조림지, 재배농원	75 plantation	[plæntéiʃən]

Tips

- fruit
  '과일'이라는 뜻 외에 모든 식물의 '열매'라는 뜻으로도 쓰인다.
- –류
  보통 '과채류, 곡류'처럼 '–류'라고 할 때에는 그 안에 속한 것들을 모두 통틀어 나타내야 하기 때문에 '복수형'으로 쓴다.
- 양치류(고사리 등)
  the ferns[ðəfə́:rnz]
- 덩굴
  –vine[vain] (포도덩굴)
  –creeper[kri:pər] (담쟁이덩굴)
- cotton
  '목화'라는 뜻 외에 '솜, 면사, 면직물'이라는 뜻도 있다.
- wood[s]
  종종 복수형으로도 쓰이는데, 이때에도 단수로 취급하며, 숲 중에서 'forest보다는 작고 grove보다는 큰 우리나라에서 흔히 볼 수 있는 크기의 숲'이다. 'grove'는 '도시 주변에 있는 산책하기 좋을 만한 아담한 숲'을 말한다.
- ear
  '옥수수 한 자루'
  = an ear of corn
  '벼 한 이삭'
  = an ear of rice
- 포도나무
  grapevine[gréipvàin]

76 나무	76 tree	[tri:]	
77 관목, 수풀	77 bush, shrub	[buʃ], [ʃrʌb]	
78 목재, 목재용 나무	78 timber	[tímbər]	
79 나무, 목재	79 wood	[wud]	
80 통나무, 원목	80 log	[lɔ:g]	
81 제재목, 재목	81 lumber	[lʌ́mbər]	
82 각목	82 square lumber	[skwέər lʌ̀mbər]	
83 땔감, 장작	83 firewood	[fáiərwùd]	
84 다양한 나무들	**84 various trees**	[vέəriəs trì:z]	
85 소나무	85 pine [tree]	[páin-trì:]	
86 솔방울	86 pine cone	[páin kòun]	
87 송진	87 resin	[rézin]	
88 대나무	88 bamboo	[bæmbú:]	
89 죽순	89 bamboo shoots	[bæmbú: ʃù:ts]	
90 대나무 마디	90 joint, node	[dʒɔint], [noud]	
91 티크나무	91 teak	[ti:k]	
92 떡갈나무, 참나무	92 oak	[ouk]	
93 도토리	93 acorn	[éikɔ:rn]	
94 나무줄기	94 trunk	[trʌŋk]	
95 나뭇가지	95 branch	[bræntʃ]	
96 큰 가지	96 bough	[bau]	
97 작은 가지	97 twig	[twig]	
98 나이테	98 annual ring	[ǽnjuəl rìŋ]	
99 나무껍질	99 bark	[bɑ:rk]	
100 뿌리	100 root	[ru:t]	

Tips

- bunch, cluster
  '송이'라는 뜻 외에 '다발'이라는 뜻도 있다.
  '포도(바나나) 한 송이'
  a bunch(=cluster) of grapes(bananas)
  '꽃 한 다발'
  a bunch(=cluster) of flowers
- shell
  밤, 호두 등의 '딱딱한 견과류 껍데기들'을 통칭하는 말이다. '껍질(skin)'은 사과껍질처럼 얇고 부드러운 과일의 외피이고, 바나나 등의 껍질은 'peel', '견과류' 등의 딱딱한 외피들은 '껍데기(shell)'라고 부른다.
- bush, shrub(관목)
  무궁화처럼 본줄기가 불분명하고 여러 가지가 넓게 퍼져서 자라는 키가 작은 나무
- tree와 wood
  'tree'는 '한 그루의 나무'라는 뜻이며, 'wood'는 '나무라는 재료로 된 물질'을 나타내는 말이다.
- 단풍나무
  maple tree[méipəl trì:]
- 고무나무
  rubber tree[rʌ́bər trì:]
- 뽕나무
  mulberry[mʌ́lbèri]

● 다음 주어진 우리말 단어 뜻을 보고 영단어를 말해 보세요.

1 식물, 초목
2 식물, 채소
3 식물(집합적)
4 꽃, 화초
5 장미
6 꽃봉오리
7 꽃잎
8 가시
9 백합
10 튤립
11 꽃줄기
12 나팔수선화
13 구근
14 데이지
15 히아신스
16 국화(구어 mum)
17 금잔화
18 붓꽃
19 크로커스
20 난초꽃
21 백일홍
22 카네이션
23 화초양귀비
24 봉선화
25 코스모스
26 팬지
27 나팔꽃
28 해바라기
29 칸나
30 제라늄
31 채송화
32 꽃나무
33 목련
34 개나리
35 진달래
36 치자나무
37 라일락
38 야생화, 야생초
39 민들레
40 엉겅퀴
41 선인장
42 제비꽃
43 갈대
44 억새
45 수초
46 수련
47 연꽃
48 클로버, 토끼풀
49 괭이밥
50 잡초
51 이끼
52 잔디, 풀
53 손질한 잔디[밭]
54 목초지, 풀밭
55 평원
56 황야, 황무지
57 모래사막
58 향신료
59 식용(약용)식물, 초본
60 박하
61 육계, 계피
62 코카
63 바질
64 인삼
65 알로에
66 목화, 면화
67 로즈마리
68 라벤더
69 큰 숲, 삼림
70 밀림
71 보통 숲, 수풀
72 작은 숲
73 관목 숲
74 목재용 삼림지
75 조림지, 재배농원
76 나무
77 관목, 수풀
78 목재, 목재용 나무
79 나무, 목재
80 통나무, 원목
81 제재목, 재목
82 각목
83 땔감, 장작
84 다양한 나무들
85 소나무
86 솔방울
87 송진
88 대나무
89 죽순
90 대나무 마디
91 티크나무
92 떡갈나무, 참나무
93 도토리
94 나무줄기
95 나뭇가지
96 큰 가지
97 작은 가지
98 나이테
99 나무껍질
100 뿌리

Review Test 2

THE VOCABULARY 901 - 1000

● 다음 주어진 영단어를 보고 우리말 뜻을 말해 보세요.

1 plant
2 vegetable
3 vegetation
4 flower[s]
5 rose
6 bud
7 petal
8 thorn
9 lily
10 tulip
11 stem
12 daffodil
13 bulb
14 daisy
15 hyacinth
16 chrysanthemum
17 marigold
18 iris
19 crocus
20 orchid
21 zinnia
22 carnation
23 poppy
24 touch-me-not
25 cosmos
26 pansy
27 morning glory
28 sunflower
29 canna
30 geranium
31 rose moss
32 flowering tree[s]
33 magnolia
34 forsythia
35 azalea
36 gardenia
37 lilac
38 wild flower[s]
39 dandelion
40 thistle
41 cactus
42 violet
43 reed
44 silver grass
45 water plant
46 water lily
47 lotus
48 clover
49 sorrel
50 weed
51 moss
52 grass
53 lawn
54 meadow
55 plain
56 wilderness
57 sandy desert
58 spice
59 herb
60 mint
61 cinnamon
62 coca
63 basil
64 ginseng
65 aloe
66 cotton
67 rosemary
68 lavender
69 forest
70 jungle
71 wood[s]
72 grove
73 bush
74 timberland
75 plantation
76 tree
77 bush, shrub
78 timber
79 wood
80 log
81 lumber
82 square lumber
83 firewood
84 various trees
85 pine [tree]
86 pine cone
87 resin
88 bamboo
89 bamboo shoots
90 joint, node
91 teak
92 oak
93 acorn
94 trunk
95 branch
96 bough
97 twig
98 annual ring
99 bark
100 root

Chapter 04

사람을 나타내는 명사 400

Unit 01 사람을 나타내는 말 1(-er)

1	간수, 감시인, 수위	1	ward**er**	[wɔ:rdər]
2	간수, 교도관	2	jail**er**	[dʒeilər]
3	강도	3	robb**er**	[rábər]
4	개혁가	4	reform**er**	[rifɔ́:rmər]
5	갱[의 일원], 폭력배	5	gangst**er**	[gǽŋstər]
6	건달, 부랑자	6	bumm**er**	[bʌ́mər]
7	게으름뱅이	7	loaf**er**	[lóufər]
8	결혼중매인	8	matchmak**er**	[mǽtʃmèikər]
9	고객, 단골손님	9	custom**er**	[kʌ́stəmər]
10	고소인, 고발자	10	accus**er**	[əkjú:zər]
11	고용주	11	employ**er**	[emplɔ́iər]
12	공연자, 연예인	12	perform**er**	[pərfɔ́:rmər]
13	과일장수	13	fruiter**er**	[frú:tərər]
14	관리인, 수위	14	caretak**er**	[kéərtèikər]
15	광고문안 작성자	15	copy writ**er**	[kápi ràitər]
16	광부, 광산업자	16	min**er**	[máinər]
17	구경꾼, 보는 사람	17	behold**er**	[bihóuldər]
18	구독자, 가입자	18	subscrib**er**	[səbskráibər]
19	구두쇠, 수전노	19	mis**er**	[máizər]
20	국장, 장관	20	commission**er**	[kəmíʃənər]
21	극빈자, 빈민	21	paup**er**	[pɔ́:pər]
22	급습자, 침입자	22	raid**er**	[reidər]
23	기자, 통신원	23	report**er**	[ripɔ́:rtər]
24	꿈꾸는 사람; 몽상가	24	dream**er**	[dri:mər]
25	나병환자	25	lep**er**	[lépər]

26 노름꾼, 사기꾼	26	hustl**er**	[hʌ́sələr]
27 노병, 종군자	27	campaign**er**	[kæmpéinər]
28 닦는 사람, 윤내는 사람	28	buff**er**	[bʌ́fər]
29 닦는 사람; 살인 청부업자	29	wip**er**	[wáipər]
30 덫 사냥꾼	30	trapp**er**	[trǽpər]
31 도둑놈, 들치기	31	lift**er**	[líftər]
32 도박꾼, 노름꾼	32	gambl**er**	[gǽmbələr]
33 도보여행자	33	hik**er**	[háikər]
34 도축업자, 정육점 주인	34	butch**er**	[bútʃər]
35 독신여성	35	spinst**er**	[spínstər]
36 독자, 독서가	36	read**er**	[rí:dər]
37 모자 제조인, 모자장수	37	hatt**er**	[hǽtər]
38 모피장수	38	furri**er**	[fə́:riər]
39 목사, 장관	39	minist**er**	[mínistər]
40 문외한; 한패가 아닌 자	40	outsid**er**	[àutsáidər]
41 미장이	41	plaster**er**	[plǽstərər]
42 믿는 사람, 신자	42	believ**er**	[bilí:vər]
43 밀고자, [직업적] 정보제공자	43	inform**er**	[infɔ́:rmər]
44 배관공	44	plumb**er**	[plʌ́mər]
45 배반자, 배신자, 매국노	45	betray**er**	[bitréiər]
46 변절자, 밀고자	46	ratt**er**	[rǽtər]
47 변호사	47	lawy**er**	[lɔ́:jər]
48 보석세공사, 보석상인	48	jewel**er**	[dʒú:ələr]
49 보행자, 산책하는 사람	49	walk**er**	[wɔ́:kər]
50 북치는 사람, 고수	50	drumm**er**	[drʌ́mər]

Unit 01 사람을 나타내는 말 1(-er)

51	비행기 납치범	51 hijack**er**	[háidʒæ̀kər]
52	사격수; 총 사냥꾼	52 gunn**er**	[gʌ́nər]
53	사는 사람, 구매자	53 purchas**er**	[pə́:rtʃəsər]
54	사는 손님	54 shopp**er**	[ʃápər]
55	사진사, 사진촬영자	55 photograph**er**	[fətágrəfər]
56	살인자, 살인범	56 murder**er**	[mə́:rdərər]
57	상인, 무역업자	57 trad**er**	[tréidər]
58	상인, 카드를 돌리는 사람	58 deal**er**	[dí:lər]
59	생선장수(英)	59 fishmong**er**	[fíʃmʌ̀ŋgər]
60	선구자	60 forerunn**er**	[fɔ́:rrʌ̀nər]
61	선구자	61 harbing**er**	[há:rbindʒər]
62	선생님, 교사	62 teach**er**	[tí:tʃər]
63	선원	63 marin**er**	[mǽrənər]
64	소비자, 수요자	64 consum**er**	[kənsú:mər]
65	속기사	65 stenograph**er**	[stənágrəfər]
66	수행자, 부하	66 follow**er**	[fálouər]
67	숙박인, 하숙인	67 lodg**er**	[ládʒər]
68	승객, 여객	68 passeng**er**	[pǽsəndʒər]
69	시청자, 구경꾼	69 view**er**	[vjú:ər]
70	식료품상	70 groc**er**	[gróusər]
71	식사하는 사람	71 din**er**	[dáinər]
72	안무가; 무용가	72 choreograph**er**	[kɔ̀:riágrəfər]
73	야영자, 캠핑하는 사람	73 camp**er**	[kǽmpər]
74	약탈자, 도둑	74 plunder**er**	[plʌ́ndərər]
75	양조업자	75 brew**er**	[brú:ər]

76 여론조사원	76 poll**er** [póulstər]

76 여론조사원
77 역장
78 연사, 대변인
79 왼손잡이
80 우체국장
81 우편집배원
82 유랑인, 해적
83 유치원생
84 은행원, 말하는 사람
85 입찰자, 경매참가자
86 자동차편승여행자
87 작곡가
88 잔소리꾼
89 잡화상, 상인
90 장교, 경찰관
91 경작자, 씨 뿌리는 사람
92 재정가; 재무관; 자본가
93 전달자, 심부름꾼
94 젊은이, 청소년
95 점성가, 점성술사
96 정기권통근자; 자택 통학생
97 정원사, 원예가
98 제빵사, 빵집 주인
99 조력자, 조수
100 죄수, 포로

76 pollst**er** [póulstər]
77 stationmast**er** [stéiʃənmæ̀stər]
78 speak**er** [spí:kər]
79 portsid**er** [pɔ́:rtsàidər]
80 postmast**er** [póustmæ̀stər]
81 carri**er** [kǽriər]
82 rov**er** [róuvər]
83 kindergarten**er** [kíndərgɑ̀:rtnər]
84 tell**er** [télər]
85 bidd**er** [bídər]
86 hitchhik**er** [hítʃhàikər]
87 compos**er** [kəmpóuzər]
88 nagg**er** [nǽgər]
89 chandl**er** [tʃǽndlər]
90 offic**er** [ɔ́:fisər]
91 plant**er** [plǽntər]
92 financi**er** [finənsíər]
93 messeng**er** [mésəndʒər]
94 youngst**er** [jʌ́ŋstər]
95 astrolog**er** [əstrúlədʒər]
96 commut**er** [kəmjú:tər]
97 garden**er** [gɑ́:rdnər]
98 bak**er** [béikər]
99 help**er** [hélpər]
100 prison**er** [príznər]

Unit 02

사람을 나타내는 말 2(-er; -or)

1	주인, 스승	1	mast**er**	[mǽstər]
2	주자, 도망자	2	runn**er**	[rʌ́nər]
3	지도자, 인도자	3	lead**er**	[lí:dər]
4	지배인, 경영자	4	manag**er**	[mǽnidʒər]
5	지휘관, 사령관	5	command**er**	[kəmǽndər]
6	짐꾼, 운반인	6	port**er**	[pɔ́:rtər]
7	집사	7	butl**er**	[bʌ́tlər]
8	천문학자	8	astronom**er**	[əstránəmər]
9	철학자, 현인	9	philosoph**er**	[filásəfər]
10	청소부	10	sweep**er**	[swí:pər]
11	초보자, 초심자	11	beginn**er**	[bigínər]
12	출판업자, 발행인	12	publish**er**	[pʌ́bliʃər]
13	침입자, 방해꾼	13	intrud**er**	[intrú:dər]
14	침입자, 침략자	14	invad**er**	[invéidər]
15	[야구의] 타자	15	batt**er**	[bǽtər]
16	통신원, 탐방 기자	16	report**er**	[ripɔ́:rtər]
17	통역사, 해석자	17	interpret**er**	[intə́:rprətər]
18	[야구의] 투수	18	pitch**er**	[pítʃər]
19	파수꾼, 간수	19	keep**er**	[kí:pər]
20	[야구의] 포수, 잡는 사람	20	catch**er**	[kǽtʃər]
21	프로듀서, 제작자	21	produc**er**	[prədjú:sər]
22	행상인; 마약상	22	peddl**er**	[pédlər]
23	현금출납원, 회계원	23	cashi**er**	[kæʃíər]
24	혈우병환자; 등치기꾼	24	bleed**er**	[blí:dər]
25	회계원, 출납원	25	treasur**er**	[tréʒərər]

26	[기계의] 조작자; 수술자	26	operat**or**	[ɑ́pərèitər]
27	가정교사	27	tut**or**	[tjú:tər]
28	검사; 실행자	28	prosecut**or**	[prɑ́səkjù:tər]
29	검열관	29	cens**or**	[sénsər]
30	경작자, 재배자	30	cultivat**or**	[kʌ́ltəvèitər]
31	경쟁자, 경쟁상대	31	competit**or**	[kəmpétətər]
32	계약자; 청부인	32	contract**or**	[kəntrǽktər]
33	공모자, 음모자	33	conspirat**or**	[kənspírətər]
34	관리자, 감독관	34	supervis**or**	[sú:pərvàizər]
35	교구목사	35	rect**or**	[réktər]
36	교사, 교관; 전임강사	36	instruct**or**	[instrʌ́ktər]
37	교수	37	profess**or**	[prəfésər]
38	교육자, 교직자	38	educat**or**	[édʒukèitər]
39	구경꾼; 관찰자	39	spectat**or**	[spékteitər]
40	기부자, 기고자	40	contribut**or**	[kəntríbjətər]
41	기부자, 기증자	41	donat**or**	[dóuneitər]
42	대법관, 수상	42	chancell**or**	[tʃǽnsələr]
43	대사	43	ambassad**or**	[æmbǽsədər]
44	독신남자; 학사	44	bachel**or**	[bǽtʃələr]
45	독재자, 절대 권력자	45	dictat**or**	[díkteitər]
46	모방자, 모조자	46	imitat**or**	[ímitèitər]
47	목사; 정신적 지도자	47	past**or**	[pǽstər]
48	미성년자	48	min**or**	[máinər]
49	발명자, 발명가	49	invent**or**	[invéntər]
50	발음이 똑똑한 사람	50	articulat**or**	[ɑ:rtíkjəlèitər]

Unit 02 사람을 나타내는 말 2(-er; -or)

51	방문객, 내객	51 visit**or**	[vízitər]
52	배심원	52 jur**or**	[dʒúərər]
53	배우	53 act**or**	[ǽktər]
54	뱃사람, 선원; 수병	54 sail**or**	[séilər]
55	번역가	55 translat**or**	[trænsléitər]
56	보호자, 옹호자	56 protect**or**	[prətéktər]
57	분배자, 도매상인; 판매 대리점	57 distribut**or**	[distríbjutər]
58	비행사(옛 말투: pilot이 보통)	58 aviat**or**	[éivièitər]
59	상속자, 후계자	59 success**or**	[səksésər]
60	상원의원	60 senat**or**	[sénətər]
61	선구자, 선각자	61 precurs**or**	[prikə́:rsər]
62	소유자, 점유자	62 possess**or**	[pəzésər]
63	소유자; 경영자; 집주인	63 propriet**or**	[prəpráiətər]
64	승리자, 전승자, 정복자	64 vict**or**	[víktər]
65	시골뜨기, 촌놈	65 bo**or**	[buər]
66	시사해설자	66 commentat**or**	[kúmәntèitər]
67	시장, 읍장	67 may**or**	[méiər]
68	실내 장식가	68 decorat**or**	[dékərèitər]
69	안내자, 지휘자; 열차의 차장	69 conduct**or**	[kəndʌ́ktər]
70	연구자, 조사자, 수사관	70 investigat**or**	[invéstəgèitər]
71	연설자, 강연자	71 orat**or**	[ɔ́:rətər]
72	연소자; 2세; 후배	72 juni**or**	[dʒú:njər]
73	연장자; 어른; 선배	73 seni**or**	[sí:njər]
74	위반자, 위배자	74 violat**or**	[váiəlèitər]
75	육군소령; 총경; 어른	75 maj**or**	[méidʒər]

76	재봉사, [남성복] 재단사	76 tail**or**	[téilər]
77	저자	77 auth**or**	[ɔ́:θər]
78	전사(戰士); 역전의 용사	78 warri**or**	[wɔ́:riər]
79	전임자, 선배	79 predecess**or**	[prédisèsər]
80	정복자, 승리자	80 conquer**or**	[káŋkərər]
81	조각가, 조각사	81 sculpt**or**	[skʌ́lptər]
82	조상, 선조	82 ancest**or**	[ǽnsestər]
83	조정자; 단속자	83 regulat**or**	[régjəlèitər]
84	지도자; 영화감독; 이사	84 direct**or**	[diréktər]
85	지시자	85 indicat**or**	[índikèitər]
86	집행자, 수행자	86 execut**or**	[igzékjətər]
87	창조자; 창작가; 조물주	87 creat**or**	[kri:éitər]
88	채권자	88 credit**or**	[kréditər]
89	채무자	89 debt**or**	[détər]
90	청소원, 잡역부	90 janit**or**	[dʒǽnətər]
91	청원자; 구혼자	91 solicit**or**	[səlísətər]
92	측량사; 감정인; 사정관	92 survey**or**	[sərvéiər]
93	통치자; 주지사	93 govern**or**	[gʌ́vərnər]
94	투기꾼; 암표상	94 speculat**or**	[spékjəlèitər]
95	투자자, 수여자	95 invest**or**	[invéstər]
96	편집자; [신문의] 주필	96 edit**or**	[édətər]
97	해부학자	97 dissect**or**	[diséktər]
98	해설자	98 narrat**or**	[nærέitər]
99	황제, 제왕	99 emper**or**	[émpərər]
100	회유자, 조정자	100 conciliat**or**	[kənsílièitər]

Unit 03 사람을 나타내는 말 3(-ist; -an; -man)

1	경제인, 경제학자	1	econom**ist**	[ikánəmist]
2	공개토론회 토론자	2	panel**ist**	[pǽnlist]
3	공산주의자	3	commun**ist**	[kámjənist]
4	관광여행자, 관광객	4	tour**ist**	[túərist]
5	궤변론자	5	soph**ist**	[sáfist]
6	극작가	6	dramat**ist**	[drǽmətist]
7	꽃장수, 화초연구가	7	flor**ist**	[flɔ́:rist]
8	낙천주의자	8	optim**ist**	[áptəmist]
9	농경학자	9	agronom**ist**	[əgránəmist]
10	도덕가; 윤리학자	10	moral**ist**	[mɔ́:rəlist]
11	마취전문 의사	11	anesthet**ist**	[ənésθətist]
12	무신론자; 무신앙자	12	athe**ist**	[éiθiist]
13	물리학자; 유물론자	13	physic**ist**	[fízisist]
14	방화범	14	arson**ist**	[á:rsnist]
15	변호자, 옹호자	15	apolog**ist**	[əpálədʒist]
16	불교도	16	Buddh**ist**	[bú:dist]
17	사회학자	17	sociolog**ist**	[sòusiálədʒist]
18	생태학자	18	ecolog**ist**	[i:kálədʒist]
19	선전자; 전도사	19	propagand**ist**	[pràpəgǽndist]
20	소설가, 작가	20	novel**ist**	[návəlist]
21	식물학자	21	botan**ist**	[bá:tənist]
22	심리학자	22	psycholog**ist**	[saikálədʒist]
23	약조제사, 약사	23	pharmac**ist**	[fá:rməsist]
24	언론인, 신문·잡지 기자	24	journal**ist**	[dʒɔ́:rnəlist]
25	언어학자; 어학자	25	lingu**ist**	[líŋgwist]

26	여권운동가	26 femin**ist**	[fémənist]
27	연금술사	27 alchem**ist**	[ǽlkəmist]
28	연대기의 편자	28 annal**ist**	[ǽnəlist]
29	염세주의자, 비관주의자	29 pessim**ist**	[pésimist]
30	예술가, 미술가	30 art**ist**	[á:rtist]
31	오르간 연주자	31 organ**ist**	[ɔ́:rgənist]
32	유머작가, 익살꾼	32 humor**ist**	[hjú:mərist]
33	이기주의자	33 ego**ist**	[í:gouist]
34	이상주의자, 관념론자	34 ideal**ist**	[aidí:əlist]
35	이타주의자	35 altru**ist**	[ǽltruist]
36	인도주의자, 인문학자	36 human**ist**	[hjú:mənist]
37	인류학자	37 anthropolog**ist**	[æ̀nθrəpɑ́lədʒist]
38	자가용 운전자	38 motor**ist**	[móutərist]
39	자본가, 전주	39 capital**ist**	[kǽpitəlist]
40	자전거 선수	40 cycl**ist**	[sáiklist]
41	적수, 적대자, 경쟁자	41 antagon**ist**	[æntǽgənist]
42	전문가, 전공자	42 special**ist**	[spéʃəlist]
43	정신병 의사	43 psychiatr**ist**	[saikáiətrist]
44	첼로 연주가	44 cell**ist**	[tʃélist]
45	충신	45 loyal**ist**	[lɔ́iəlist]
46	침례교도	46 Bapt**ist**	[bǽptist]
47	타이피스트, 타자수	47 typ**ist**	[táipist]
48	[신문의] 특별 기고가	48 column**ist**	[kɑ́ləmnist]
49	화학자	49 chem**ist**	[kémist]
50	환경보호론자	50 environmental**ist**	[invàiərənméntlist]

Unit 03

사람을 나타내는 말 3(-ist; -an; -man)

51	감시인, 보호자	51	guardi**an**	[gɑ́:rdiən]
52	고아	52	orph**an**	[ɔ́:rfən]
53	공화주의자, 공화당원	53	republic**an**	[ripʌ́blikən]
54	관리인, 보관인, 수위	54	custodi**an**	[kʌstóudiən]
55	교외거주자	55	suburb**anite**	[səbə́:rbənàit]
56	국제인, 세계주의자	56	cosmopolit**an**	[kɑ̀zməpɑ́lətən]
57	기독교인	57	Christi**an**	[krístʃən]
58	내과의사	58	physici**an**	[fizíʃən]
59	[사막의] 대상	59	carav**an**	[kǽrəvæ̀n]
60	도서관 직원; 사서	60	librari**an**	[laibréəriən]
61	마법사, 마술사	61	magici**an**	[mədʒíʃən]
62	문법가, 문법학자	62	grammari**an**	[grəméəriən]
63	미용사, 미용실 원장	63	beautici**an**	[bju:tíʃən]
64	민간인	64	civili**an**	[sivíljən]
65	백세 이상의 사람	65	centenari**an**	[sèntənéəriən]
66	보행자	66	pedestri**an**	[pədéstriən]
67	소아과 의사	67	pediatrici**an**	[pì:diətríʃən]
68	수의사	68	veterinari**an**	[vètərənéəriən]
69	수학자	69	mathematici**an**	[mæ̀θəmətíʃən]
70	숙련공	70	artis**an**	[ɑ́:rtəzən]
71	아테네인	71	Atheni**an**	[əθí:niən]
72	안경사, 안경 상인	72	optici**an**	[ɑptíʃən]
73	야만인, 미개인	73	barbari**an**	[bɑ:rbéəriən]
74	역사가, 사학자	74	histori**an**	[histɔ́:riən]
75	유생(儒生), 유학자	75	confuci**an**	[kənfjú:ʃən]

76 음악가, 악사	76	music**ian**	[mju:zíʃən]
77 이교도, 무종교자	77	pag**an**	[péigən]
78 인도주의자; 박애가	78	humanitari**an**	[hju:mæ̀nətéəriən]
79 정치꾼; 책사	79	politici**an**	[pɑ̀lətíʃən]
80 고참병, 퇴역군인; 숙련자	80	veter**an**	[vétərən]
81 경비원	81	watch**man**	[wάtʃmən]
82 뉴스진행자	82	anchor**man**	[ǽŋkərmən]
83 동포, 동향인	83	country**man**	[kʌ́ntrimən]
84 비행사, 조종사	84	air**man**	[ɛ́ərmən]
85 선원, 뱃사람	85	sea**man**	[sí:mən]
86 소방대원	86	fire**man**	[fáiərmən]
87 신사	87	gentle**man**	[dʒéntlmən]
88 신입생, 신입사원	88	fresh**man**	[fréʃmən]
89 쓰레기 청소부	89	dust**man**	[dʌ́stmən]
90 어부	90	fisher**man**	[fíʃərmən]
91 얼음장수	91	ice**man**	[áismən]
92 우유배달원, 우유장수	92	milk**man**	[mílkmæ̀n]
93 우편물 집배원(미)	93	mail**man**	[méilmæ̀n]
94 우편물 집배원(영)	94	post**man**	[póustmən]
95 위병, 근위병	95	guards**man**	[gɑ:rdzmən]
96 의장	96	chair**man**	[tʃɛ́ərmən]
97 인간, 인류	97	hu**man**	[hjú:mən]
98 작업반장	98	fore**man**	[fɔ́:rmən]
99 정치가	99	states**man**	[stéitsmən]
100 중간상인, 중매인	100	middle**man**	[mídlmən]

Unit 04 사람을 나타내는 말 4(-ant; -ee; -ate ...)

1	거주자, 주민	1	inhabit**ant**	[inhǽbətənt]
2	농부, 촌사람	2	peas**ant**	[pézənt]
3	막역한 친구	3	confid**ant**	[kὰnfidǽnt]
4	방랑자, 부랑자	4	vagr**ant**	[véigrənt]
5	부하, 하인; 공무원	5	serv**ant**	[sə́:rvənt]
6	상담가, 자문위원	6	consult**ant**	[kənsʌ́ltənt]
7	선조, 조상	7	ascend**ant**	[əséndənt]
8	세든 사람; 소작인	8	ten**ant**	[ténənt]
9	시중드는 사람; 수행원	9	attend**ant**	[əténdənt]
10	신청자	10	applic**ant**	[ǽplikənt]
11	유아	11	inf**ant**	[ínfənt]
12	이민 간 사람	12	emigr**ant**	[éməgrənt]
13	이민 온 사람	13	immigr**ant**	[ímigrənt]
14	자손, 후예	14	descend**ant**	[diséndənt]
15	저항자, 반대자	15	resist**ant**	[rizístənt]
16	점유자; 거주자	16	occup**ant**	[ákjəpənt]
17	조수, 보조자	17	assist**ant**	[əsístənt]
18	지휘관, 사령관	18	command**ant**	[kάməndὰnt]
19	참가자, 참여자	19	particip**ant**	[pɑ:rtísəpənt]
20	탄원자	20	suppli**ant**	[sʌ́pliənt]
21	토론참가자	21	discuss**ant**	[diskʌ́snt]
22	폭군, 압제자	22	tyr**ant**	[táiərənt]
23	피고, 방어자	23	defend**ant**	[diféndənt]
24	부사관, 경사	24	serge**ant**	[sά:rdʒənt]
25	회계사	25	account**ant**	[əkáuntənt]

26 부재자; 결석자	26 absent**ee**	[æbsəntíː]
27 [우편물] 수신인, 받는 이	27 address**ee**	[ædresíː]
28 피임명자, 피지명인	28 appoint**ee**	[əpɔ̀intíː]
29 수상자; 수급자	29 award**ee**	[əwɔ̀ːrdíː]
30 (집합적) 위원	30 committ**ee**	[kəmíti]
31 열성가	31 devot**ee**	[dèvoutíː]
32 종업원	32 employ**ee**	[implɔ́iiː]
33 도망자, 탈옥수	33 escap**ee**	[iskeipíː]
34 수험자	34 examin**ee**	[igzæməníː]
35 영국 근위병	35 guard**ee**	[gɑːrdíː]
36 중재인, 심판원	36 refer**ee**	[rèfəríː]
37 피난민, 난민; 망명자	37 refug**ee**	[rèfjudʒíː]
38 퇴직자, 은퇴자	38 retir**ee**	[ritaiəríː]
39 양수인, 양도받은 사람	39 transfer**ee**	[trænsfəríː]
40 수탁자; 보관인	40 trust**ee**	[trʌstíː]
41 [감옥] 수감자	41 in**mate**	[ínmeit]
42 대표자, 대리인	42 deleg**ate**	[déligit]
43 대학 학부재학생, 대학생	43 undergradu**ate**	[ʌ̀ndərgrǽdʒuət]
44 대학졸업자; 대학원생	44 gradu**ate**	[grǽdʒuət]
45 배우자, 짝[의 한 쪽]	45 m**ate**	[meit]
46 병사, 병졸	46 priv**ate**	[práivit]
47 수상자; 계관시인	47 laure**ate**	[lɔ́ːriit]
48 옹호자; 변호사	48 advoc**ate**	[ǽdvəkit]
49 해적, 표절자	49 pir**ate**	[páiərət]
50 후보자; 지원자	50 candid**ate**	[kǽndidèit]

Unit 04 사람을 나타내는 말 4(-ant; -ee; -ate ...)

51	개인; 사람(구어체)	51	individu**al**	[ìndəvídʒuəl]
52	교장	52	princip**al**	[prínsəpəl]
53	급진당원, 과격론자	53	radic**al**	[rǽdikəl]
54	범인, 범죄자	54	crimin**al**	[krímənl]
55	식민지 주민	55	coloni**al**	[kəlóuniəl]
56	식인종	56	cannib**al**	[kǽnəbəl]
57	악당, 깡패	57	rasc**al**	[rǽskəl]
58	육군원수; 연방보안관	58	marsh**al**	[mɑ́:rʃəl]
59	지식인, 인텔리	59	intellectu**al**	[ìntəléktʃuəl]
60	추기경	60	cardin**al**	[kɑ́:rdənl]
61	기계공, 수리공, 정비사	61	mechan**ic**	[məkǽnik]
62	대학생, 대학교수	62	academ**ic**	[ækədémik]
63	마약중독자	63	narcot**ic**	[nɑ:rkɑ́tik]
64	무신론자	64	skept**ic**	[sképtik]
65	불가지론자	65	agnost**ic**	[ægnɑ́stik]
66	비평가, 평론가	66	crit**ic**	[krítik]
67	시골뜨기; 농부	67	rust**ic**	[rʌ́stik]
68	신비주의자	68	myst**ic**	[místik]
69	알코올 중독자	69	alcohol**ic**	[ælkəhɔ́:lik]
70	일벌레, 일중독자	70	workahol**ic**	[wə̀:rkəhɔ́:lik]
71	대표자; 대의원	71	representa**tive**	[rèprizéntətiv]
72	원시인	72	primi**tive**	[prímətiv]
73	원주민	73	na**tive**	[néitiv]
74	행정관; 간부, 임원	74	execu**tive**	[igzékjətiv]
75	형사, 탐정	75	detec**tive**	[ditéktiv]

76	**가장; [교파 등의] 창시자**	76	**patriarch**	[péitriὰ:rk]
77	개심자; 개종자	77	convert	[kάnvə:rt]
78	건달, 깡패, 폭력단원(구어)	78	hoodlum	[hú:dləm]
79	견습공, 실습생	79	apprentice	[əpréntis]
80	경마의 기수	80	jockey	[dʒάki]
81	[고교·대학의] 2년생	81	sophomore	[sάfəmɔ̀:r]
82	고집통이, 괴팍한 사람	82	bigot	[bígət]
83	곡예사	83	acrobat	[ǽkrəbæ̀t]
84	공범자, 연루자	84	accomplice	[əkάmplis]
85	관리자, 감독자	85	warden	[wɔ́:rdn]
86	[관청·회사 등의] 전 직원	86	personnel	[pə̀:rsənél]
87	국민; 신하	87	subjects	[sʌ́bdʒikts]
88	[국왕·여왕 등의] 배우자	88	consort	[kάnsɔ:rt]
89	군주, 주권자, 제왕	89	monarch	[mάnərk]
90	군중; 오합지졸; 폭도	90	mob	[mɑb]
91	귀부인(고어·시어)	91	dame	[deim]
92	귀신들린 사람; 미치광이	92	demoniac	[dimóuniæ̀k]
93	귀족	93	aristocrat	[ərístəkræ̀t]
94	금발의 남성	94	blond	[blɑnd]
95	금발의 여성	95	blond**e**	[blɑnd]
96	기식자, 식객	96	parasite	[pǽrəsàit]
97	노예	97	slave	[sleiv]
98	놈, 녀석(친밀한 표현)	98	chap	[tʃæp]
99	단과대학장	99	dean	[di:n]
100	대리인; 대역	100	substitute	[sʌ́bstitjù:t]

수준별 맞춤

Vocabulary 시리즈

초등필수 영단어
1-2, 3-4, 5-6 학년용

This Is Vocabulary
입문, 초급, 중급, 고급, 수능완성, 어원편, 뉴텝스

The VOCA+BULARY
완전 개정판 1~7

Word Focus
중등 종합 5000, 고등 명사 5000, 고등 종합 9500

Grammar 시리즈

OK Grammar
Level 1~4

초등필수 영문법+쓰기
1, 2

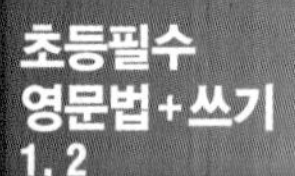

Grammar 공감
Level 1~3

Grammar 101
Level 1~3

도전 만점 중등 내신 서술형 1~4

Grammar Bridge
Level 1~3
개정판

The Grammar with Workbook
Starter
Level 1~3

그래머 캡처
1~2

This Is Grammar Starter
1~3

This Is Grammar
초급 1·2
중급 1·2
고급 1·2

영어 교재 시리즈

Reading 시리즈

Reading 101 Level 1~3

Reading 공감 Level 1~3

THIS IS READING Starter 1~3

THIS IS READING 1~4 전면 개정판

Smart Reading Basic 1~2

Smart Reading 1~2

구사일생 BOOK 1~2

구문독해 204 BOOK 1~2

특단 어법어휘 모의고사 구문독해 독해유형

Listening / NEW TEPS 시리즈

Listening 공감 Level 1~3

After School Listening Level 1~3

The Listening Level 1~4

만점 적중 수능 듣기 모의고사 20회 / 35회

NEW TEPS 실전 250+ 실전 300+ 실전 400+ 실전 500+